De zigeunermadonna

SANTA MONTEFIORE

De zigeunermadonna

2006 – De Boekerij – Amsterdam

Oorspronkelijke titel: The Gypsy Madonna (Hodder & Stoughton)
Vertaling: TOTA/Erica van Rijsewijk
Omslagontwerp: Studio Eric Wondergem BNO
Omslagfoto: Alamy

ISBN 90-225-4382-x

Voor mijn zus Tara,
met veel liefs

De zigeunermadonna

Maria met kind (ook *De zigeunermadonna*)
Circa 1511
Olie op paneel, 65,8 x 83,8 cm
Metropolitan Museum, New York

Titiaans jonge Maagd wordt van oudsher de 'zigeunermadonna' genoemd vanwege haar gekleurde gezicht en donkere haar en ogen. Maria, zelf bijna nog een kind, ondersteunt haar kleine zoon terwijl hij op onvaste benen op een muurtje staat. Zowel moeder als kind lijkt in gepeins verzonken. Maar ze hebben ook geen woorden nodig om met elkaar te communiceren; met zijn linkerhandje speelt Christus in een voor een klein kind volkomen natuurlijk en lieftallig gebaar met de vingers van zijn moeder, terwijl hij met zijn rechterhand de goudgroene voering van haar mantel beroert.

Deel 1

Toen ik door de straten van Laredo dwaalde
Toen ik op een dag door Laredo dwaalde
Zag ik een jonge cowboy
Een knappe jonge cowboy
Helemaal in het wit gekleed
Zo koud als de klei

Ik zie aan je kleding
Dat je een cowboy bent
Die woorden sprak hij
Toen ik dapper naderbij kwam
Kom hier bij me zitten
En luister naar mijn droef relaas
Want ik ben in de borst geschoten
En nu moet ik sterven.

Proloog

New York, 1985

IK WAS HOGELIJK VERRAST TOEN MIJN MOEDER, KORT VOOR HAAR dood, de Titiaan weggaf. Aanvankelijk leek het een daad van een vrouw die niet wist wat ze deed. Mijn moeder was in de loop der jaren steeds koppiger geworden. Ze schonk het schilderij aan het Metropolitan en weigerde pertinent te praten over wat ze had gedaan, zelfs met mij. Zo was mijn moeder. Ze kon kil en bruusk zijn. Ze bezat dat air van kalmte, of hooghartigheid, dat zo vaak aan de Fransen wordt toegeschreven. Maar als je volhield en haar vertrouwen wist te winnen, bleek ze onder al die stekeligheid een zeldzame en tere bloem te zijn, als een wilde roos. Maar ondanks al hun pogingen kregen alle journalisten die haar benaderden nul op het rekest. De druk werd steeds groter, maar ze wist van geen wijken.

Ze was echter niet gek, maar gek gemaakt. In die glanzende, rusteloze ogen herkende ik een diepe en dringende behoefte die mijn begrip ver te boven ging. Ze was stervende. Ze wist dat ze nog maar weinig tijd had. Mensen die al met één been in het graf staan voelen vaak de behoefte om losse eindjes af te hechten, zodat ze in vrede, met een zuiver geweten, kunnen heengaan. Maar mijn moeders wens ging veel verder dan alleen maar je zaakjes op orde zien te krijgen voordat je de reis aanvaardt. 'Je snapt het niet, Mischa,' had ze gezegd, en in haar stem had een merkwaardige angst doorgeklonken. 'Ik móét dit schilderij teruggeven.' Ze had gelijk: ik begreep er niks van. Hoe zou ik dat ook kunnen?

Ik was kwaad. We hadden alles samen gedaan, mijn moeder en ik. We waren intiemer met elkaar dan andere moeders en zonen, omdat we met z'n tweeën zo veel hadden meegemaakt. Het was wij tegen de wereld geweest, *maman* en haar kleine *chevalier*. En als kind had ik ervan gedroomd zo krachtig met een zwaard rond te maaien

13

dat ik al haar vijanden versloeg. Maar ze had me nooit over de Titiaan verteld.

Nu is ze dood, haar lippen voor altijd verzegeld, haar adem meegevoerd door de wind, haar woorden fluisteringen die me in mijn dromen komen bezoeken. Op zekere nacht glipte ze uit dit leven weg, en ze nam al haar geheimen met zich mee – of dat dacht ik althans. Pas later ontdekte ik die geheimen, een voor een, toen ik het spoor van mijn herinneringen terug volgde naar mijn jeugd; ze lagen allemaal klaar om door mij ontdekt te worden, mits ik bereid was om ervoor door het vuur te gaan. Onderweg ervoer ik zowel pijn als vreugde, maar meestal was ik verrast. Als kleine jongen interpreteerde ik alles met mijn jonge, onschuldige geest. Nu ik een man van in de veertig ben, door de jaren heen wijs geworden, kan ik de dingen zien zoals ze werkelijk zijn. Ik had verwacht de herkomst van de Titiaan te achterhalen; ik had nooit verwacht mezelf te vinden.

1

HET BEGON ALLEMAAL OP EEN SNEEUWACHTIGE DAG IN JANUAri. Januari is een sombere maand in New York. De bomen zijn kaal, de feestdagen zijn achter de rug, de kerstlampjes zijn weer voor een heel jaar opgeborgen. De wind die door de straten jaagt heeft iets ijzigs. Ik liep stevig door met mijn handen in mijn zakken. Hoofd omlaag, blik naar de grond gericht, in gedachten verzonken – niets bijzonders, gewoon de dagelijkse dingen. Ik probeerde niet aan mijn moeder te denken. Ik ben iemand die confrontaties graag uit de weg gaat. Als iets me stoort, wil ik er niet aan denken. Als ik er niet aan denk, gebeurt het ook niet. Als ik het niet kan zien, bestaat het niet – snap je? Mijn moeder was een week tevoren overleden. De begrafenis was achter de rug. Alleen de journalisten bleven als vliegen rondzwermen, vast van plan te achterhalen waarom een niet-gecatalogiseerd, onbekend en zo belangrijk schilderij van Titiaan nu pas aan het licht was gekomen. Snapten ze dan niet dat ik er net zo weinig van af wist als zij? Zij tastten alleen maar in het duister; ik zwom rond in één grote leegte.

Ik kwam aan bij mijn kantoor. Een gebouw van rode bakstenen in de West Village met beneden een antiekzaak. Zebedee Hapstein, de excentrieke klokkenmaker, was in het pand ernaast te midden van een dissonerend orkest van getik druk bezig in zijn werkplaats. Ik zocht in mijn zak naar de sleutel. Mijn vingers waren gevoelloos; ik was vergeten handschoenen aan te trekken. Heel even keek ik naar mijn spiegelbeeld in de ruit. Het gekwelde gezicht van een man die er oud uitzag voor zijn leeftijd staarde grimmig naar me terug. Ik schudde mijn verdriet van me af en liep naar binnen, de sneeuw van mijn schouders kloppend. Stanley was er nog niet, evenmin als Esther, die de telefoon van de winkel aannam en de zaak schoonhield. Met lood in mijn schoenen klom ik de trap op. Binnen was het schemerig en rook het naar oud hout en meubelwas. Ik deed de deur van mijn kantoor open en stapte naar binnen. Daar zat, doodgemoedereerd op een stoel, een zwerver.

Ik sprong bijna uit mijn vel. Nijdig vroeg ik wat hij daar deed en hoe hij was binnengekomen. Het raam was dicht geweest en de voordeur had op slot gezeten. Heel even was ik bang. Toen draaide hij zich naar me toe, zijn lippen geplooid in een halve glimlach. Onmiddellijk viel me de bijzondere kleur van zijn ogen op, die in zijn gerimpelde en bebaarde gezicht oplichtten als aquamarijnen in rotsgesteente. Ik kreeg opeens een déjà vu, maar die sensatie verdween weer even snel als hij was opgekomen. Hij droeg een vilten hoed en zat in elkaar gedoken in een dikke jas. Ik merkte op dat zijn schoenen smerig en afgetrapt waren, met slijtplekken op de neuzen. Hij nam me van top tot teen goedkeurend op, en ik voelde mijn woede groeien bij zo veel brutaliteit.

'Je bent een knappe jonge kerel geworden,' zei hij peinzend, met een waarderend knikje. Ik keek hem vragend aan, niet wetend hoe te reageren. 'Weet je niet wie ik ben?' vroeg hij, en achter zijn glimlach ving ik een glimp op van grote treurigheid.

'Natuurlijk niet. Volgens mij kun je maar beter gaan,' antwoordde ik.

Hij knikte en haalde zijn schouders op. 'Ach, er is ook geen reden waarom je het je zou herinneren. Ik had gehoopt... Nou ja, wat doet het ertoe? Heb je er bezwaar tegen dat ik rook? Het is verrekte koud buiten.' Hij had een zuidelijk accent en zijn manier van spreken had iets waar ik kippenvel van kreeg.

Voordat ik zijn verzoek kon weigeren haalde hij een Gauloise tevoorschijn en streek een lucifer af. De plotselinge geur van rook deed me duizelen. Ik was eensklaps weerloos overgeleverd aan mijn herinneringen. Ik keek hem een hele poos strak aan, waarna ik de gedachte als onzinnig van de hand wees. Ik trok mijn jas uit en hing die om mijn gezicht niet te hoeven laten zien aan de achterkant van de deur. Daar bleef ik even staan rommelen, waarna ik achter mijn bureau ging zitten. De oude man ontspande zich terwijl hij de rook inhaleerde, maar verloor me geen moment uit het oog. Geen seconde.

'Wie ben je?' vroeg ik, en ik zette me schrap voor het antwoord. *Het kan niet waar zijn*, hield ik mezelf voor. *Niet na al die tijd*. Ik wilde niet dat het waar was, niet zo, niet te midden van die geur van verschaalde rook en zweet. Hij glimlachte en blies de rook via een mondhoek naar buiten.

'Zegt de naam Jack Magellan je iets?'

Ik aarzelde, met droge mond.

Hij trok een borstelige wenkbrauw op en boog zich over het bureau. 'Misschien dan dat de naam Coyote je bekender voorkomt, Junior?'

Ik voelde dat mijn mond openviel. Ik zocht op zijn gezicht naarstig naar de trekken van de man op wie ik ooit zo dol was geweest, maar zag alleen een donkere baard, grijs aan de randen, en diepe groeven in een dikke, verweerde huid. Er viel niets van enige jeugdigheid of magie te bespeuren. De knappe Amerikaan die ons de hemel op aarde had beloofd was lang geleden heengegaan. Hij was vast dood, want waarom zou hij anders niet zijn teruggekomen?

'Wat moet je?'

'Ik heb het in de krant gelezen van je moeder. Ik ben voor haar gekomen.'

'Ze is dood,' zei ik botweg, en ik lette scherp op hoe hij zou reageren. Ik wilde hem pijn doen. Ik hoopte dat hij spijt had. Ik was hem niets verschuldigd – híj was míj een verklaring en dertig jaar verschuldigd. Het deed me goed te zien dat zijn ogen zich vulden met tranen en vol verdriet leken weg te zinken in hun kassen. Hij staarde me ontzet aan. Ik sloeg hem scherp gade terwijl hij mij aankeek en deed geen moeite om zijn geëmotioneerdheid te negeren. Ik liet hem domweg als een vis op het droge naar adem happen.

'Dood,' zei hij ten slotte, en zijn stem haperde. 'Wanneer is ze overleden?'

'Vorige week.'

'Vorige week,' bauwde hij me na, hoofdschuddend. 'Had ik maar…'

Hij nam een trek van zijn sigaret en de rook die hij uitblies hulde me weer in een web van herinneringen. Met een frons verzette ik me daartegen en ik wendde me af. Voor mijn geestesoog zag ik lange, groene rijen wijnstokken oprijzen, cipressen en de zondoorstoofde zandstenen van de muren van het *château* dat ooit mijn thuis was geweest. De lichtblauwe luiken waren geopend, de geur van naaldbomen en jasmijn werd meegevoerd op het briesje, en ergens heel ver weg in mijn gedachten hoorde ik een stem 'Laredo' zingen.

'Je moeder was een heel bijzondere vrouw,' zei hij verdrietig. 'Had ik haar nog maar kunnen zien voordat ze stierf.'

Ik wilde hem zeggen dat ze zich lange tijd had vastgeklampt aan de hoop dat hij op een goede dag zou terugkeren. Dat ze in de dertig jaar na zijn vertrek nooit aan hem had getwijfeld. Pas op het allerlaatst, toen ze bij het einde van haar leven was aangekomen, had ze vrede gekregen met de waarheid: dat hij nooit meer zou weerkeren. Ik wilde tegen hem tekeergaan en hem aan de kraag van zijn jas van de grond tillen, maar dat deed ik niet. Ik bleef kalm. Ik bleef hem slechts met een volkomen uitdrukkingsloos gezicht aanstaren. 'Hoe heb je me gevonden?' vroeg ik. 'Ik heb over de Titiaan gelezen,' antwoordde hij. Ah, de Titiaan, dacht ik. Dus daar is hij op uit. Hij doofde zijn sigaret en grinnikte. 'Ik heb gelezen dat ze hem aan de stad heeft geschonken.' 'Nou, en?' Hij haalde zijn schouders op. 'Dat schilderij is een vermogen waard.'

'Dus dáárom ben je hier: geld.'

Weer boog hij zich naar voren en keek me met die hypnotiserende blauwe ogen van hem strak aan. 'Ik kom niet om geld vragen. Ik ben nergens op uit.' Zijn stem klonk bars van verontwaardiging. 'Ik ben maar een oude dwaas. Er valt hier niets meer voor me te halen.'

'Waarom ben je dán gekomen?'

Nu glimlachte hij, waarbij hij een gebit onthulde dat zwart zag van de tandrot. Ik kreeg er echter een ongemakkelijk gevoel van, want zijn glimlach deed meer denken aan de grimas van een man in nood. 'Ik jaag een droom na, Junior, zo is het en niet anders. Dat is het altijd geweest: een droom. Maar dat begrijp jij toch niet.'

Vanachter het raam zag ik hem de straat uit strompelen, zijn schouders opgetrokken tegen de kou, zijn hoed diep over zijn voorhoofd getrokken. Ik krabde aan mijn kin en voelde de baardstoppels tegen mijn vingers. Heel even meende ik zeker te weten dat ik hem hoorde zingen, zijn stem meegevoerd op de wind: *toen ik door de straten van Laredo dwaalde…*

Het werd me allemaal te veel. Ik pakte mijn jas en vloog de trap af. Toen ik bij de deur kwam, ging die net open en kwam Stanley binnengewandeld. Hij leek verrast om me te zien. 'Ik ben even weg,' zei ik, en zonder verdere uitleg ging ik ervandoor.

Ik rende de straat op. De sneeuw viel nu in dikke, zware vlokken neer. Ik volgde het spoor van zijn voetafdrukken. Ik wist niet wat ik tegen hem wilde gaan zeggen als ik hem zou hebben ingehaald, maar ik wist wel dat mijn woede plaats had moeten maken voor een bijna lichamelijke sensatie. Het valt moeilijk uit te leggen, maar hij had me een cadeau gegeven, een heel speciaal cadeau. Een cadeau dat niemand anders me kon geven, zelfs mijn moeder niet. En ondanks alle pijn die hij met zich meebracht, hadden wij een band die nooit verbroken kon worden.

Ik wist zijn voetsporen een poos te volgen, maar algauw gingen ze verloren te midden van de drukte van de miljoenen naamloze New Yorkers. Plotseling voelde ik diep vanbinnen een steek van pijn, spijt om iets wat verloren was gegaan. Ik speurde de trottoirs af, zoekend naar een oude manke man, maar mijn hart hunkerde naar iemand anders. Hij was knap geweest, met zandkleurig haar en doordringende blauwe ogen, met de kleur van een tropische zee. Als hij glimlachte, hadden die ogen ondeugend getwinkeld en waren er bij de buitenhoeken lachrimpeltjes verschenen in zijn bruinverweerde huid. Zijn mondhoeken waren omhooggegaan, ook als hij ernstig was, alsof een glimlach zijn natuurlijke gelaatsuitdrukking was en het hem moeite kostte om zijn ernst te bewaren. Hij liep met een veerkrachtige tred, zijn kin geheven, zijn schouders recht, en straalde dan zo veel onstuimige en bandeloze charme uit dat zelfs het hart van de meest geharde cynicus ervan ontdooide. Dat was de Coyote die ik kende. Niet deze oude, onwelriekende vagebond die als een aasgier af kwam op het stoffelijk overschot van de vrouw die hem had bemind.

Ik staarde mistroostig naar de sneeuw, draaide me toen om en liep terug. Mijn voetstappen waren bijna niet meer te zien. En de zijne? Die waren ook weg. Het was alsof hij nooit had bestaan.

2

Bordeaux, Frankrijk, 1948

'O, DIANE, KIJK NOU TOCH EENS, DAAR HEB JE DAT SCHATTIGE jongetje weer!'

Joy Springtoe bukte zich en kneep me in de wang. Ik ademde haar zoete parfum in en voelde dat ik bloosde. Ze was de mooiste vrouw die ik ooit had gezien. Ze had een dikke bos blonde krullen, haar ogen hadden dezelfde kleur als de duiven die op het dak van het château zaten te koeren, en haar huid was zacht als suède en licht getint. Ze was elegant op die overdreven Amerikaanse manier waar Franse vrouwen niets van moeten hebben, maar ik was op haar gesteld. Ze was kleurrijk. Als ze lachte, wilde je met haar meelachen – alleen deed ik dat niet, kon ik dat niet. Ik glimlachte alleen maar verlegen en liet me door haar aanhalen, terwijl mijn jonge hart overvloeide van dankbaarheid.

'Je bent heel knap voor zo'n kleine jongen. Je bent vast niet ouder dan een jaar of zes, zeven. Nou? Waar zijn je ouders? Wat zou ik die graag leren kennen! Zijn zij net zo knap als jij?'

Haar vriendin kwam met een zorgelijk gezicht naar haar toe. Ze was zo rond als een theepot, met rozige wangen en zachte bruine ogen. Hoewel ze een rode gebloemde blouse droeg, verbleekte ze naast Joy volkomen, alsof God zich helemaal had uitgeleefd om Joy in te kleuren en Diane was vergeten.

'Hij heet Mischa,' zei Diane. 'Hij is Frans.'

'Je ziet er anders helemaal niet Frans uit, knulletje. Met al dat blonde haar en die prachtige blauwe ogen. Nee, jij ziet er verre van Frans uit.'

'Zijn moeder werkt in het hotel,' voegde Diane eraan toe. Joy keek haar vragend aan. 'Ik was nieuwsgierig, dus heb ik ernaar gevraagd.' Ze haalde haar schouders op en keek met een verontschuldigende glimlach naar mij.

'Moet je niet naar school?' vroeg Joy. *'Est-ce que tu ne vas pas à l'école?'*
'Hij kan niet praten, Joy.'
Joy rechtte haar rug en keek Diane vol afgrijzen aan. Toen ze zich weer naar mij toe wendde, straalde haar gezicht grote genegenheid uit. 'Kan hij niet praten?' vroeg ze, met haar hand over mijn wang strijkend. Haar ogen glinsterden van medeleven. 'Wie heeft jouw stem dan gestolen, kleintje?'
Op dat moment, terwijl ik me koesterde in de warmte van Joys aandacht, kwam Madame Duval de hoek om. Toen ze mij zag betrok haar gezicht even, maar ze herstelde zich. *'Bonjour,'* zei ze tegen haar gasten. Haar stem klonk licht en honingzoet. Ik verstijfde als een muis die niet weet waar hij heen moet rennen. 'Ik hoop van harte dat jullie een prettige nacht hebben gehad.'
Joy stond op en streek met haar hand door haar haar. 'O, dat hebben we zeker. Het is hier zo mooi. Vanuit mijn raam kijk ik uit op de wijngaarden en vanochtend in de zon sprankelden ze gewoon.'
'Dat doet me deugd. Het ontbijt wordt momenteel geserveerd in de eetzaal.'
Joy keek naar mij. Aan haar gezicht te zien had ze wel in de gaten hoe erg ik geschrokken was. Ze klopte me even op mijn hoofd en gaf me een knipoog, en vervolgens liepen Diane en zij de gang door in de richting van de trap. Toen ze weg waren, verhardde de uitdrukking op Madame Duvals gezicht zich als water dat plotsklaps verandert in ijs.
'En jij! Wat heb jij aan deze kant van het gebouw te zoeken? Weg hier! Toe! Wegwezen!' Ze gaf me met een bruusk handgebaar te kennen dat ik moest ophoepelen. Mijn hart, dat daarnet nog zo open was geweest, ging nu weer op slot. Ik rende weg voordat ze me een klap kon geven.
Ik trof mijn moeder in de bijkeuken aan, waar ze zilver zat te poetsen. Ze keek bezorgd op toen ze me zag binnenkomen. 'O, Mischa!' riep ze uit, en ze trok me in haar armen en kuste mijn slaap. 'Is alles goed met je? Heeft iemand je soms pijn gedaan?' Ze keek omlaag naar mijn gezicht en begreep het. 'Ach lieverd, je moet ook niet naar de privékant gaan. Dat is nu een hotel. Het is jouw huis niet meer.' Mijn tranen maakten natte plekken op haar schort. 'Ik snap wel dat je het moeilijk kunt begrijpen, maar van nu af aan is het zo geregeld. Je moet het maar accepteren en je moet je gedragen, voor ons beider bestwil. Madame Duval is goed voor ons geweest.'

Ik trok me los uit haar armen en schudde nijdig mijn hoofd. Gênant genoeg begonnen de tranen weer te stromen. Toen ze me probeerde te omhelzen, schudde ik haar van me af en stampte met mijn voet op de grond. *Ik haat haar, ik haat haar, ik haat haar,* riep ik. Maar mijn innerlijke stem kon ze niet horen. 'Kom op, lieverd. Ik snap het wel. *Maman* begrijpt je.' Niet in staat weerstand te bieden aan de warmte van haar kussen, gaf ik me gewonnen en kroop op haar schoot. Ik sloot mijn ogen en ademde de citroenachtige geur van haar huid in. Haar lippen rustten tegen mijn jukbeen, zodat haar adem over mijn gezicht streek. Ik voelde haar liefde. Die was vurig en onvoorwaardelijk, en ik dronk haar met uitgedroogde lippen in.

Mijn moeder was mijn beste vriendin. Maar die vreselijke periode aan het eind van de oorlog bracht ook een bijzonder iemand naar me toe, iemand helemaal voor mij alleen. Hij heette Pistou en niemand anders kon hem zien. Hij was ongeveer van mijn leeftijd. Anders dan ik was hij donker, met warrig haar en een olijfkleurige huid en bruine ogen die diep in hun kassen lagen. Hij kon mijn innerlijke stem horen en ik hoefde hem niets uit te leggen, want hij begreep alles. Voor een kleine jongen wist hij erg veel.

De eerste keer dat ik hem zag was 's nachts. Sinds de oorlog was afgelopen sliep ik bij mijn moeder. We rolden ons samen op en zij nam me lekker veilig bij zich. Ik had nachtmerries, snap je. Verschrikkelijke dromen waaruit ik huilend wakker werd, terwijl mijn moeder me over mijn voorhoofd streek en me slaperig kuste. Ik kon haar niet uitleggen wat voor dromen het waren, dus ging ik met mijn ogen knipperend in het donker liggen, bang dat zodra ik mijn ogen sloot, de beelden zouden terugkomen en me bij haar weg zouden halen. Op dat moment verscheen Pistou. Hij kwam op het bed zitten en glimlachte me toe. Zijn gezicht straalde zo en het stond zo hartelijk dat ik meteen wist dat we vriendjes zouden worden. Doordat hij me zo vol medeleven aankeek, wist ik dat hij mijn dromen kon zien net zoals ik ze zag en dat hij mijn angsten begreep. Terwijl mijn moeder sliep, lag ik wakker met Pistou, totdat ik me niet langer tegen mijn vermoeidheid kon verzetten en ook in slaap viel.

Na de eerste middernachtelijke ontmoetingen verscheen hij soms ook overdag. Weldra besefte ik dat niemand anders hem kon zien; iedereen keek dwars door hem heen. Hij botste tegen hen op, bakte hun poetsen, kneep de oude vrouwen in hun billen, tikte met zijn vingers tegen hun hoed, stak midden in hun gezicht zijn tong naar hen uit, maar ze zagen hem niet. Zelfs mijn moeder wreef peinzend over haar voorhoofd als ik met hem speelde in onze kleine kamer in het stallencomplex. Natuurlijk kon ik haar niets over Pistou vertellen, al had ik dat nog zo graag gewild. Ik ging niet naar school. Niet omdat ik niet kon praten, maar omdat ze me niet wilden aannemen. Mijn moeder probeerde me te leren wat zij wist, hoewel dat haar zwaar viel. Ze maakte lange dagen in het château en kwam 's avonds uitgeput thuis. Maar ook al moest ze de hele dag hard werken, toch vond ze nog tijd om mij te leren schrijven. Dat was vanwege mijn onvermogen om te communiceren een frustrerend proces, maar we ploeterden met z'n tweetjes voort. Altijd wij tweetjes – en Pistou.

Ik wist dat het haar verdriet deed dat ik geen leeftijdgenootjes had om mee te spelen. Ik wist een heleboel dingen waarvan zij geen idee had dat ik ze wist. Zie je, ze sprak haar gedachten vaak hardop uit, alsof ik niet alleen stom was, maar ook doof. Dan ging ze aan haar kaptafel zitten, borstelde haar lange bruine haar en staarde naar haar ernstige gezicht in de spiegel, terwijl ik in het ijzeren bed deed alsof ik sliep, maar luisterde naar alles wat ze zei. 'O, ik hou mijn hart voor je vast, Mischa,' zei ze dan. 'Ik heb je op de wereld gezet, maar ik kan je er niet tegen beschermen. Ik doe wat ik kan, alleen is dat niet genoeg.' Andere keren kwam ze naast me liggen en fluisterde in mijn oor: 'Jij bent alles wat ik heb, schatje. Wij zijn lekker met z'n tweetjes. *Maman* en haar kleine *chevalier*.'

Ik werd in mijn vroege jeugd omringd door vijanden. We leken net een eilandje in een zee vol haaien. Maar geen vijand was voor mij zo geducht als Madame Duval. Door haar toedoen hadden we het château uit gemoeten en onze intrek moeten nemen in de stallen. Mijn moeder beweerde dat ze goed voor ons was. Ze sloeg een respectvolle toon tegen de oudere vrouw aan, haar woorden een en al dankbaarheid, alsof we ons leven aan haar te danken hadden. Maar Madame Duval glimlachte nooit en gaf nooit een vriendelijke reactie. Ze staarde mijn moeder met haar reptielenogen vol verachting aan. En wat mij betreft, ik was in haar ogen erger dan de ratten waar ze in de *cave* onder het château vallen voor zette. Ik was ongedierte. Als ze me alleen al zag raakte ze in alle staten. Toen het hotel zijn deuren opende, slenterde ik naar de voorkant, gefascineerd door de glimmende auto's die over het grind kwamen aangereden, met ernstige mannen met hoeden op en handschoenen aan achter het stuur. Ze greep me bij mijn oor en sleurde me mee naar de keuken, waar ze me zo'n draai om mijn oren gaf dat ik op de grond viel. Haar schrille stem trok de aandacht van Yvette, de kokkin, en haar legertje personeel, die allemaal om me heen kwamen staan om te kijken wat er was voorgevallen. Maar niemand van hen hielp me. Ik dook nogmaals angstig op de grond in elkaar, want hun gezichten waren allemaal hetzelfde: vol haat.

Mijn moeder was degene die me in haar armen nam, en haar tranen bewezen keer op keer dat ze wat ik ook had uitgespookt ontzettend veel van me hield.

Omdat ik niet kon communiceren en bang was voor het personeel, trok ik me in mezelf en mijn geheime wereld terug. Pistou en ik speelden urenlang *cache-cache* tussen de lange rijen wijnstokken. Hij kon zomaar vanuit het niets opduiken, en moest dan zo hard lachen dat hij zijn buik moest vasthouden. Ik vond het leuk om te zien hoe zijn schouders schudden, dus deed ik hem na, waarop hij nog harder moest lachen. We gingen op het stenen bruggetje zitten om steentjes in het water te gooien. Hij kon ze laten stuiteren, net als het rubberen balletje dat ik in mijn zak had. Dat balletje was heel bijzonder voor me. Om eerlijk te zijn was het mijn dierbaarste bezit, want ik had het van mijn vader gekregen en verder bezat ik niets van hem. We gooiden het over en haalden er kunstjes mee uit alsof we zeehonden waren. Het viel een keer met een onheilspellend plopgeluid in het water. In tegenstelling tot de steentjes die we daarin gooiden, zonk het rubberen balletje niet; het bleef op en neer deinen, meegevoerd door de stroom. IJlings sprong ik erachteraan, en pas toen ik tot aan mijn middel in het water stond, bedacht ik dat ik niet kon zwemmen. Hijgend van schrik en angst graaide ik naar mijn balletje en waadde door de modder en waterplanten terug naar de oever. Pistou kon er niet mee zitten. Hij zette zijn handen in zijn zij en lachte om mijn capriolen. Maar ik had mooi wel mijn balletje terug. Een roes van opwinding bedwelmde me. Om mijn heldhaftige daad te vieren dansten we over het gras als een paar roodhuiden, maaiend met onze armen en stampend met onze voeten. Ik hield mijn balletje stevig vast en nam me heilig voor voortaan beter op te letten.

Nadat de Duvals het château hadden gekocht en er een hotel van hadden gemaakt, maakten we er een gewoonte van de gasten te bespieden. Ik kende het terrein beter dan wie ook, en zeker beter dan de Duvals. Ik was er immers opgegroeid. Het château was mijn thuis geweest. Ik wist precies waar je je goed kon verstoppen en achter welke deuren je weg kon kruipen, kende alle ontsnappingsroutes. Maar voor gasten als Joy Springtoe verstopte ik me niet; zij wist hoe ze een geheim moest bewaren. Ik verstopte me voor Madame

Duval en haar padachtige echtgenoot, die sigaren rookte en de dienstmeiden zoende als zijn vrouw het niet zag. Pistou mocht de Duvals ook niet. Zijn favoriete spelletje was dingen verstoppen. Hij verstopte de sigaren van Monsieur Duval en de leesbril van Madame Duval, en we keken vanuit onze geheime schuilplekjes toe hoe ze er geërgerd naar liepen te zoeken.

Mijn fascinatie voor Joy Springtoe was sterker dan mijn angst voor Madame Duval. Ik was pas zesdriekwart jaar oud, maar ik was verliefd. In mijn verlangen om haar te zien durfde ik elk risico te nemen. Ik sloop ongezien naar de privékant en verstopte me achter meubels en planten. In het château wemelde het van de smalle gangen, hoeken en nissen die voor een kind van mijn lengte uitstekend geschikt waren om zich te verstoppen. Overdag zat Madame Duval vaak in haar kantoor op de begane grond. Ze hadden daar een lelijk blauw-goud tapijt boven op de grote vierkante plavuizen gelegd waar ik als peuter glijbaantje op had gespeeld. Ik had een bloedhekel aan dat tapijt. De hal was haar terrein en daar wachtte ze als een spin in een web op de gasten die met hun zakken vol geld uit Engeland en Amerika kwamen, om hen te verwelkomen. Terwijl zij zoete broodjes bakte, waar mensen zoals ik, die wisten hoe ze werkelijk was, dwars doorheen prikten, sloop ik door de gangen om een glimp van Joy Springtoe op te vangen.

Vanachter een fauteuil die in de hoek bij het raam stond, sloeg ik het komen en gaan van de gasten gade. Het was ochtend. Het bleke licht overgoot de met tapijt beklede vloer en de witte muren met een zomers schijnsel. Buiten kwinkeleerden de vogels. Allereerst verschenen de Drie Fazanten, zoals mijn moeder hen noemde: drie Engelse dames op leeftijd die hier waren gekomen om te schilderen. Ik was dol op mensen uit het buitenland. Ik had een hekel aan de Fransen, behalve dan aan Jacques Reynard, die voor de wijngaard zorgde; hij was de enige die aardig tegen me deed. Om de Drie Fazanten moest ik glimlachen, want ze liepen altijd te kissebissen. Ze waren hier nu al weken. Ik stelde me zo voor dat hun kamers volgepropt waren met schilderijen. De langste van de drie heette Gertie, een fazant met een lange hals die haar best deed om een zwaan te zijn. Ze had wit haar, een mager, knokig gezicht en kleine zwarte ogen. Ze had een behoorlijke voorgevel, die meedeinde als ze liep, als zachtgekookte eieren in mousseline. Haar taille was smal, omgord door een ceintuur, waarna haar lichaam breed uitliep alsof al het vet van haar taille in haar onderhelft was geperst. Ze had lange witte vingers die speelden met de parelketting die tot op haar middel hing, en ze was altijd de eerste die haar mening te kennen gaf.

Daphne was mijn favoriet. Daphne met de veren in haar haar. Daphne was excentriek. Haar japonnen sloten bij geen enkele herkenbare modetrend aan; nu eens ging ze gehuld in kant, dan weer in iets wat eruitzag als de franje van gordijnen. Haar gezicht was zo rond en roze als een rijpe perzik en haar volle lippen plooiden zich altijd in een glimlach, alsof ze louter voor haar plezier aan de discussies deelnam. Ze had een pluizig hondje bij zich, dat ze Frankrijk had binnengesmokkeld. Zijn lichtbruine vacht hing altijd voor zijn ogen, zodat ik nooit precies wist wat zijn voor- en wat zijn achterkant was. Toen ik een keer een koekje voor zijn snuit heen en weer bewoog, ontdekte ik dat wat ik voor zijn kop had aangezien in werkelijkheid zijn kont was. Daphnes stem was dik en rokerig, maar ze praatte langzaam, zodat ik haar, omdat ik met de Engelse taal was opgevoed, goed kon volgen. Maar het mooist van alles vond ik nog haar schoenen. Het leek wel of ze genoeg schoenen bezat om elke dag een ander paar te kunnen aantrekken, en het ene was nog kleuriger dan het andere. Ze had schoenen van roze fluweel en paarssatijnen exemplaren; sommige hadden kleine hakjes, andere waren plat en puntig, met gekrulde neuzen; ze had een paar met enkelbandjes met kraaltjes of veertjes aan de gesp. Haar lichaam had ronde welvingen en was zacht, en haar voeten waren heel klein.

Verder had je Debo. Zij was kwijnend en dun, en droeg bloemetjesjurken. Haar zwarte haar was in een glanzend bobkapsel geknipt dat haar scherpe kaaklijn accentueerde, en haar lippen waren altijd felrood gestift. Haar ogen waren groot en heel lichtgroen. Ze was nog steeds knap. Mijn moeder beweerde dat ze haar haar verfde, want een vrouw van die leeftijd kon niet anders dan grijs zijn. Ze zei ook dat de Fazanten zich alle drie kleedden volgens een mode uit langvervlogen tijden, maar ik was nog maar zesdriekwart, dus wist ik niet welk verleden ze bedoelde. Ze gingen in elk geval niet gekleed als de mensen die ik kende. Niet zoals Joy Springtoe in elk geval. Debo rookte altijd. Ze trok aan een ivoren sigarettenpijpje en dan lichtte het uiteinde van de sigaret als een vuurvliegje op. Vervolgens blies ze de rook door een mondhoek naar buiten, of ze liet hem als een stoomlocomotief in één lange sliert ontsnappen. Ze blies de rook nooit gewoon uit, maar speelde ermee alsof het een leuk spelletje was. Anders dan de stem van Daphne was de hare broos en klonk haar lach kakelend. Ze praatte alsof ze haar mond vol had, met een stijve en onbeweeglijke kaak. 'Niet achter de stoel kijken, meisjes,' zei Daphne op luide fluistertoon. 'Daar heeft die kleine schat zich weer verstopt.'

'Voor ons hoeft hij zich niet te verstoppen,' zei Debo zachtjes kakelénd. 'Heeft niemand hem verteld dat wij niet bijten?'

'Hij verstopt zich voor "mevrouw Duval",' vervolgde Daphne. 'En dat kun je hem niet kwalijk nemen.'

'Ik vind haar charmant,' bracht Gertie daartegen in.

'Wat heet,' antwoordde Debo, en haar rode lippen plooiden zich in een glimlach.

'Jij vergist je elke keer weer in mensen, Gertie. Ze is juist een afschuwelijk mens!' kaatste Daphne terug, en ze sloegen de hoek om.

Toen ze weg waren, wachtte ik op Joy Springtoe. Er liepen een paar mannen voorbij, maar ze zagen me niet. Net toen ik de hoop begon op te geven, kwam ze uit haar kamer mijn kant op gelopen. Ze liep echter niet met haar gebruikelijke veerkrachtige tred en ik zag dat ze huilde. Geroerd door haar tranen nam ik het risico door Madame Duval te worden betrapt en stapte ik achter de stoel vandaan.

'O, je laat me schrikken, Mischa,' zei ze, en ze bracht een hand naar haar borst. Ze wist een klein glimlachje te produceren en bette haar ogen met een zakdoek. 'Wachtte je op míj?' vroeg ze. Ze keek me vragend aan. 'Kom mee, ik wil je iets laten zien.' Ze pakte me bij de hand en nam me mee terug haar kamer in. Mijn hart hamerde van opwinding. Ze had nog niet eerder mijn hand gepakt.

In haar kamer hing een zoete geur. De ramen stonden wijd open en boden uitzicht op de tuin met buxushaagjes, met daarachter de wijngaard. De lucht die naar binnen dreef was fris en zwaar van de geur van gemaaid gras. Op het grote bed lag haar roze zijden nachtpon over de beddensprei gedrapeerd en het kussen was nog ingedeukt doordat haar hoofd erop had gelegen. Ze deed de deur achter me dicht en liep naar het tafeltje naast het bed. Ze pakte een ingelijste foto op en wenkte dat ik naast haar op het bed moest komen zitten. Verlegen nam ik naast haar plaats, mijn voeten bungelend over de rand. Ik had nog nooit eerder in een vrouwenslaapkamer gezeten, behalve dan in die van mijn moeder, en het maakte me bang, alsof de deur elk moment open zou kunnen gaan en ik kon worden betrapt, om aan één oor te worden weggesleurd en een pak slaag te krijgen.

Het was een foto van een man in uniform. 'Dit was mijn geliefde, kleintje.' Ze slaakte een zucht en liet haar blik liefkozend over het portret gaan. 'Ik droomde ervan om met hem te trouwen en een zoontje te krijgen zoals jij.' Ze lachte bij zichzelf. 'Je begrijpt vast niet wat ik tegen je zeg, hè? Het probleem is dat ik maar gebrekkig Frans spreek. Maar ja, dat doet er niet toe.' Ze sloeg haar armen om me heen en kuste me op mijn hoofd. De vlammen sloegen me uit en ik hoopte maar dat ze dat niet in de gaten had. 'Hij is aan het eind van de oorlog hier in de Bordeaux overleden. Hij was een dapper man, kleintje. Ik hoop maar dat jij nooit ten strijde hoeft te trekken. Dat is voor een man iets verschrikkelijks – om te moeten vechten voor zijn leven, om alles kwijt te raken. Mijn Billy is op het slagveld gesneuveld, in een oorlog die de zijne niet was. Maar ik voel me een beetje beter als ik bedenk dat jij door zijn toedoen gespaard bent gebleven. Want als Amerika niet had meegevochten, hadden de Duitsers misschien wel gewonnen, en wat had er dan van jou terecht moeten komen? Nou? Ik zou dolgraag ooit een zoontje willen hebben zoals jij, een knappe kleine jongen met blond haar en blauwe ogen.' Ze woelde door mijn haar en snufte. Ik voelde dat haar ogen op mijn gezicht rustten en mijn blos verdiepte zich. Dat leek haar te amuseren, want ze glimlachte. Ook al had ik een stem gehad, dan nog zou ik geen woord hebben kunnen uitbrengen.

Toen ze naar beneden ging naar de eetzaal, huilde ze niet meer. Ik keerde terug naar de stallen. Het was zondag; mijn moeder werkte 's zondags niet en ging in plaats daarvan naar de kerk, en ik ging met haar mee. Ik had er een hartgrondige hekel aan, maar ik wist dat ik dat voor haar moest doen. De dorpelingen deden zo vijandig dat ik bang was dat, als ik haar alleen liet gaan, ze er niet tegen bestand zou zijn.

Toen ik haar aantrof aan haar kaptafel, ingetogen gekleed in een zwarte jurk en een zwart vest, haar zwarte hoed zorgvuldig op haar hoofd geplaatst, rook ze meteen dat ik bij Joy Springtoe was geweest. Ze trok me tegen zich aan en snoof in mijn nek. 'Hou je er naast mij nog een andere vrouw op na?' riep ze geamuseerd uit. 'Daar ben ik jaloers op.' Ik keek haar met een grijns aan. Ze snuffelde nogmaals aan me, dit keer met overdreven geluiden. 'Ze is knap. Ze ruikt naar bloemen. Gardenia, lijkt me. Ze is geen Française. Ze is…' Ze aarzelde om me te plagen. 'Ze is Amerikaanse. Haar ogen zijn grijs, haar haar is blond, en ze heeft een aanstekelijke lach. Volgens mij ben je verliefd, Mischa.' Ik sloeg mijn ogen neer, in de overtuiging dat ik inderdaad als een volwassen man mijn hart aan iemand had verpand. 'Weet ze ervan?' Ik haalde hulpeloos mijn schouders op. 'O, de taal der liefde maakt woorden overbodig. Ik denk wel dat ze het weet.' Ze drukte haar lippen op mijn voorhoofd.

'En volgens mij vindt ze jou ook leuk.'

Toen we het weggetje af liepen dat door de velden naar de stad voerde, was mijn hart zo licht dat het me bijna van de grond tilde. Gedachten aan Joy Springtoe overwonnen mijn angst om naar de mis te gaan. Voor mijn geestesoog zag ik het beeld van haar betraande gezicht en ik wist dat ik haar tranen had gestelpt. Mijn moeder had gelijk: zij vond mij ook leuk.

Kleine vliegjes gonsden door de warme lucht en hun vleugeltjes schitterden in het zonlicht. Door de cipressen speelde een zacht briesje, zodat de takken deinden. Ik hield een stok in mijn hand en sloeg daarmee onder het lopen tegen steentjes. We liepen in stilte voort, luisterend naar het vogelgezang en de ruisende takken boven ons hoofd. De hemel was helder, de zon stralend, maar nog niet te fel. Toen hoorde ik het naargeestige geluid van beierende kerkklokken en kwamen de roze pannendaken van de stad in zicht. Ik pakte mijn moeders hand vast.

De kerk van St.-Vincent-de-Paul domineert het stadje Mauriac. In mijn ogen vormde die een passend onderkomen voor Père Abel-Louis, wiens strenge, verwijtende ogen in mijn nachtmerries aan me verschenen, maar niet voor God. Als de kerk Gods huis was geweest, was Hij daar al lang geleden uit weggetrokken en had Hij het leeg laten staan zodat Père Abel-Louis er als een koekoek in kon trekken. De kerk was gebouwd van hetzelfde lichtgekleurde steen als de huizen, met een roze-oranje pannendak, verschoten door de zon, en een lange, naalddunne toren. Eronder was een plein, de Place de l'Eglise, waaromheen de stad was gebouwd. Daar was de *boucherie*, met zijn rood-witte luifel en blinkende tegelvloer, waar lange *saucissons* vanaf het plafond neerhingen naast droge karkassen waar dikke vliegen op neerstreken. En de *boulangerie pâtisserie*, waar het rook naar versgebakken brood en taarten, die verleidelijk in de etalage stonden uitgestald. Als ik net zo was geweest als andere kinderen, zou ik de stad in zijn gehuppeld en het geld dat ik van mijn moeder had gekregen hebben uitgegeven aan *chocolatine* en *tourtière*. Maar dat deed ik niet, omdat ik in de winkel niet welkom was. Verder waren er de *pharmacie*, waar mijn moeder zalf kocht voor mijn eczeem, en een klein café en restaurantjes met terrassen onder luifels in de kleuren van de Franse *tricolore*. Ik weet zeker dat de Fazanten daar tussen de middag eend en *foie gras* gingen eten, met verfijnde wijn uit het château erbij, en misschien kocht Joy Springtoe wel appeltaart bij de bakker; ze zag eruit als het soort vrouw dat van zoetigheid hield.

We liepen de straat door, in de schaduw van de huizen, alsof mijn moeder alle mogelijke moeite deed om niet op te vallen. Toen we het plein op gingen, klemde ze mijn hand nog steviger vast. Hoewel ik mijn ogen neergeslagen hield, gericht op haar bewegende zwarte gespschoenen en witte sokken, kon ik voelen dat de ogen van de stadsbewoners op ons rustten. Mijn keel werd dichtgeknepen en zelfs gedachten aan Joy Springtoe konden mijn angst niet tot bedaren brengen. Ik ging dichter tegen haar aan lopen en zag toen ik omhoogkeek dat ze haar kin uitdagend geheven hield, hoewel haar keel werd dichtgeschroefd en ze oppervlakkig ademhaalde.

Al was het allemaal nog zo afschuwelijk, mijn moeder had toch slechts één zondag overgeslagen: de zondag dat ik met koorts in bed had gelegen. Afgezien van die ene keer was ze altijd ter kerke gegaan, zoals ze ook voor en tijdens de oorlog had gedaan. Ze zei dat ze zich veilig voelde in de kerk en dat niets haar ervan kon weerhouden God te aanbidden. Wist ze dan niet dat Hij daar niet was?

We stapten over de geblokte vloer, langs vijandige leden van de gemeente en ongenadig uitziende heiligenbeelden, en gingen zitten op onze vaste plaatsen voorin. Mijn moeder liet zich zoals altijd meteen op haar knieën vallen, haar hoofd in haar handen. Ik waagde het erop om me heen te kijken. Mensen zaten te fluisteren en te staren; de oude dametjes knikten goedkeurend alsof het niet meer dan gepast was dat mijn moeder knielde en om vergeving smeekte. Een van hen ving mijn blik. Ik keek weg, want hun ogen staken als wespen.

Père Abel-Louis schreed binnen en het gefluister verstomde. Gehuld in zijn karmozijnrode gewaad wierp hij een ontzagwekkende schaduw. Ik kromp in elkaar, want ik besefte dat het alleen maar een kwestie van tijd was voordat zijn ogen op ons zouden blijven rusten en ik het volle gewicht van zijn verwijt zou voelen. Mijn moeder ging zitten. Haar bewegingen te midden van de roerloze menigte gelovigen zouden vast en zeker zijn aandacht hebben getrokken, ware het niet dat we elke zondag op precies dezelfde plek zaten onder het wakend oog van een somber Mariabeeld. Père Abel-Louis wendde zijn vlammende blik onze kant op en nam het woord. Ik huiverde. Waarom wilde mijn moeder maar niet snappen dat deze kerk niet langer Gods huis was?

Ik haalde mijn rubberen balletje uit mijn zak en speelde ermee in mijn handen. Dat was de enige manier waarop ik mezelf kon afleiden van mijn angst. Terwijl ik het over mijn handpalm liet rollen, dacht ik aan mijn vader. Als hij nog leefde, zou hij het nooit hebben laten gebeuren dat ik bang was. Hij zou de priester laten ophangen op het stadsplein en hem afstraffen voor al het kwaad dat hij had aangericht. Niemand was belangrijker dan mijn vader, zelfs niet Père Abel-Louis, die dacht dat híj God was. Wat wilde ik graag dat mijn vader bij ons zou zijn om ons te beschermen. Ik durfde niet op te kijken voor het geval de priester mijn gedachten kon lezen, en trouwens, voor de walging in zijn blik was ik nooit ongevoelig. De truc was dat je vermeed hem aan te kijken. Als ik hem niet zag, kon hij me ook niets doen. Als ik mijn oren doof hield voor zijn stem, kon ik bijna doen alsof hij niet bestond. Bijna.

Eindelijk sloeg de klok twaalf en noodde de priester de gemeente uit om ter communie te gaan. Dat was voor ons het sein om te vertrekken. Ik sprong op en liep achter mijn moeder aan het gangpad door. Haar voetstappen tikten luid op de stenen. Ik wenste altijd dat ze wat minder opvallend vertrok; het was net alsof ze graag ieders aandacht wílde trekken. Ik voelde de ogen van de priester in mijn rug branden. Ik kon zijn toorn ruiken alsof die als rook in de lucht hing. Maar ik liep achter mijn moeder aan en keek niet om me heen. Ik hield mijn ogen op haar enkels gericht, op haar witte sokken, waardoor ze er meer uitzag als een meisje dan als een vrouw.

Op de terugweg leek ik net een hond die het vrije veld in werd gelaten nadat hij in een donker hok opgesloten had gezeten. De kerkdienst was weer voor een week voorbij. Ik rende achter vlinders aan, schopte tegen steentjes, sprong over de schaduwen van de hoog oprijzende cipressen die de weg omzoomden. Toen eindelijk in al zijn glorie het château in zicht kwam, was dat een pak van mijn hart. Die zandkleurige muren, die hoge glanzende ramen en lichtblauwe luiken vertegenwoordigden voor mij een thuis. Het imposante ijzeren hek, met op twee zuilen waakzame stille leeuwen aan weerszijden, vormde een toevluchtsoord voor de harde buitenwereld. Dat huis was het enige dat ik ooit had gekend.

3

YVETTE DEED TEGEN NIEMAND AARDIG. HAAR BLIK WERD AL-
tijd vertroebeld door woede, haar brede voorhoofd was altijd gefronst en haar smalle, droge mond was een scherpe lijn die in een
pafferig gezicht was gekerfd. Ze had een enorme omvang en zwaaide de scepter in de keuken met het vaste voornemen om degenen
die voor haar werkten het leven zo moeilijk mogelijk te maken. Ze
ging tekeer, sloeg met haar vuist op tafel en snoof als een kwaaie
stier tot de rook bijna uit haar neusgaten kwam. Alleen als Madame
Duval haar domein betrad gaf ze zich over aan een hogere macht.
Dan boog ze haar hoofd en wrong ze haar handen, maar een glimlachje kon er nooit af. Helemaal nooit. Ik was haar favoriete doel-
wit, en omdat ik klein was, was ik een gemakkelijke prooi.
  Ik ging niet graag de keuken binnen, maar vaak kon het niet anders. Madame Duval vond het niet gepast dat een jongen van mijn
leeftijd de hele dag over het terrein rondzwierf en gaf Yvette opdracht klusjes in de keuken voor me te bedenken. Dus werd ik aan
het werk gezet. Ik schrobde op handen en knieën de plavuizen vloer
tot mijn huid rauw was en mijn knieën beurs waren. Ik hielp met afdrogen en paste goed op dat ik niets liet vallen, want de klappen die
Yvette met haar sterke hand tegen mijn achterhoofd gaf waren veel
harder dan de flauwe tikjes van Madame Duval. Ik waste groenten,
maakte ze schoon en sneed ze in stukjes, raapte eieren van de kippen op het erf en molk de koeien. Maar die zomer maakte ik me om
een wel heel onwaarschijnlijke reden onmisbaar: een vloek die een
zegen bleek te zijn.
  Het was een grote keuken vol koperen potten en pannen en keukengerei dat aan het plafond en de wanden hing, naast strengen
uien en knoflook en bosjes gedroogde kruiden. Om daarbij te kunnen moest Yvette de ladder pakken, want ook al had ze een indruk-
wekkend karakter, ze was toch maar klein. Het mocht wel een won-

der heten dat het ding niet brak onder haar formidabele gewicht. Ze was oud – althans in mijn ogen – en haar gewrichten kraakten, en haar dikke enkels begonnen al op de eerste sport te trillen. Ze had hoogtevrees en droeg Armande of Pierre vaak op om de klus voor haar te klaren. Maar op zekere dag bleef haar blik op mij rusten, en opeens begonnen haar ogen te twinkelen. 'Kom eens hier, jongen,' riep ze. Ik haastte me naar haar toe, bang dat de vloer niet genoeg blonk of dat ik de verkeerde mand met wortels had geschild. Met een grote hand vatte ze me in mijn kraag en tilde me van de grond. Ze hield me vast alsof ik een kip was die de nek moest worden omgedraaid. Ik spartelde en schopte in paniek om me heen. 'Hou daar eens mee op, dwaas!' blafte ze me toe. 'Ik wil dat je die pan voor me pakt.' Gehoorzaam tilde ik de pan van de muur, opgelucht toen ik weer vaste grond onder de voeten had. Prompt legde ze haar hand op mijn hoofd en in een moment van dankbaarheid dat haarzelf waarschijnlijk evenzeer verraste als mij, gaf ze er een zacht klopje op. Van toen af aan was ik niet langer het slaafje dat zwoegde in de schaduwen, maar een belangrijk instrument. Ze was opgetogen over haar ingeving en maakte veelvuldig gebruik van mijn diensten, meer dan strikt noodzakelijk was. Ik op mijn beurt begon het leuk te vinden dat ik van tijd tot tijd werd opgetild en werd trots op mijn nieuwe rol. Yvette sloeg me niet langer, ook niet als ik een stukje van de vloer oversloeg, omdat ik nu haar speciale 'pakjongen' was geworden. Ik zou zweren dat ik haar af en toe hoorde grinniken als ze me vasthield, met bungelende voeten, mijn armen uitgestrekt, en zelfs de hoogste voorwerpen voor haar wist te pakken.

Mijn favoriete taak was Lucie helpen de kamers in orde te maken. Het was een klein hotel. Het telde maar vijftien kamers en sommige gasten, zoals de Fazanten, bleven weken aan één stuk. Ik wist niet hoe lang Joy Springtoe zou blijven. Van mijn moeder hoorde ik dat ze elk jaar kwam ter nagedachtenis aan haar verloofde, die in de strijd was gesneuveld nadat hij de stad aan het eind van de oorlog had helpen bevrijden. Ze vond het verschrikkelijk jammer dat hij was gestorven toen het allemaal bijna voorbij was, toen de Duitsers al op de terugtocht waren.

Lucie was niet knap zoals Joy. Ze had donkerbruin haar dat ze in vlechten droeg, en haar ronde gezicht was saai en kleurloos als een taart zonder versiering. Ze zei niet veel. Omdat ik helemaal niet praatte, ging ze er waarschijnlijk, zoals zovelen, vanuit dat ik ook doof was. Ik hielp haar met de bedden opmaken en de badkamers schoonmaken. Ze droeg mij de karweitjes op waar ze zelf een hekel aan had, maar dat vond ik niet erg, want zolang ik aan de privékant was, bestond de kans dat ik plots Joy Springtoe zou tegenkomen, en doordat ik samen met Lucie was, was mijn aanwezigheid gelegitimeerd.

Op een ochtend kwam Monsieur Duval de kamer binnen waar we aan het werk waren. Ik trok me terug in de badkamer, bang dat hij kwaad zou worden als hij me zag. Door de kier van de deur was ik getuige van een uiterst merkwaardig tafereel. Lucie stond voor het bed. Ze zeiden niets tegen elkaar, geen woord. Hij duwde haar achterover op de matras en ging op haar liggen. Hij frunnikte wat aan zijn broek, zijn gezicht begraven in haar hals. Ze draaide haar hoofd weg en leek me recht aan te kijken. Ik trok me schielijk terug, omdat ik niet wilde worden betrapt. Toen ik nogmaals door de kier tuurde, lag ze nog steeds naar de badkamerdeur te staren, haar ogen half gesloten, met op haar vale wangen plotseling een roze blos. Dit keer lag er een glimlach òm haar lippen. Monsieur Duval stootte met zijn heupen toe zoals de honden doen voordat Yvette ze van elkaar af trapt. Hij kreunde en gromde, en mompelde iets onverstaanbaars terwijl zij daar met haar benen wijd lag, met haar hand strelend over zijn weerbarstige haar. Het kon haar niet schelen dat ik in de badkamer was, dat ik alles kon zien. Ik had immers geen stem, ik kon niets verklappen. Maar ze realiseerde zich niet dat ik wel kon schrijven.

's Avonds bracht ik mijn moeder op de hoogte van wat er die dag was voorgevallen. Toen ik opschreef wat er met Lucie was gebeurd, verbaasde dat haar helemaal niet. Ze trok haar wenkbrauwen op en schudde haar hoofd. 'Sommige dingen zou zo'n kleine jongen als jij niet moeten zien,' zei ze terwijl ze mijn haar streelde. 'Dat heeft niets te maken met de liefde bedrijven, schat. Het is niet meer dan een hond die tegen een boom plast. Lucie was de boom die het dichtst in de buurt stond.' Ze nam mijn handen in de hare. Haar gezicht kreeg een zachtere uitdrukking en haar bruine ogen vulden zich met tranen. 'Wanneer een man echt van een vrouw houdt, zoals ik van je vader hield, dan omhelzen ze elkaar, kussen ze elkaar en houden ze elkaar teder vast, en willen ze elkaar nooit meer loslaten en altijd zo blijven liggen. Het is iets heel speciaals om op die manier de liefde te bedrijven, als je hart zo vol liefde is dat je hele borstkas ervan overstroomt en je amper nog adem krijgt.' Vervolgens lachte ze schalks. 'Monsieur Duval is nog erger dan een hond: hij is een varken.' En ze maakte knorgeluiden, trok haar neus op en kietelde me op mijn buik tot ik kronkelde van plezier.

'Heeft die jongen geen vader?' vroeg Debo. Haar penseel had het afgelopen kwartier roerloos boven een blanco vel papier gehangen. In haar andere hand hield ze een sigaret in zijn ivoren pijpje, dat ze van tijd tot tijd naar haar lippen bracht om rook in haar longen te zuigen. 'Ik heb zijn moeder gezien en haar schoonheid is puur natuur.'

'Misschien is hij in de oorlog gesneuveld, zoals zovelen,' zei Daphne, die al een eind op streek was met haar landschap en nu de bomen en de wijngaarden zat in te kleuren.

Ik lag op de grond in een plaatjesboek te bladeren dat ze voor me hadden meegebracht, naast haar hondje Rex. Toen ze me een paar dagen tevoren op de brug hadden zien spelen met Pistou, hadden ze me meegenomen om met hen in de zon te liggen en mee te eten van hun picknick. Ik mocht hen graag en ik vond het plaatjesboek prachtig: de ene bladzijde na de andere vol foto's van Engeland. Ik had bovendien goed zicht op Daphnes voeten, gehuld in groen suède met goudkleurige belletjes aan de uiteinden van de veters.

'Een rare manier voor een kind om op te groeien,' deed Gertie een duit in het zakje, terwijl ze met een penseel afstanden stond op te meten en haar ogen half dichtkneep tegen de zon. Ze droeg een strooien hoed en haar haar, dat in een wrong was gedraaid, piepte eronderuit in dunne sliertjes die in het briesje om haar kin dansten.

'De jongen kan niet praten, dus je kunt hem moeilijk naar school sturen,' zei Debo. 'En dit is Engeland niet, hè?'

'Wou je soms beweren dat ze in Frankrijk achterlopen?' vroeg Daphne op scherpe toon. 'Ik denk niet dat een stom kind het in Devon beter zou hebben, jij wel?'

'Doe niet zo belachelijk. Mauriac kun je toch niet met Devon vergelijken?!' zei Gertie.

'Hij wordt later vast geen advocaat. Waarschijnlijk moet hij zich zijn hele leven afbeulen in de wijngaard. Daar hoef je nou niet echt veel voor geleerd te hebben,' zei Debo.

'En jij weet zeker alles van wijngaarden, Debo?' kaatste Daphne snuivend terug. 'Er komt echt wel wat meer bij kijken dan alleen maar druiven uitpersen en het sap in een fles doen, hoor.'

'Begrijp me niet verkeerd. Ik heb het nu over druiven plukken, niet over de kunst om er wijn van te maken.'

'Dit is een heerlijke plek voor een kind om op te groeien,' vervolgde Daphne. 'Wijngaarden zover het oog reikt, een schitterend château met een riviertje, een charmant plaatsje. En uiteraard mensen zoals wij, die komen en gaan. Me dunkt dat zijn leven afwisselend genoeg is.'

Het bleef even stil terwijl ze zich allemaal op hun schilderij concentreerden. Ten slotte schoof Daphne achteruit op haar stoel en glimlachte me vanonder haar groene zonnehoed toe. 'Hij is een kleine schat, hoewel zijn ogen iets verontrustends hebben.' Haar stem dreef weg en ik wendde me af en aaide Rex. 'Daar ligt een gekwelde blik in.'

'Nou, hij is dan ook in de oorlog geboren, de arme ziel,' zei Debo. 'En Frankrijk was bezet gebied. Het moet echt vreselijk zijn geweest om op te groeien te midden van al die beestachtige Duitsers die maar "Heil Hitler!" liepen te brullen.'

'Ze hebben overal het beste van meegenomen,' vervolgde Daphne alsof ze tegen zichzelf sprak. 'De beste wijn, de beste kunst, het beste van alles. Ze hebben Frankrijk helemaal kaalgeplukt, en als klap op de vuurpijl moesten die arme jonge knullen hier ook nog eens voor Duitsland gaan vechten. Waarschijnlijk was de vader van dit knulletje ook zo'n pechvogel.'

'Wist je dat bij de wijngaarden van naam de beste wijn wel werd ingemetseld?' vroeg Gertie. 'Dat heb ik ergens gelezen. Ze verzamelden spinnen en stopten die in de kelders, zodat ze daar hun web zouden weven om de indruk te wekken dat de muren even oud waren als de rest van het château. Heel slim bedacht.'

'Dat heeft Hitler er niet van weerhouden er met al die prachtige schilderijen vandoor te gaan,' voegde Debo daaraan toe. 'Jammer dat ze die niet ook hebben ingemetseld.'

'Weet je, toen ze bij het Adelaarsnest kwamen, ontdekten ze duizenden flessen van de beste Franse wijn en champagne, en Hitler dronk niet eens alcohol!' riep Gertie uit. 'Ze werden op draagbaren de berg af gebracht. Nou, je weet hoe de Fransen zijn: wijn vinden ze bijna nog belangrijker dan mensen.'

Ze bleven zitten schilderen en kwebbelen tot het tijd was om te gaan eten. Toen spreidden ze een geruite deken uit en maakten de picknickmand open. Er waren koekjes en stukken taart en een fles thee. Ik dacht aan de bakkerij in de stad, die met al die heerlijkheden in de etalage, en keek hongerig naar wat ze allemaal tevoorschijn haalden. Daphne, die in de gaten had wat er in me omging, hief een bord op. 'Ga je gang, knul,' zei ze in het Frans, en ik koos een *brioche* uit. Terwijl ik zat te kauwen, zag ik de vergenoegde blik op Daphnes gezicht. Ze keek me net zo aan als mijn moeder: vol tederheid, haar mond geplooid in een treurige glimlach. Met mijn mond vol brioche grijnsde ik terug.

4

JOY SPRINGTOE WAS MIJN EERSTE LIEFDE. IK DWAALDE ALS EEN zwerfhond door de gangen van het château in de hoop nog een glimp van haar te mogen opvangen – in de hoop dat ze me nog een keer bij de hand mee zou nemen naar haar kamer. Op een avond, toen mijn moeder de stad in was en ik vanuit de tuinen naar binnen was geglipt, zag ik mijn kans schoon. Ik mocht alleen aan de privé-kant komen als ik Lucie hielp met de kamers; op alle andere momenten werd ik er weggejaagd en de angst om betrapt te worden was altijd aanwezig. Vanuit mijn vaste verstopplekje achter de stoel hield ik de gang in de gaten, mijn oren gespitst op stemmen en voetstappen, en van tijd tot tijd maakte mijn hart een sprongetje als ik dacht dat zij het was, en daalde het weer neer als dat niet het geval bleek te zijn.

Toen ze uiteindelijk ten tonele verscheen, in het gezelschap van haar vriendin Diane, kroop ik tevoorschijn. 'Ah, mijn kleine vriend!' riep ze blij uit, en tot mijn grote vreugde overhandigde ze Diane haar boodschappentassen en pakte me bij de hand. 'Kom, ik zal je eens laten zien wat ik heb gekocht. Ik wil wel eens weten wat een man daarvan vindt.'

Eenmaal in haar kamer voelde ik me veilig. Madame Duval zou me daar niet komen zoeken, en zelfs als ze dat wel zou doen, was ik nog altijd uitgenodigd door een gast. Daar kon ze me vast geen straf voor geven. Het bed was opgemaakt, Joys nachtpon lag keurig door Lucie opgevouwen op het kussen. Ik dacht aan Monsieur Duval en kromp inwendig in elkaar, want ik hoopte maar dat ze niet het bed van Joy Springtoe als boom hadden gebruikt. Diane zette de tassen op de grond en ging in een stoel zitten, terwijl ik bij het bed bleef dralen. 'Ga zitten,' zei Joy, kloppend op het bed. 'Ik ga even mijn nieuwe jurk aantrekken.' Diane glimlachte me toe. Ik kreeg het idee dat ze ervan uitging dat ik het toch niet kon verstaan. Ze keek ongemakkelijk en wierp me zonder iets te zeggen gegeneerde blikken toe. Ik speelde met mijn rubberen balletje en draaide het rond en rond in mijn handen.

Joy liet de deur van de badkamer op een kier staan. Ik kon haar daarachter zien bewegen; haar schaduw viel door de deuropening terwijl ze rondscharrelde. Ik sloeg mijn ogen neer. Ik wilde haar privacy niet schenden. Ten slotte zwaaide de deur open en stond ze daar, gekleed in roze en blauw chiffon, in de mooiste jurk die ik ooit had gezien. 'Wat vind je ervan?' vroeg ze me met een brede glimlach. Ze wist zelf dat ze er prachtig uitzag. De jurk sloot mooi om haar lichaam, alsof hij voor haar op maat was gemaakt, als bloemblaadjes om een bloemknop. Hij had een lage V-hals en een aansluitend lijfje met een striksluiting aan de zijkant, en reikte tot net over haar knieën. De huid van haar borst was glad als room, haar borsten waren als perziken, haar taille was smal en de jurk waaierde daaronder wijd uit over haar heupen. Haar blonde haar stroomde in golven over haar schouders en haar grijze ogen keken met een warme uitdrukking op me neer. Ik knipperde met mijn ogen bij haar engelachtige verschijning en voelde dat ik bloosde. Ze lachte, bukte zich, nam mijn gezicht in haar handen en drukte een kus op mijn wang. Op dat moment begreep ik wat mijn moeder had gezegd: mijn hart zwol dusdanig van liefde dat ik amper adem kreeg. 'Wat vind je, Diane?' vroeg ze terwijl ze de slaapkamer in kwam lopen.

'Ik vind hem schitterend. Echt schitterend,' zei ze. 'Ze slaan vast steil achterover, allemaal!' Joy wendde zich tot mij en zette haar handen in haar zij.

'Ik ben blij dat je hem mooi vindt,' zei ze. 'Ik wilde even weten wat een man ervan vond.' Ik bloosde alweer en grijnsde. In mijn opwinding liet ik mijn greep op het rubberen balletje verslappen en het viel op de grond en verdween uit het zicht onder een ladekast. Ik wilde erachteraan gaan, maar voelde me ongemakkelijk omdat ik het had laten vallen. Ik zou de volgende morgen met Lucie erbij terug moeten komen om het te pakken. Maar met mijn hart was het heel anders gesteld: dat had Joy Springtoe gestolen, en ik hoefde het niet meer terug. Nooit meer.

De dag daarop, na een koortsachtige nacht waarin ik me zorgen had liggen maken over mijn balletje, liep ik achter Lucie aan de gang door. De kamer van Joy Springtoe lag helemaal achteraan, en tot mijn verdriet begonnen we vooraan met werken. Ik was bang dat ik naar de keuken geroepen zou worden om spullen te pakken voor

Yvette voordat ik de kans had gekregen mijn balletje op te rapen. Het was namelijk onvervangbaar, zie je.

Lucie was die ochtend behoorlijk chagrijnig, en ze snauwde tegen me en klakte geërgerd met haar tong. Ik popelde om naar de volgende kamer te gaan, terwijl zij totaal geen haast leek te hebben en alle tijd nam die ze nodig had.

Eindelijk kwamen we bij de kamer van Joy Springtoe. Ik wilde me net op de grond laten zakken, toen opeens de deur openging en Monsieur Duval binnenkwam. Hij rook naar verschaalde tabaksrook en zweet.

Toen hij mij zag, vertrok zijn gezicht zich in een uitdrukking van afgrijzen en ongeloof. 'Wat doet híj hier?' blafte hij Lucie toe, met een priemende vinger naar mij. 'Wegwezen! Schiet op! Wegwezen!' Hij kwam met opgeheven hand op me af. Ik dook in elkaar en rende zo snel ik kon de gang op, mijn rubberen balletje achterlatend onder de ladekast. Terwijl ik maakte dat ik wegkwam, echode hun gelach in mijn oren. Ik haatte ze. Ik haatte ze allebei.

Ik bereikte de veiligheid van de stallen, wierp me op het bed en trok een kussen over mijn hoofd om hun gelach niet langer te hoeven horen. Maar het kussen dekte mijn oren niet voldoende af: hun schimpscheuten bleven door mijn hoofd galmen, door mijn geheugen, en groeiden uit tot het hoongelach van een hele menigte, totdat mijn hoofd bijna uit elkaar barstte door de druk van zo veel stemmen. Mijn hart hamerde in mijn borstkas en de liefde waar het eerder van vervuld was geweest sloeg nu om in angst. Ik wiegde heen en weer om ze van me af te schudden, maar ze bleven me bespotten. Toen ik dacht dat ik het niet langer uithield, werd het kussen uit mijn handen getrokken en keek ik in het bezorgde gezicht van mijn moeder. Ze nam me in haar armen, streelde me over mijn haar en kuste me vertwijfeld.

'Het is goed, schat. *Maman* is bij je. *Maman* laat je nooit in de steek. Nooit. Ik laat mijn kleine *chevalier* nooit in de steek. Ik heb je nodig. Kom maar, je kunt opgelucht ademhalen, lieverd, rustig maar.' Ik kreeg het warm van haar omhelzing en voelde haar lichaam verstrakken tegen het mijne. Dit was vaker gebeurd. We beseften allebei dat we nu een koortsige week tegemoet gingen. 'Wat is er gebeurd?' vroeg ze zachtjes. 'Wat was er dit keer aan de hand?' Maar ik kon het niet vertellen. Van frustratie sprongen de tranen me in de ogen. Ik wilde het haar zó graag zeggen.

De week daarop ging in een waas voorbij. Ik had het nu eens warm en dan weer koud, en als ik mijn ogen opendeed, leek de kamer soms wel helemaal uitgerekt en zag de overkant er heel klein en ver weg uit. Ik herinner me dat mijn moeder naast me zat, altijd aanwezig, en mijn haar streelde en me verhaaltjes vertelde. Ik meen me te herinneren dat ze zachtjes huilde in mijn hals: 'Jij bent het enige wat ik op de wereld heb, Mischa. Laat me niet in de steek.' Maar dat kan ook een droom zijn geweest.

Toen de koorts eindelijk voorbij was en ik weer rechtop in bed kon zitten en wat kon spelen, kwam mijn moeder binnen en was de grauwe bleekheid op haar gezicht veranderd in stralend roze. 'Ik heb een heel bijzonder iemand bij me die je graag wil zien,' zei ze. Vol verwachting keek ik wie er achter haar stond. Ze stapte opzij en daar kwam Joy Springtoe de kamer in in haar mooie roze-blauwe jurk, met een klein tasje in haar hand. 'Ik hoorde dat je ziek bent geweest,' zei ze, en ze ging op het bed zitten. Ik ademde haar parfum in en glimlachte haar dolgelukkig toe. 'Ik heb iets bij me wat je kwijt was en wat ik graag aan je wil teruggeven.' Ze overhandigde me het tasje. Stomverbaasd keek ik ernaar. Een cadeautje, voor mij? Ik keek wat erin zat. Daar lag, tot mijn grote verbazing, het rubberen balletje – mijn lievelingsspeelgoed. Ik pakte het eruit en klemde het vast. Alleen mijn moeder wist waarom het zo waardevol voor me was. Ik kneep erin en voelde dat de stukken van mijn gebroken wereld weer in elkaar werden gepast. Toen wierp ik nog een blik in het tasje. Mijn moeder stond glimlachend bij de deur, haar armen over elkaar geslagen, en haar gezicht glom van trots en genegenheid. Ik haalde een autootje te voorschijn, een kleine Citroën deux-chevaux in de prachtige kleur citroengeel. De wieltjes konden draaien en de motorkap kon omhoog, en daaronder zat een kleine zilverkleurige motor. Met trillende vingers betastte ik het en opeens wilde ik met heel mijn hart dat de stenen vloer in de hal niet met tapijt was bedekt, zodat ik dit autootje over de stenen kon laten rijden en kon kijken hoe hard het ging. In een opwelling van dankbaarheid en liefde sloeg ik mijn armen om Joy heen en liet mijn hoofd op haar schouder rusten. Ze hield me een hele poos, zo leek het, stevig tegen zich aan gedrukt. Ik wilde me niet losmaken en zij ook niet, geloof ik. 'Je bent een heel bijzondere kleine jongen,' zei ze terwijl ze met een vinger langs mijn wang streek. Haar ogen glinsterden van de tranen. 'Ik zal je niet vergeten, Mischa.'

Dat was de laatste keer dat ik Joy Springtoe zag.

5

JOY SPRINGTOE WAS VERTROKKEN EN IN HET CHÂTEAU KLONK de holle galm van haar afwezigheid. Het was me zwaar te moede. Ik dwaalde rond over het terrein en gooide steentjes in het water, maar het kon me niet schelen of ze opstuiterden of zonken. Uren en uren zat ik naar mijn gele Citroën te staren en deed telkens de motorkap open en dicht, terwijl ik me Joys gezicht en haar geur weer voor de geest haalde. Zelfs Pistou kon me niet opmonteren. Ik was ontroostbaar. Mensen denken dat iemand die nog zo klein is niet zulke diepe gevoelens kan hebben – ik was immers nog maar zesdriekwart – maar Joy Springtoe had mijn hart in haar handen gehouden en was er teder mee omgegaan. Het zou haar altijd toebehoren.

Monsieur Duval verbood me Lucie nog te helpen. Het kon me niet langer iets schelen. Het had toch geen zin om rond te hangen aan de privékant nu Joy er niet meer was – en trouwens, Lucie was steeds humeuriger geworden. De Fazanten mocht ik graag, maar toekijken hoe ze 's middags zaten te schilderen vond ik lang zo leuk niet meer. Ik dwaalde rond met mijn rubberen balletje in mijn handen; het had nu een nog grotere betekenis gekregen omdat Joy het me had teruggegeven.

Ik verstopte me in de *cave* onder het château, waar het vochtig en koud was. Er lagen rijen en rijen flessen in kratten, als lichamen in een catacombe. De muren waren vochtig en schimmelig, de lucht was er muf en bedompt. Ik rende op en neer door de gangpaden, mijn voetstappen echoënd tegen de muren, totdat ik bij een klein kamertje kwam. Dat had iets griezeligs wat me mijn adem deed inhouden. Er stond niet meer in dan één enkele stoel, en toch voelde ik dat er een merkwaardige warmte hing, alsof het ooit was bewoond. Nieuwsgierig geworden stapte ik aarzelend naar binnen en ging zitten. Ik keek om me heen en vroeg me af waar dit kamertje toe had gediend, toen mijn oog op een stelletje namen viel die in de stenen muur waren gekerfd. Ik stond op om ze beter te kunnen zien: LEON, MARTHE, FELIX, BENJAMIN, ORIANE. Geïntrigeerd streek ik er met mijn vingers overheen. Ze leken wel pas aangebracht. Misschien waren deze mensen hier beneden wel door de boosaardige Monsieur Duval gevangengehouden, bedacht ik, en bij het idee alleen al liepen de rillingen me over de rug. Ik vond een kleine steen en voegde er mijn eigen naam, MISCHA, in grote letters aan toe. Ook ik was een gevangene – van liefde en stilte.

Mijn koorts was geweken, maar ik was nog steeds zwakjes. Mijn moeder sloeg me bezorgd gade en drukte me 's avonds in haar armen stijf tegen haar lichaam, alsof ze bang was dat er in het donker een spook zou komen om me bij haar weg te halen. Ik had vaker dan eerst last van mijn gebruikelijke nachtmerries. Nu was mijn moeders gezicht veranderd in dat van Joy en werd ik badend in het zweet wakker, verward en in tranen. Joy was bij me weggegaan, maar mijn moeder was er nog. Ik was ontzettend opgelucht.

Op een nacht werd ik wakker van het geluid van de wind aan de andere kant van ons raam. Die was stormachtig, rukte aan de bomen en voerde een zware, horizontale regen met zich mee. Dat was ongewoon voor de zomer. Mijn moeder werd ook wakker en we gingen in het donker op de vensterbank naar de storm zitten kijken.

'Weet je, Mischa, mijn moeder – jouw oma – zei altijd dat een zomerstorm een voorbode was van verandering.' Ze liet haar hoofd op haar arm rusten en keek me bijna kinderlijk aan. 'Ze was heel bijgelovig. Ze had het natuurlijk altijd bij het rechte eind. Ze had altijd in alles gelijk.' Ze slaakte een zucht en haar fluweelbruine ogen vulden zich met tranen. 'Wat zou ze nu van me vinden, vraag ik me wel eens af. Denk je dat ze me kan zien daarboven in de hemel? Ze staat daar vast met haar armen over elkaar geslagen afkeurend met haar tong te klakken, stel ik me zo voor. Maar ze zou veel van jou hebben gehouden, mijn kleine *chevalier*. O ja, ze zou ontzettend trots op je zijn geweest.' Ze raakte mijn arm aan. 'Ik weet dat je van Joy Springtoe hield, Mischa. Ik zou ook willen dat ze niet was vertrokken. Ze liet de zon schijnen hier in huis. Ik wil graag dat je weet dat ik dat begrijp. De liefde is iets pijnlijks, lieverd. Het doet pijn als je geliefde bij je is en het doet pijn als die weggaat, en des te meer wanneer je weet dat je hem of haar nooit meer zult zien. Maar de kleine beetjes geluk die je krijgt toebedeeld maken al het leed de moeite waard. Mettertijd zul je aan haar kunnen terugdenken zonder dat het pijn doet, dat beloof ik je. Misschien komt ze volgend jaar zelfs wel terug. Haar verloofde is gesneuveld bij de bevrijding van onze stad. Hij was een held. Ze komt terug om hem te gedenken. Ik denk dat ze jou ook wel zal missen.' Ik wist een glimlachje op te brengen en draaide me toen af om naar de wind te kijken. Ze las mijn gedachten en sprak ze hardop uit: 'Ik mag hopen dat hij verandering brengt, voor ons allebei.'

De dag daarop was een zaterdag. Mijn moeder hoefde niet te werken, dus stelde ze voor de stad in te lopen. Onmiddellijk trok ik mijn schouders hoog op en zette een gezicht. Ik had een hekel aan de stad. Daar hing nog steeds een sfeer die me met afgrijzen vervulde. Maar mijn moeder wilde graag dat ik mijn angsten onder ogen zag en ze overwon, want ze zei: 'Alleen door voldoende te oefenen kan een *chevalier* leren hoe hij moet strijden en winnen.'

Met tegenzin liep ik achter haar aan het houten trapje naar het erf af. Voordat het château een hotel was geworden, hadden de stallen vol gestaan met paarden. Prachtige, glanzende, gespierde dieren. Mijn vader had me toen ik nog een heel klein jongetje was op een zadel laten zitten. Ik weet nog hoe schitterend ik het had gevonden om het paard over die stenen te voelen stappen – *klip-klop, klip-klop* – terwijl mijn vader de teugels vasthield. Nu waren er nog maar twee paarden en dat waren grote, onelegante beesten die werden gebruikt voor werk in de wijngaard. Jacques Reynard had ze zo afgericht dat ze in een rechte lijn tussen de wijnstokken door liepen en precies hard genoeg trokken om met de punt van de ploeg de aarde om te woelen, zodat het onkruid gewied kon worden, maar de wortels van de wijnstokken niet werden beschadigd.

We liepen het weggetje naar de stad af, ik met een knoop in mijn maag van angst. Ik voelde me helemaal geen kleine *chevalier*. Ik had me het liefst omgedraaid om weg te vluchten, maar zoals altijd weerhield de gedachte aan mijn moeder die zich dan in haar eentje te midden van zo veel vijanden zou bevinden me daarvan, en ik bleef bij haar. De storm van de avond tevoren was overgewaaid. De grond was vochtig en de bladeren hingen glanzend aan de bomen; ze waren een beetje gebutst door de wind, maar zaten nog steeds vast. Ik was mijn grootmoeders voorspelling van verandering helemaal vergeten. Ik geloof dat mijn moeder er ook niet meer aan dacht, want ze zei er niets over.

Terwijl we de straat doorliepen, zetten we ons schrap voor de starende blikken, de vijandigheid, het getuur vanachter kanten gordijnen. In het begin hadden de mensen ons nageroepen: hoer, moffenjong, barbaar, verrader, kleine nazi. Inmiddels waren hun beledigingen overgegaan in gemompel en vlijmscherpe blikken. De kinderen vielen me altijd op; de meeste deden hun ouders na en probeerden me met de haat die uit hun ogen straalde te verzengen. Een enkeling keek me met een verwarde frons aan en tot mijn grote verrassing glimlachte die dag een leuk meisje me meelevend toe. Ze had glanzend bruin haar en roze wangen, en de glimlach waarmee ze haar tanden ontblootte was behoedzaam, maar welwillend. Ik wilde terugglimlachen, maar dat lukte niet, omdat mijn mond door mijn angst in een grimas was bevroren.

Voor de *boulangerie* bleef mijn moeder staan. Ik had een hekel aan de bakkerswinkel. Ik smachtte naar wat daar werd verkocht, al dat lekkers in de etalage, maar ik was bang voor de grote dikke man die de winkel dreef. In mijn nachtmerries zag ik zijn gezicht voor me.

Mijn moeder greep mijn hand steviger vast en ik merkte dat ze diep ademhaalde, alsof ze in het water wilde springen. Vervolgens stapten we naar binnen. Het belletje aan de deur attendeerde de winkelier op onze aanwezigheid. Hij kwam achter een kralengordijn vandaan; zijn witte jas spande strak over zijn buik. Toen hij ons zag, betrok zijn gezicht en trok alle kleur eruit weg. '*Bonjour monsieur*,' zei mijn moeder beleefd. Monsieur Cezade bromde iets. 'Waar heb je trek in, Mischa?' vroeg ze luchtig alsof we doodgewone klanten waren, net als ieder ander. Ik voelde zijn ogen op me rusten; zijn mondhoeken vertrokken, alsof het hem alleen al tegenstond om me te zien. Bedremmeld aarzelde ik en ik ging dichter bij mijn moeder staan. Op dat moment ging de deur open; het belletje klingelde weer en leidde Monsieur Cezade af, die zijn blik afwendde en me aldus uit zijn ban bevrijdde.

'*Bonjour monsieur*,' zei hij op luide toon tegen de nieuwe klant, waarbij hij met zijn enthousiasme zijn minachting voor ons benadrukte.

'*Bonjour*,' antwoordde de man, en ik hoorde een sterk accent, net als dat van Joy Springtoe. Ik keek naar hem op en was meteen niet bang meer. Hij was de aller-allerknapste man die ik ooit had gezien.

'En hallo, Junior,' zei hij, terwijl hij met een glimlach omlaagkeek naar mij. Ik mocht hem direct. Er hing een onzichtbare uitstraling van warmte en aanlokkelijkheid om hem heen. Als hij glimlachte, twinkelden zijn helderblauwe ogen ondeugend en verschenen er grappige plooien in zijn wangen, als bij een accordeon. 'Wat gaat het worden?' zei hij, in vervolg op de vraag die mijn moeder me zoeven had gesteld.

'Hij kan niet praten,' zei Monsieur Cezade, en hij slikte zijn woorden half in, zodat ze hard en schamper klonken. 'Hij is stom.'

De Amerikaan keek mijn moeder aan en glimlachte haar vriendelijk toe.

'Met zo'n mooi smoeltje hoeft hij ook niet te kunnen praten.' De wangen van mijn moeder werden zo rood als pepers en ze sloeg haar ogen neer. Ik voelde haar hand warm en vochtig worden in de mijne. 'Coyote Magellan,' zei hij terwijl hij zijn hand uitstak. Ze schudde hem. 'Welnu, misschien kunt u me helpen,' zei hij tegen haar. 'Wat is het lekkerste gebak dat er in deze winkel te koop is?' Hij sprak Engels. De vader van mijn moeder was een Ier, dus kon mijn moeder goed Engels spreken en begrijpen. Ik hoopte maar dat Monsieur Cezade het niet zou kunnen volgen.

'Mijn zoon houdt van *chocolatine*,' antwoordde ze, wijzend naar de etalage.

'Wat toevallig nou, ik ook.' Hij leek het leuk te vinden dat mijn moeder zijn taal sprak.

'*J'en prendrai trois, s'il vous plaît*,' zei hij tegen Monsieur Cezade, die verbijsterd toekeek. Met een diepe zucht deed hij het gebak in een bruinpapieren zak, waarbij hij zich ongetwijfeld afvroeg waarom de Amerikaan drie stuks wilde hebben. Coyote wendde zich naar mijn moeder en zei: 'Ik nodig jullie allebei uit om met me mee te gaan naar het café hiernaast. Dit kan ik echt niet allemaal alleen opeten, al zou ik nog zo graag willen.' Ik weet zeker dat als Monsieur Cezade niet had toegekeken, mijn moeder de uitnodiging zou hebben afgeslagen. Maar het deed haar goed om te worden meegevraagd door deze knappe, betoverende vreemdeling ten overstaan van de man die haar had vernederd. En ze kon op die manier ook duidelijk maken dat ze alles en iedereen aan haar laars lapte, want het was beslist niet erg fatsoenlijk om een dergelijk aanbod te aanvaarden van een man die ze nog maar net had ontmoet en verder helemaal niet kende.

'Heel graag,' antwoordde ze, terwijl ze haar kin in de lucht stak. Ik voelde mijn borst zwellen van trots. Coyote bedankte Monsieur Cezade en met z'n drieën gingen we de winkel uit. Als ik op dat moment een zwaard had gehad, zou ik mijn moeder hebben laten zien dat ik daar uitstekend mee overweg kon.

Mijn moeder en ik kwamen nooit in het café. De gasten die er zaten schrokken op toen wij binnenkwamen. Er daalde een stilte over het vertrek neer. Zelfs het bedienend personeel hield zich stil om ons met open mond van verbazing aan te gapen. Iedereen wist het van mijn moeder; ze was berucht. Nergens konden we ons verstoppen. Sommige mensen vinden het misschien raar dat we niet uit het château weg waren gegaan, maar mijn moeder was daar met mijn vader getrouwd – en trouwens, het was altijd ons thuis geweest. Waar hadden we anders heen gemoeten? Had iemand ons soms willen hebben?

Coyote deed alsof hij de reactie op onze binnenkomst niet had opgemerkt. Hij glimlachte iedereen op zijn ontwapenende manier toe en ging ons voor naar een ronde tafel in de hoek. Mijn moeders kaak stond strak van vastberadenheid, want ze was niet van plan te laten merken hoeveel pijn het deed om zo te worden aangestaard. En ik had zo veel ontzag voor deze glamoureuze man dat ik voor het eerst in tijden niet bang was.

'Waar heb je trek in, Miss Anouk?' vroeg hij toen we hadden plaatsgenomen. 'Ik hoop niet dat je het erg vindt dat ik je Miss Anouk noem?' Mijn moeder wist niet wat ze moest zeggen. Ze had zich niet aan hem voorgesteld. Hij liet zijn stem dalen. 'Ik vrees dat ik je moet bekennen dat ik jou en je zoontje op straat heb gezien. Je bent een prachtige vrouw, ik ben een man. Ik heb gevraagd wie je was.' Hij haalde zijn schouders op en zocht in het zakje van zijn overhemd naar een sigaret. 'Jij ook een?' Mijn moeder bedankte. Ze keek hem op haar hoede aan. 'Ik had wel in de gaten dat die dikzak in de bakkerij je het vuur na aan de schenen legde. Ik hoop niet dat je daar erg mee zit.' Zijn gezicht had zoiets oprechts dat mijn moeder niet boos op hem kon zijn. 'Trouwens, je zoon ziet eruit alsof hij wel het een en ander zou lusten.' Hij gaf me een knipoog.

'Mischa is ziek geweest,' antwoordde mijn moeder. 'Hij neemt limonade en voor mij graag een kop koffie.'

'Hoe oud is hij?'

'Zes.' *En driekwart*, voegde ik er in stilte aan toe.

'Je bent zo te zien een prima jongen,' zei hij, zich naar mij wendend.

'Hij lijkt op zijn vader.' Ze keek hem strak aan, om hem op de proef te stellen. Op dat moment meende ik heel zeker te weten dat ik nooit aan mijn limonade of chocolatine toe zou komen. Al bij voorbaat teleurgesteld, zakte ik in elkaar.

'Dus in de ogen van de Fransen ben je een verraadster,' zei hij hoofdschuddend. 'Wat is oorlog toch iets tragisch.'

'De liefde kent geen grenzen,' antwoordde ze, en haar gezicht verzachtte zich. Mijn kansen op een lekker maaltje namen weer toe. Hij stak een sigaret aan, een Gauloise, en keek met samengeknepen ogen het café door.

'Hij is nog maar een kleine jongen,' zei hij zachtjes. 'Dus zijn vader is een Duitser. De oorlog is voorbij. Het wordt tijd om te vergeven.'

'Wás een Duitser,' voegde mijn moeder eraan toe. 'Mijn man is gesneuveld.'

De ober kwam aan met een dienblad met drankjes en Coyote maakte de bruinpapieren zak open. Hij gaf me mijn chocolatine aan. 'We zullen je eens goed vetmesten,' zei hij grinnikend. 'Kan hij schrijven?' vroeg hij aan mijn moeder.

'Ja, zeker.' Ze glimlachte me teder toe. Ze vond het vreselijk wanneer mensen in de derde persoon over me praatten, alsof ik er geen woord van kon verstaan. 'Hij kan niet praten, maar aan zijn hersens mankeert niks,' bracht ze er altijd tegen in. Coyote vroeg de ober om pen en papier, en nam vervolgens een hap van zijn chocolatine.

'Dit smaakt net zo lekker als het eruitziet, wat jij?' Ik knikte instemmend, mijn mond vol chocola. 'Het eten in Frankrijk smaakt veel lekkerder,' zei hij. Mijn moeder nipte van haar koffie.

'Waar kom je vandaan?' vroeg ze.

'Uit het diepe zuiden. Virginia. Ik logeer in het château.'

Mijn moeder knikte. 'Daar werk ik,' zei ze.

'Het is daar mooi. Maar wel jammer dat het een hotel geworden is. Ik wil wedden dat het een geweldige plek was om te wonen.'

'Je hebt geen idee. Het was prachtig, elegant en heel smaakvol ingericht. Er woonde vroeger een voorname familie. Het was een eer om voor hen te werken.'

De ober kwam terug met pen en papier, en Coyote legde die voor mij neer. 'Ik sluit niet graag mensen buiten,' zei hij. 'Zeker niet zo'n pittige jongeman als jij. Als je iets te melden hebt, Junior, ga dan je gang en schrijf het maar op, want ik wil het lezen.' Opgetogen door de uitdaging begon ik te schrijven. Ik wilde hem laten zien dat ik dat kon.

Dank u wel voor de chocolatine, schreef ik in het Frans. Hij las het en glimlachte.

'Nee, jíj bedankt dat je met me mee bent gegaan. In m'n eentje is er niets aan.' Hij woelde door mijn haar.

Ik krabbelde weer iets neer: *Wij wonen in het stallengebouw.*

'Zijn er paarden?'

Ik stak twee vingers omhoog en haalde mijn schouders op. *Werkpaarden*, schreef ik. En toen voegde ik er in een opwelling aan toe: *Hoe lang blijft u?*

'Zo lang als nodig is,' antwoordde hij. Na die woorden leunde hij grijnzend achterover en keek mijn moeder met vaste blik aan. 'Het bevalt me hier wel. Voorlopig, Junior, ga ik helemaal nergens heen.'

6

WE LIEPEN SAMEN TERUG NAAR HET CHÂTEAU. DE ZON STOND hoog aan een wolkeloze hemel, vogels hipten op de takken en krekels tsjirpten in het kreupelhout. In de lucht hing de zoete geur van tijm. Ik was in een opperbest humeur. Ik liep met veerkrachtige tred, voelde me gewichtloos, zette het af en toe op een lopen om achter vlinders aan te jagen, in de wetenschap dat hij me gadesloeg. Ik wilde indruk op hem maken. Mijn moeder wandelde langzaam naast hem, alsof ze door ruim de tijd te nemen het moment kon laten voortduren. Haar wangen gloeiden, haar ogen schitterden en met een diep, loom geluid lachte ze zachtjes. Ze speelde met een bloem, draaide die om en om in haar vingers. Toen begon ze een voor een de blaadjes uit te trekken en liet die op de grond vallen.

Ik had mijn moeder nog nooit zo meegemaakt – althans, niet dat ik me kon herinneren. Haar heupen wiegden onder het lopen heen en weer, zodat haar jurk om haar lichaam danste alsof hij een eigen leven leidde. Ze zag er prachtig uit, gelukkig. Toen we bij de stallen kwamen, bleven Coyote en zij nog een poosje op de keitjes staan praten. De paarden waren het veld in met Jacques Reynard, maar de geur van hun zweet, van hooi en van mest was blijven hangen – een geur die mijn hart jaren later, toen ik de Atlantische Oceaan overstak om te wortelen in buitenlandse aarde, deed overslaan van nostalgie.

Ik klom op het hek en ging daar naar hen zitten kijken, zo nieuwsgierig als een aap die in een kooi naar een andere diersoort zit te staren. Ik had zo lang ik me kon heugen mensen geobserveerd; omdat ik toch niet kon praten, nam ik zelden aan gesprekken deel. Een man als Coyote had ik nog nooit ontmoet. Hij had me erbij betrokken. Hij had mijn toestand beschouwd als iets kleurrijks, als een bijzondere eigenschap. Hij had niet op me neergekeken alsof ik een gedrocht was, zoals Madame Duval deed, of me als duivelsgebroed beschouwd, zoals de mensen in de stad. Voor hem was ik een jongen die niet kon praten, even normaal als een pinguïn: een vogel die niet kan vliegen. Hij had het leuk gevonden pen en papier voor me te laten aanrukken en leek van ons 'gesprek' te hebben genoten. Ik was in de zevende hemel. Ik had tot dan toe alleen maar met mijn moeder op die manier gecommuniceerd. Coyote besefte het niet – of misschien ook wel – maar hij had in mij een vriend voor het leven gevonden.

Hij nam afscheid en liep met lange passen terug naar het château. Mijn moeder keek hem met een ongelovige glimlach op haar gezicht na. Ze beroerde met haar vingers haar lippen, even in gedachten verzonken. Toen slaakte ze een zucht en liet haar schouders zakken. 'Kom, Mischa,' zei ze, 'laten we naar binnen gaan.' Ze keek me aan. Ik kon de glimlach die op mijn eigen gezicht doorbrak niet onderdrukken. 'Op dit moment, Mischa, ben ik heel blij dat je niet kunt praten!' plaagde ze me terwijl ze de schaduw in liep. Ik sprong van het hek naast haar en trok aan haar arm, zodat ze me weer zou aankijken. Mijn gezichtsuitdrukking sprak de woorden die ik niet kon uitspreken. 'Ja, ik vind hem leuk. Hij is erg charmant,' antwoordde ze. 'Hij is aardig voor ons geweest, meer niet.' Maar ik wist dat het meer was dan vriendelijkheid. Coyote vond ons leuk. Hij vond ons allebei leuk.

Die avond zat mijn moeder een hele poos aan haar kaptafel naar haar gezicht in de spiegel te staren. Haar haar viel in chocoladebruine krullen over haar schouders en omlaag langs haar rug. Ze had het uit haar gezicht gestreken, zodat de V-vormige haargrens op haar voorhoofd goed zichtbaar was. Haar huid was gebronsd door de zon, haar wangen waren paars als pruimen. Ik zat rechtop in bed naar haar te kijken. Voor mij was ze altijd mijn moeder geweest, niet jong en niet oud. Nu zag ik haar ineens als een vrouw. Een jonge vrouw, want ze was pas eenendertig. Ik probeerde haar te zien zoals Coyote haar zag. Misschien gingen ze wel trouwen en zou ik weer een vader krijgen. Niemand zou hem afkeuren; hij was immers Amerikaan.

'Ik zal altijd van je vader blijven houden, Mischa,' zei ze toen ze in de spiegel mijn blik ving. Haar gezicht stond ernstig; haar ogen schitterden in het zachte licht van het kale peertje dat aan het plafond hing. 'Misschien was het helemaal verkeerd om verliefd te worden op de vijand, maar voor mij was hij geen vijand. Hij was aardig. Hij gedroeg zich altijd als een heer, en ik geloof niet dat hij ooit iemand kwaad heeft gedaan. Het doet er niet toe waar iemand vandaan komt. Wat zijn achtergrond is, wat voor uniform hij draagt, voor welke partij hij strijdt; hij is ook maar een mens en we zijn allemaal eender. Wat mensen anders maakt dan anderen, dat zit vanbinnen. Je vader was een goed mens, Mischa. Dat mag je nooit vergeten. Laat je niets anders wijsmaken. Hij was een man van eer. Als zij hem konden zien zoals ik hem zie, zoals hij was, zouden ze het wel begrijpen.'

Ze maakte het laatje van de kaptafel open en haalde er een lijstje met zijn foto uit. 'Hij was knap,' vervolgde ze zachtjes terwijl ze met haar vingers over het glas streek. Ik had het portret vaak gezien, had het zelf tevoorschijn gehaald en het zorgvuldig bestudeerd, terwijl ik diep in mijn geheugen groef naar herinneringen, herinneringen waar ik destijds te klein voor was geweest om ze bewust te kunnen onthouden. Ik had er maar een paar, en die waren kostbaar – even kostbaar als het rubberen balletje dat hij me had gegeven. 'Je lijkt op hem, Mischa,' ging ze verder. 'Elke keer dat ik naar jou kijk, denk ik aan hem. Hetzelfde blonde haar, dezelfde blauwe ogen, dezelfde gevoelige mond. Hij was zo trots op jou, zijn zoon. Mijn hart breekt als ik eraan denk dat hij je nooit zal zien opgroeien.' Haar stem sloeg over en kreeg toen een scherpere klank. 'Als je later groot bent, word jij net zo'n fijne, eerbare man als hij, Mischa. Hij is dood, maar in jou leeft hij voort. Jij bent het deel van hem dat voortleeft.' Ze legde het lijstje terug in de la en begon haar haar te borstelen.

Toen ze naar bed kwam, sliep ik al half. Haar lichaam was koud en ik vermoedde dat ze op de vensterbank voor de open luiken naar de sterren had zitten kijken, in de hoop daar mijn vader te vinden. Of misschien had ze nagedacht over de verandering die de wind had gebracht. Het was een sterke storm die Coyote Magellan naar ons toe had geblazen. Ik hoopte maar dat hij zou blijven. Ik was bang dat hij net als Joy Springtoe weer weg zou gaan. Ik was bang dat ik zou moeten achterblijven. Weer alleen, mijn moeder en ik. Altijd alleen wij tweeën.

Die nacht kreeg ik mijn nachtmerrie weer. Ik ben op het plein in de stad. Mijn moeder heeft me in haar armen. Ik houd haar stijf vast. Ik ben doodsbang. De mensen uit de stad jouwen naar ons. Sommigen zingen, hun stemmen rijzen juichend op naar de lucht; anderen blaffen als honden, hun gezichten paars van woede, terwijl ze popelen om wraak te nemen. Ik zie Monsieur Cezade, met een krankzinnige blik in zijn vissenogen die ik niet van hem ken. Ik zie Père Abel-Louis. Hij kijkt onbewogen voor zich uit, met het gezicht van een vreemde. Hij gaat een stukje naar achteren en komt helemaal niet in actie als zij me pakken. Hij doet niets om de gruwel die zich voor zijn ogen voltrekt te voorkomen. Zijn vingers friemelen aan het crucifix dat op zijn borst hangt. Maar de dienaar Gods steekt geen poot uit.

Ze plukken me uit mijn moeders armen alsof ik een kokkel ben op een rots. Ik roep om haar, mijn armen uitgestrekt, mijn vingers in doodsangst gespreid. Een sterke arm kromt zich om mijn buik, en hoewel ik om me heen schop en met mijn vuisten sla, ben ik te klein. Ik ben tweeënhalf jaar oud. Ik begrijp niet wat er gebeurt en waarom het gebeurt. Ze roepen 'verrader' en 'hoer'. Vingers grijpen naar mijn moeders kleren, scheuren ze van haar lijf, zodat ze daar naakt en bleek als een gestroopt konijn blijft staan. Ze dwingen haar neer te knielen en de vrouwen – het zijn er drie – beginnen met messen haar haar af te snijden. Mijn moeder geeft geen kik. Ze zwijgt uitdagend, terwijl ze mij geen moment uit het oog verliest en me met haar blik gerust probeert te stellen. Maar ik voel haar angst en mijn veilige wereldje stort plotseling helemaal in. '*Maman!*' roep ik. Mijn stem gaat verloren in de kreten van de mensen die haar willen kastijden. Ik zie hoe haar haarlokken als veren op de grond vallen, laag voor laag, totdat haar schedel helemaal kaal is en bloedt.

'Doe mijn zoontje niets aan!' smeekt ze keer op keer. Haar stem is vast, resoluut, en klinkt mij vreemd in de oren. De menigte kookt van haat. De mensen zijn tot alles in staat.

'Moffenjong!' roepen ze, en ik word de lucht in getild zodat iedereen me kan zien.

'Hij is nog maar een kind. Alsjeblieft, doe hem niets aan!' Nu beginnen haar schouders te schokken en stromen de tranen haar uit de ogen. 'Niet mijn zoon! Alsjeblieft, niet mijn zoon! Mij mogen jullie hebben, maar spaar mijn zoon!' De armen die me nu vasthouden gooien me op de grond. Verdwaasd van angst maak ik aanstalten naar mijn moeder toe te kruipen; mijn leven hangt ervan af of ik haar weet te bereiken. Ze lijkt heel ver weg en de straatstenen voelen hard aan tegen mijn gekneusde knieën. Op het laatst ben ik veilig. Ze pakt me op en ik voel haar lichaam schudden van de snikken; ze wiegt me heen en weer, kust mijn slaap, haar adem luid en stoterig in mijn oor. 'Ik laat je nooit in de steek!' fluistert ze. 'Ik laat je nooit in de steek, mijn kleine *chevalier!*'

Opeens verschijnt er een man ten tonele en wijkt de menigte uiteen. Hij draagt een uniform dat ik nog niet eerder heb gezien. Het is groen, de kleur van olijven. Hij trekt zijn hemd uit en slaat het om mijn moeders schouders. 'Jullie moeten je schamen, om je zo tegen je eigen mensen te keren!' roept hij, maar ze horen hem niet. Vervolgens legt hij een hand op mijn hoofd. 'Met jou komt alles in orde, hoor jongen.'

Ik probeer antwoord te geven. Ik doe mijn mond open, maar er komt geen geluid uit. Ze hebben me mijn stem ontnomen. Toen ik wakker werd, lag mijn moeder mijn haar te strelen en kuste ze me op mijn voorhoofd. 'Had je die droom weer?' mompelde ze. Ik knikte en begroef mijn gezicht in haar hals. 'Niemand kan je iets doen, lieverd. Je bent nu veilig.' Ik viel net weer bijna in slaap toen ze zei: 'Morgen gaan we niet naar de kerk, Mischa. Het zal nu wel eens tijd worden om tegen *le curéton* in opstand te komen.' *Curéton* was een kinderwoord voor 'priester'. Ik kon mijn oren bijna niet geloven. Ik vergat mijn nachtmerrie en vlijde me knus tegen haar aan, en kuste haar in haar hals om te laten merken hoe dankbaar ik was. Ze drukte haar lippen op mijn voorhoofd en fluisterde: 'Hij is een zwakke en bange man, lieverd. Een wolf zonder tanden. Geloof mij maar, ik kan het weten.'

De volgende ochtend werd ik wakker met een warm gevoel van verwachting in mijn buik. Coyote Magellan was in het hotel en alles zou veranderen. Dat wist ik zeker, omdat ik geloofde in de wind. Ik denk dat mijn moeder het ook besefte, want ze neuriede terwijl ze zich aankleedde. Ik had haar voor zover ik wist nog nooit horen neuriën. Voor de spiegel speelde ze met haar haar, en toen ze opstond zwaaide haar lichaam losjes van de ene kant naar de andere, alsof ze met haar gedachten ergens anders zat. Ze bracht make-up aan en sprenkelde reukwater op haar decolleté. Vervolgens hurkte ze neer en kuste me op mijn neus. Ik werd omhuld door een wolk van citroen. 'Lief zijn vandaag, Mischa. Niet te wild rond gaan rennen. Je moet nog aansterken.' Ik streek met mijn hand over haar haar. *Je ziet er mooi uit*, zei ik met mijn ogen, en ze glimlachte me toe, raakte mijn neus met haar vinger aan en ging ervandoor.

Ik trof Pistou buiten op het erf. Voor het eerst sinds het vertrek van Joy Springtoe voelde ik me blij. Met het rubberen balletje en de gele Citroën in mijn zak zetten we koers naar de tuin. Daar waren een heleboel verstopplekjes: grote bolvormig gesnoeide struiken, geurige gardenia's, dichte massa's viburnum en volle bosjes gele *genêts*. Er stonden eucalyptusbomen en treurwilgen, en potten met hoge aronskelken. Aan de zuidkant van het château was een terras waar gasten in de zon konden zitten lezen, koffiedrinken en een praatje maken aan ronde tafeltjes onder een latwerk met witte rozen. Pistou hoefde zich niet te verstoppen, want behalve ik kon niemand hem zien. Maar ik moest neerhurken op het bedauwde gras en toekijken vanuit de schaduwen. Tot mijn grote vreugde zat Coyote aan een van de tafeltjes; hij las de krant en een gitaar stond tegen een lege stoel aan. Hij droeg een katoenen hemd met korte mouwen, met een lichtgekleurde broek en bruinleren instappers. Hij zat achterover met zijn ene enkel op zijn knie, zijn gezicht deels aan het zicht onttrokken door een strooien hoed, terwijl hij een Gauloise tussen zijn vingers hield. Zijn gezicht was in rust, maar desondanks leek hij te glimlachen, want zijn mondhoeken krulden geamuseerd als bij een tevreden kat. Naast hem zaten de Fazanten, diep in gesprek bij een kopje thee, en Daphnes hondje Rex kauwde aan haar voeten op een biscuitje. Pistou was in een speelse bui en schepte nog een lepel suiker in Gerties thee toen ze even niet keek. We zaten achter onze hand te giechelen toen ze een slokje nam, de thee doorslikte en vervolgens verbijsterd naar haar kopje keek. Ze maakte er geen opmerking over, want wat had ze moeten zeggen? Zij wist ook wel dat Daphne noch Debo schuld had aan de extra zoete smaak. Gertie had een hekel aan zoetigheid.

Na een poosje stond Coyote op; hij vouwde zijn krant op en tikte tegen zijn hoed voor de Fazanten. Onmiddellijk waren ze voor hem ingenomen en ze grinnikten en knikten. Ze vergaten hoe oud ze waren en knipperden met hun wimpers als verlegen jonge meisjes. Ik merkte een plotselinge lichtheid in hun bewegingen op, alsof ze door Coyotes aanwezigheid vanbinnen waren gaan bruisen. Ze raakten geanimeerd en hun lach schalde over het gazon als het getinkel van vrolijke klokjes. Ook voor hen had de wind verandering gebracht. De lucht voelde anders aan, geladen met een soort magie die ik niet begreep. Het château was meteen niet meer zo onaandoenlijk somber als anders en leek van binnenuit te gloeien als een heteluchtballon.

Tot mijn ongenoegen ging Coyote naar binnen. De Fazanten keken hem na en barstten toen los met hun commentaar. 'Wat een charmante man,' zei Gertie, die helemaal vergat dat haar thee zo zoet was en nog een slok nam.

'Als ik tien jaar jonger was…' zei Daphne met een zucht.

'Vijftig jaar jonger zou beter zijn, ouwetje,' luidde Gerties weerwoord.

'Ik sta er nooit bij stil dat ik al zo oud ben. Ik voel het zelf niet, weet je. In mijn hart voel ik me jong.'

'*Vecchio pollo fa buon brodo*,' zei Debo, terwijl ze haar sigarettenpijpje tussen haar felrode lippen stak en een lucifer afstreek. 'Van een oude kip kun je lekkere soep trekken,' vertaalde ze. Ze gierden het alle drie uit van de lach.

Ik kwam uit de schaduwen tevoorschijn en stapte op hun tafeltje af. 'Mischa,' zei Daphne, en haar lach ging over in een zacht gegrinnik. 'Lieve jongen toch, wat zie je bleek!' Ik bukte me om Rex te aaien. Het stompje van zijn staart ging heen en weer, dus kon ik dit keer zien wat zijn achterkant was. 'Hij heeft je gemist. En wij ook. We hebben je al dagen niet gezien.'

'Mevrouw Duval heeft hem zeker in de kelder opgesloten,' zei Debo. 'Vandaar dat hij zo wit ziet.'

'Hij was niet in orde,' onderbrak Gertie haar, terwijl ze haar half-leeggedronken theekopje naar het midden van de tafel schoof. 'Ik heb zijn moeder gezien en ben zo vrij geweest ernaar te informeren. Ze zag grauw van de zorgen, het arme mens. Het valt niet mee om in je eentje een kind groot te brengen. En dan ook nog eens een mismaakt kind.'

'Hij is niet mismaakt.' Daphne kwam voor me op. Ze was heel fel; haar mondhoeken schoten naar beneden. 'Hij kan alleen maar niet praten, dom mens. Dat betekent niet dat hij mismaakt is. Hij heeft geen bochel, hij heeft geen horrelvoet, of maar één oog, of... of... of een kreupel been. Met zijn lichaam is niets mis, dus kan hij ook niet mismaakt zijn. Snap je? Hij is een heel slimme jongen, dat kan ik je wel vertellen. Je moest je schamen om zulke domme dingen te zeggen.' Gertie bleef een hele poos zwijgen; ze keek enigszins beteuterd en haar huid zag plotseling asgrauw. Het was helemaal niets voor Daphne om zich zo op te winden.

Ik hield op met Rex te aaien en ging verbaasd rechtop zitten. Daphne keek naar me en klopte me op mijn hoofd. 'Hij is een kleine schat,' zei ze, nu weer op bedaarde toon. Ik zag dat Debo een snelle blik op Gertie wierp en toen Daphnes hand aanraakte. Daphne glimlachte haar dankbaar toe. Er was iets gaande tussen de twee vrouwen wat ik niet begreep. Ik vroeg me zelfs af of Daphne zelf kinderen had, of kleinkinderen misschien, of dat de tranen die nu in haar ogen opwelden getuigden van een stil verlangen. Een verlangen waar een kleine jongen niets van begreep.

Opeens stapte Coyote door de openslaande deuren naar buiten, met Madame Duval op zijn hielen. Daphne vergat zichzelf even en duwde mij onder tafel. Ik greep Rex vast en nam hem met me mee. Pistou was nergens te bekennen. Ik werd aan het zicht onttrokken door de Fazanten en het lichtblauwe tafelkleed. Vanuit mijn schuilplaats zag ik de twee het grasveld op lopen; ze wezen naar de planten en bleven om de paar stappen staan praten. Hij leek erg geïnteresseerd in het terrein en keek met de handen in zijn zij bewonderend om zich heen. Ik had het allemaal al eens eerder meegemaakt. Het château was inderdaad prachtig. Maar Coyote had aan die pracht nog iets anders toegevoegd, iets wat er eerder niet was geweest. Zelfs Madame Duval begon vanbinnen te bruisen en liep met veerkrachtige tred.

De Fazanten begonnen weer over hem te kletsen. Over zijn manier van lopen, met rechte schouders, alsof hij in het leger had gediend; de manier waarop hij met zijn hand door zijn dikke, zandkleurige haar streek. Maar ze hadden het vooral over zijn ogen – 'Vergeet-mij-nietjesblauw,' zei Daphne, en voor één keer waren ze het alle drie met elkaar eens.

Ik zat met Rex naast me onder het tafelkleed door te gluren. Daphne reikte ons een koekje aan, dat ik deelde met haar hond. Toen gebeurde er iets heel bijzonders. Pistou verscheen midden op het grasveld. Hij trapte tegen een witte bal en grijnsde ondertussen naar mij. Hij gedroeg zich roekeloos, omdat hij wist dat toch niemand hem kon zien. Hij holde achter de bal aan en kneep Madame Duval in het langsrennen in haar billen. Ze schrok op en bracht haar hand naar de plek toe, terwijl ze Coyote verrast aankeek. Ze wist niet wat ze ervan moest denken. Haar lippen krulden zich in een behaagzieke glimlach – maar in mijn ogen was ze nog steeds lelijk.

Mijn blik dwaalde naar Coyote, die – ik kon mijn ogen amper geloven – naar Pistou stond te kijken. O ja, hij kon hem duidelijk zien; daar twijfelde ik niet aan. Zijn ogen keken de kleine jongen na terwijl die wegsprong over het gras. Opeens bleef Pistou staan en de bal was opeens nergens meer te zien. Hij bleef Coyote stokstijf staan aanstaren. Coyote staarde terug en leek Madame Duval, die maar doorbabbelde, te zijn vergeten. Hij glimlachte en knipoogde. Pistou schrok zo dat hij niet lachte, zoals hij normaal gesproken zou hebben gedaan, maar de bal volgde naar een plek waar zelfs ik hem niet kon vinden. Coyote draaide zich weer om naar de tuin alsof Pistou er nooit was geweest, en ik vroeg me af of ik dit hele incident had verzonnen, of dat Coyote en ik iets speciaals gemeen hadden: een vermogen dat andere mensen niet bezaten.

7

MADAME DUVAL EN COYOTE VERDWENEN UIT HET ZICHT VIA het trapje dat naar de watertuin leidde, met daarachter de velden met wijnstokken. Ik kwam met Rex uit mijn schuilplaats tevoorschijn. 'Monsieur Duval mag zijn vrouw wel goed in de gaten houden,' zei Gertie, die hen met half dichtgeknepen ogen tegen de zon nakeek.

'Goeie hemel, Gertie, ze is oud genoeg om zijn moeder te kunnen zijn,' wierp Debo tegen.

'Wat komt hij hier doen, denken jullie?' vroeg Daphne, terwijl ze Rex oppakte en op haar schoot zette. 'Ik bedoel, hij is jong, ongetrouwd, zover wij weten, en lijkt hier niet voor zaken te zijn. Hij is helemaal uit Amerika hiernaartoe gekomen...'

'Hij houdt vast gewoon vakantie,' onderbrak Gertie haar. 'Moet hij soms een missie hebben om hier te mogen komen?'

'Misschien wordt hij wel hiernaartoe gelokt door de wijn. Ken je dat rijmpje? Hoe gaat het ook weer?' Debo kneep haar ogen tot spleetjes terwijl ze in haar geheugen groef. 'God schiep de mens, een wezen zo teer. God schiep de liefde, die smaakte naar meer. Ook de wijnstok was een creatie van Gods hand. Hoe kan 't dan zonde zijn dat de mens de wijn verzon om de pijn van de liefde voor te zijn?' Ze liet een lach horen die van diep uit haar keel kwam. 'Volgens mij is hij hier voor de wijn.'

'Natuurlijk is hij hier voor de wijn. Waarom zou je anders hiernaartoe komen als je geen belangstelling hebt voor wijn?' Gertie was verontwaardigd.

'Ik vind het alleen een beetje vreemd, meer niet.'

'Er is niets vreemds aan, Daphne,' zei Gertie. 'Jij bent veel te romantisch, dát is het probleem. Je leest te veel romannetjes. Kan een man niet gewoon vakantie houden zonder dat jij hem allerlei intriges in de schoenen schuift?'

'Misschien is hij voor iemand op de loop.' Debo nipte peinzend van haar thee. Toen trilden haar mondhoeken en brak er een glimlach op haar gezicht door. 'Misschien is hij wel hiernaartoe gekomen om iemand te zoeken,' voegde ze er duister aan toe. 'Een verloren liefde.'

'Wie weet,' beaamde Daphne, en ze gaf Rex nog een koekje. 'Wat denk jij, Mischa?' Ik haalde mijn schouders op. Ik had geen idee waarom Coyote hierheen was gekomen en het kon me niet schelen ook. Het enige wat mij interesseerde was hoe lang hij zou blijven.

'Laten we hem vragen of hij bij ons wil komen zitten aan het diner,' stelde Debo voor. 'Dan kunnen we het tot op de bodem uitzoeken.'

'Een geweldig idee, Debo,' zei Daphne. 'Ik geef je op een briefje, Gertie, dat hier meer achter zit. Vakantie, het zou wat! Hij ziet er helemaal niet uit als een type om vakantie te vieren. Hij is veel te... te...' Ze kneep haar ogen tot spleetjes. 'Veel te *druk bezig*.'

Hun gesprek ging vervolgens verder over de schildertocht die ze zouden ondernemen, dus ging ik op zoek naar Pistou. Ik trof hem aan bij de rivier, waar hij op de oever naar een vlinder zat te kijken die was neergestreken op zijn hand. Ik ging behoedzaam zitten om de vlinder niet op te schrikken en we bleven er allebei een poosje naar kijken, totdat het kleurige wezentje zijn vleugels uitsloeg en wegvloog, met dartele bewegingen alsof het van de druiven gesnoept had en dronken was geworden.

Het grootste deel van de ochtend bracht ik daar door. We gooiden steentjes om de vissen op te jagen, lieten onze voeten in het koude water bungelen en lagen op onze rug in de zon, en ik vertelde hem alles over Coyote. 'Hij kon je zien,' zei ik ernstig, terwijl de warme zonnestralen op mijn gezicht schenen. 'Misschien laat ik hem wel toe in onze geheime wereld. Misschien,' voegde ik eraan toe. 'Ik moet nog eens zien.' Maar ik verlangde er hevig naar dat hij zo'n eer zou verdienen. Zelfs mijn moeder had Pistou nog nooit ontmoet.

Ik moet in slaap zijn gevallen, want ik werd wakker van een zingende stem die werd begeleid door een gitaar. Ik ging overeind zitten en krabde op mijn hoofd. Ik was versuft en had het warm. Pistou was weggegaan en had me alleen op de rivieroever achtergelaten. Daar bleef ik nog een poosje zitten, luisterend naar het lied. Ik had het nog nooit gehoord. Het was droevig, en de stem van de man was donker en warm, als een laag geneurie. Ik stond op en ging op het geluid af, tot ik bij een open plek in een bosje kwam.

Daar, in de schaduw van een plataan, zat Coyote. Toen hij mij zag, brak hij zijn gezang niet af. Zijn ogen nodigden me uit om naar hem toe te komen en ik ging maar al te graag tegenover hem zitten, in kleermakerszit op het gras, om toe te kijken hoe zijn vingers de snaren beroerden. Hij leunde tegen de boom, met de gitaar rustend op zijn opgetrokken knie, en zijn gezicht was onder zijn strohoed in schaduwen gehuld. Ik merkte op dat hij lange wimpers had en dat de huid op zijn wangen en kin er stoppelig uitzag. Twee scheve hoektanden staken een stukje uit en deden me aan een wolf denken. Jacques Reynard had gezegd dat er voor de oorlog wolven in de Bordeaux waren geweest, maar niemand geloofde hem. Coyote zong voor mij; zijn ogen lieten me niet los, geen moment. Ik voelde de warmte van zijn genegenheid over me heen spoelen. Ik voelde mijn borst zwellen, alsof mijn ribbenkast zich opmaakte om plaats te bieden aan het nieuwe volume. Ik schonk hem een glimlach. Ook al had ik hem nog niet officieel uitgenodigd om mijn geheime wereld binnen te treden, op dat moment wist ik dat hij zich daar al bevond. Zijn lied was diep doorgedrongen tot in de kern van mijn wezen, waar het zo bevroren en stil was geweest.

O, sla langzaam op de trom
En speel zachtjes op de fluiten
O, speel de dodenmars
Als ze me voortdragen
Me voortdragen naar het kerkhof
En de aarde over me heen gooien
Want ik ben maar een arme cowboy
En ik weet dat ik het verkeerd heb gedaan.

We bleven daar zitten, Coyote en ik – wel een eeuwigheid, leek het. Hij zong nog een heleboel liedjes, het ene na het andere. Ik wiegde mee op het ritme, klapte in mijn handen als de klanken vrolijk klonken en luisterde zonder me te verroeren als het droevig werd. Ik wilde meedoen. In gedachten deed ik dat ook, en misschien kon hij me horen. Binnen in mijn hoofd was mijn stem helder en glanzend als zilver.

Uiteindelijk vielen zijn handen stil. 'Ik heb trek gekregen, wat jij, Junior?' Ik knikte, maar ik wilde dat hij de rest van de dag door zou zingen. Ik wilde niet naar huis. Daar op die open plek was de werkelijkheid even stil blijven staan: alleen wij tweeën in mijn geheime wereld.

'Heb je zin om een hapje met me mee te eten?'
Ik knikte weer, maar ik had niet voorzien dat hij me mee zou nemen naar de stad. Ik was bang. Zelfs met Coyote naast me was ik bang. Ik wilde zijn hand pakken, maar ik wilde niet dat hij zou denken dat ik een slappeling was. Ik was tot dan toe alleen nog maar met mijn moeder naar de stad geweest, en zij had altijd mijn hand vastgehouden. Alsof hij mijn ongemakkelijkheid aanvoelde, klopte Coyote me op mijn hoofd. 'Alles goed, Junior?' Ik keek naar hem op en wist een glimlach te produceren. Hij glimlachte terug en de zelfverzekerde blik die op zijn gezicht lag schonk me moed. We liepen de straat af. Ik keek op mijn hoede naar de huizen, waarvan de luiken gesloten waren tegen de middaghitte, en stelde me voor dat er honderden paren ogen naar me keken. Ik kon de haat als rook door de kieren voelen sijpelen.

Opeens begon Coyote te praten. Hij praatte en praatte maar en wist van geen ophouden. Hij vertelde me over Virginia. 'Tja, het ligt in het zuiden, maar niet diep in het zuiden, snap je, Junior?' Zijn beschrijvingen voerden me naar een andere plek, ver weg, naar een oude stenen muur die om een maïsveld liep. 'Daar had een oude man zijn bivak opgeslagen. Ik durf te wedden dat hij met de dieren kon praten, want die aten uit zijn hand alsof hij een oude vriend van hen was. Er waren eekhoorntjes en hazen, en soms een prairiehond, en uiteraard vogels – een heleboel vogels. Ik was als jongen net als jij; als een wild dier zwierf ik altijd rond. Ik ging naar die stenen muur toe om hem op te zoeken. Dan zaten we bij elkaar en vertelde hij me verhalen. Hij had veel van de wereld gezien, weet je. Je kon het zo gek niet bedenken, of hij was er geweest. Je zou zelfs denken dat hij hier in dit château was geweest. Hij had misschien wel van de wijn gedronken die ze hier maken, want als er iets lekkers te halen viel was hij er altijd als de kippen bij.'

Terwijl hij aan het woord was, luisterde ik. Ik luisterde zo ingespannen dat het me volkomen verraste dat we op het plein waren gekomen, want ik had van de wandeling daarnaartoe niets gemerkt.

Hij stapte op de bistro af met mij in zijn schaduw achter hem aan; ik hoopte daarin te kunnen verdwijnen, zodat niemand me kon zien.

'Oké, Junior, ik zou zeggen: een tafeltje buiten, wat jij?' Hij riep een ober. De man keek van Coyote naar mij, en toen weer terug. Coyote legde een beschermende hand op mijn schouder. We kregen een tafeltje in de schaduw van een blauwe parasol toegewezen.

Het was druk in de bistro. De meeste tafeltjes waren bezet. Ik keek naar de grote stenen potten met rode geraniums die in een vierkant om de tafeltjes op straat heen waren gezet. We gingen zitten en Coyote zette zijn gitaar tegen een vrije stoel. Het duurde niet lang of de ober kwam terug met een notitieblokje en een pen. Een paar vrouwen zwaaiden vanaf een ander tafeltje naar Coyote. Hij lichtte zijn hoed op en glimlachte. Ze bloosden en begonnen een geanimeerd gesprek. Toen de ober Coyote een menukaart aangaf, bedankte mijn nieuwe vriend hem in het Frans en vroeg om nog een kaart. '*Pour mon petit ami*,' zei hij, en ik voelde dat ik net als de twee vrouwen kleurde omdat hij me 'vriend' had genoemd.

Ik voelde me heel groots met mijn menukaart. Ik las hem zorgvuldig door en ik begreep de belangrijkste woorden, maar niet de getallen. 'Kies maar wat je wilt, Junior,' zei hij. 'We gaan een feestje vieren.' Ik wees naar de steak, omdat mijn moeder toen ik ziek was speciaal de stad in was gegaan om vlees voor me te kopen; ze zei dat ik daar de kracht uit zou putten om beter te worden. Nu had ik er genoeg van om 'aan te sterken' en niet te mogen 'rondrennen'. Ik wilde zo veel kracht opdoen als ik maar kon.

Terwijl we wachtten tot het eten gebracht werd, schreef ik op het notitieblokje: *Vertel me nog eens wat over die man*. En Coyote gaf daar maar al te graag gehoor aan. Hij nipte van zijn wijn en ik dronk limonade, en hij vertelde me het mooiste verhaal dat ik ooit had gehoord. Hij zei dat de Oude Man een jas droeg die helemaal tot op de grond reikte. Die was van losse lapjes gemaakt en de lapjes kwamen allemaal uit een ander land. Er was een rood lapje uit China met een gouden draak erop; hij had een lijf van glanzende schubben en uit zijn muil kwam vuur. Er was een oranje lapje uit Afrika, met een woeste leeuw erop en kinderen met zwarte gezichten. Er was een blauw lapje uit Argentinië met mannen op snelle paarden, en een geel stukje stof uit Brazilië met een afbeelding van de zee. Elk lapje vertelde een verhaal, en het ene verhaal was nog fascinerender dan het andere.

Het eten werd gebracht, we aten, en toen werd er afgeruimd. Toen ik om me heen keek, was de bistro bijna leeg. Het leek wel alsof we er uren hadden gezeten.

Na de lunch wandelden we naar de Place d'Eglise om naast de fontein te gaan zitten. Ik keek met een waakzaam oog naar de kerk, waarvan de deuren in stille afkeuring gesloten waren, het raam ondoorzichtig en vijandig. Ik voelde de koude aanwezigheid ervan alsof Père Abel-Louis naar me omlaagkeek en wilde weten waarom we die ochtend niet naar de mis waren gekomen. Hoe durfden we hem te trotseren? Een groepje kinderen speelde *Colin Maillard*, onder wie het kleine meisje met bruin haar dat de dag tevoren naar me had geglimlacht. Hun stemmen schalden over het plein terwijl ze behendig tussen de bomen door renden en in lachen uitbarstten wanneer een van hen werd gepakt.

Coyote ging op de rand van de fontein zitten en begon op zijn gitaar te spelen. 'Toen ik door de straten van Laredo dwaalde,' zong hij, en weldra vergat ik de kerk, Père Abel-Louis en de kinderen die me altijd buitensloten. Mijn ziel roerde zich in mijn binnenste alsof er een winterse knop in de warmte ontdooide. Mijn borst zwol en ik voelde een grenzeloze vreugde en kreeg het idee dat ik alles aankon.

Opeens viel me op dat de kinderen hun spel hadden gestaakt en naar ons toe waren gekomen om te luisteren. Ze kwamen in een kring om ons heen staan, fluisterden met elkaar, keken gespannen naar Coyote en staarden als een schare nieuwsgierige kalveren naar mij. Ik zag het kleine meisje dat haar tanden bloot had geglimlacht.

Ik had het me de dag tevoren niet verbeeld, want nu glimlachte ze weer. Haar gezicht stond vriendelijk, uitnodigend. Omdat ik zelf niet kon communiceren, had ik geleerd mijn gezicht voor me te laten spreken en de gelaatsuitdrukking van anderen te lezen. *Ik wil je vriendinnetje zijn*, zei ze met haar ogen. *Wees voor mij maar niet bang.* En ik glimlachte schuchter terug, terwijl ik amper kon geloven dat ze zo gulhartig was.

Coyote zong maar door en de kinderen gingen zitten. We troepten samen alsof we allemaal vrienden waren, verenigd door de muziek. Ik voelde dat mijn schouder die van de jongen naast me raakte, maar hij trok zich niet terug en gaf geen sjoege, dus bleef ik zo zitten, me bewust van onze lichamen, met een gloeiende schouder. Coyote zong een grappig lied, waar we allemaal om moesten lachen. Hij zette zijn strohoed af en drukte die op mijn hoofd. Ik voelde dat ik kleurde terwijl de kinderen hun blik weer op mij richtten. Toen pakte de jongen die naast me zat de hoed af en zette die tot grote vreugde van zijn vrienden zelf op. Weldra probeerden ze Coyotes hoed allemaal even. Hij werd almaar rondgegeven terwijl Coyote zelf doorzong, zijn mond in een grote grijns en zijn blik al die tijd op mij rustend.

Toen pakte het meisje met het bruine haar de hoed af en wurmde zich langs de anderen heen om hem weer op mijn hoofd te drukken. Voordat ik kon reageren wipte ze hem weer af en riep: 'Pak me dan!' Ik stond op en rende het plein op. Het duurde niet lang of alle kinderen vlogen achter haar aan, en ik deed mee, als een van hen, en het geluid van mijn voetstappen echode met dat van de anderen tegen de muren van de kerk. Coyote zong maar door, maar ik voelde dat hij naar me keek en was intens blij. Hij was vast onder de indruk dat ik zo veel vriendjes en vriendinnetjes had.

Ik rende snel, zo snel als ik met Pistou tussen de wijnranken door rende. Tot mijn grote vreugde merkte ik dat ik harder kon lopen dan de andere jongens. Ik was kleiner, maar ook lichter, zodat ik tussen de bomen door kon schieten, zo lenig als een aap die door de takken zwiert. Algauw haalde ik het kleine meisje in en pakte de hoed van haar af. 'Grijp hem!' riepen de anderen, en ze kwamen als een meute honden achter me aan. Heel even verkrampte mijn hart van angst, want in een flits schoot de herinnering door me heen dat ik over de keitjes naar mijn moeder toe kroop terwijl de mensenmassa dorstte naar mijn bloed. Maar toen ik over mijn schouder keek, stonden hun gezichten vrolijk, hun monden in een brede glimlach, hun stemmen vriendelijk en plagerig, alsof ik een van de hunnen was.

We speelden de hele middag terwijl Coyote op zijn gitaar tokkelde. Nu eens zong hij een liedje, dan weer speelde hij alleen maar wat, maar al die tijd dat wij rondrenden over het plein weerkaatste de muziek die hij maakte tegen de muren van de kerk en de gebouwen eromheen, die gehuld waren in de gloed van de afnemende stralen van de zon.

Uiteindelijk werden de schaduwen langer, totdat de ontzagwekkende vorm van de kerk over het plein heen viel en hongerig de laatste lichtbanen opslorpte. De kinderen staakten hun spel en verspreidden zich. Een paar van hen klopten me op de rug. 'Wat kun jij rennen, zeg!' zeiden ze vol bewondering. Ik keek hen met groeiende teleurstelling na. Het was een heerlijke middag geweest. Zouden ze het goedvinden als ik nog eens met hen speelde? Wat zou er gebeuren als Coyote er niet bij was om hen te betoveren met zijn muziek?

Coyote hield op met spelen en kwam overeind. Het kleine meisje kwam met zijn hoed naar hem toe gehuppeld. 'Dank u wel, *monsieur*,' zei ze, en toen keek ze glimlachend naar mij. 'Ik heet Claudine Lamont. Ik weet dat jij Mischa Fontaine heet, en het geeft niet dat je niet kunt praten. Mij kan dat niks schelen.' Ik voelde mijn borst weer zwellen, en daaronder roerde zich een warm gevoel. Ze leek even verlegen en richtte haar blik op haar voeten. 'Jij kunt hartstikke hard rennen,' zei ze, opkijkend vanonder haar lange wimpers.

Ik zag dat haar ogen groen waren, net als de wijnstokken in augustus. 'Dank u wel voor de muziek, *monsieur*,' voegde ze er nog aan toe, waarna ze weghuppelde en ergens in het groepje zandbruine gebouwen uit het zicht verdween. 'Laurent!' riep ze. 'Wacht op mij!'

'Volgens mij ziet ze je wel zitten, Junior,' zei Coyote, die zijn hoed weer op zijn hoofd drukte. 'De taal der liefde heeft geen woorden nodig.' Hij grinnikte. 'Kom, we zullen je eens naar huis brengen, naar je moeder. Ze vraagt zich vast af waar je bent.'

We liepen terug naar het château. De avondzon hulde de velden in een amberkleurig licht en de vogels kwetterden luidruchtig in de takken voordat ze zich opmaakten voor de nacht. De krekels tsjirpten, verborgen in het lange gras, en een eenzame haas hipte over ons pad. Coyote zei niets. Zijn stilzwijgen gaf me geen ongemakkelijk gevoel. Ik was eraan gewend; ik genoot van stilte en luisterde graag naar de natuur en het grillige verloop van mijn eigen gedachten.

Ik was in de zevende hemel. Ik had gespeeld met de kinderen die me altijd bang hadden gemaakt en Claudine wilde mijn vriendinnetje zijn. Ik keek op naar Coyote. Zijn gezicht stond peinzend onder zijn hoed. Mijn grootmoeder had gelijk gehad: de wind had inderdaad verandering gebracht. Ik popelde om mijn moeder erover te vertellen.

Toen we bij de stallen kwamen, kwam mijn moeder bijna meteen tevoorschijn. 'Mischa, waar heb je gezeten?' riep ze uit, en ze trok me in haar armen. 'Je moet er niet zomaar vandoor gaan. Niet de hele dag!'

'Het spijt me ontzettend. We hebben geluncht in de stad en hij heeft de hele middag met de kinderen op het plein gespeeld,' antwoordde Coyote.

Mijn moeder zette een ongelovig gezicht. 'Gespeeld met de andere kinderen?' herhaalde ze, terwijl ze mijn shirt afklopte.

'Ze hebben het heerlijk gehad, hè Junior?'

Ze staarde me aan, eerst met angst in haar ogen, maar toen verzachtte haar gezicht zich en glimlachte ze.

'Echt waar?'

Ik knikte.

Ze sloeg haar armen om me heen en drukte een kus op mijn wang. 'O, Mischa, wat ben ik daar blij om.'

Ze kwam overeind en bedankte Coyote. 'Dit is allemaal aan jou te danken,' zei ze, terwijl ze haar haar achter haar oor streek. 'Dankjewel.'

Ze bleven elkaar een hele poos staan aankijken, totdat Coyotes blik te zwaar begon te drukken en ze zich moest afwenden.

'Hij is een dappere *chevalier*,' zei hij ten slotte, en hij klopte me op mijn hoofd. Mijn moeder glimlachte dankbaar en keek hem na toen hij wegliep.

8

DE VOLGENDE OCHTEND LIEP MIJN MOEDER WEER TE NEURIËN. Haar haar hing los en haar ogen glansden, en ik merkte op dat haar heupen wiegden, net als toen we op zaterdag met Coyote naar huis waren gelopen. Ik wist zeker dat ik me niet vergiste: ze vonden elkaar leuk. Dat had ik van het begin af aan geweten.

Ik keek ernaar uit om naar het château te gaan om dingen voor Yvette te pakken, omdat er een kans was dat ik dan Coyote zou zien. Ik zou me weer in de gang verstoppen en op hem wachten, net als toen ik op Joy Springtoe had gewacht. Ik kleedde me zo snel ik kon aan en werkte mijn ontbijt naar binnen terwijl mijn moeder haar koffie dronk en ademloos zat te rebbelen. Ze was zó blij dat ik vrienden had gemaakt en had gewild dat ik voor het slapengaan opschreef wat er allemaal was gebeurd. Ik schreef langzaam en het kostte me veel moeite, maar ze had geduldig gewacht en naar details gevraagd, ook al had het even geduurd voor ik die had kunnen geven. 'Hij kan toveren,' had ze gezegd. 'Anders is het niet te verklaren.' Opeens had ik haar in vertrouwen willen nemen over Pistou, haar willen zeggen dat Coyote hem ook kon zien, maar het frustreerde me dat ik niet snel genoeg kon schrijven, dus liet ik het maar zitten.

We liepen samen naar het château, over de keitjes van de hof naar de achterkant van het gebouw, waar de keuken was. Het was nog vroeg. De schoorstenen vingen de eerste zonnestralen op terwijl het château de schaduwen van de nacht van zich afschudde en zich slaperig uitrekte. Mijn moeder droeg haar werkjurk. Die was zwart, bedrukt met kleine gele en witte bloemetjes. Ze zag er leuk uit met haar haar los. Bovendien rook ze lekker, naar citroen. Ik wist dat zij net zo hard hoopte als ik dat ze Coyote zou tegenkomen.

Toen we de keuken binnenkwamen, kwam Yvette ons tegemoet. Het verraste ons dat ze niet alleen glimlachte – een manische glimlach, als van een vrouw die bezeten is –, maar ook nog eens liep te zingen. Ze had een vreselijke stem. Hij was gevaarlijk onvast, als een vogel die te dik is om te vliegen. Daar leek zijzelf echter helemaal niet mee te zitten; integendeel, ze zong uit volle borst, en haar ampele boezem rees en daalde wanneer ze moeite deed om hoge noten te halen. *'Bonjour Anouk, bonjour Mischa,'* zei ze zangerig, en we bleven allebei in de deuropening verbaasd met onze ogen staan knipperen. Als ze ineens een baard en een snor had gekregen, hadden we niet verraster kunnen zijn. Om te beginnen begroette ze nooit iemand. Mijn moeder niet, en mij al helemaal niet. Ze noemde me ook nooit bij mijn naam. Ik was gewoon 'jongen', ook al had ze dat woord sinds ik haar 'pakjongen' was geworden met enige genegenheid uitgesproken. Nu zwierde ze door de keuken in haar witte schort, waarbij haar brede heupen op een haar na de hoek van de tafel die in het midden stond misten; daar lag al een bloederig stuk rundvlees klaar voor de lunch.

Mijn moeder keek naar me en trok een gezicht. Yvette was zeker dronken. Misschien was ze op strooptocht geweest in de *cave*, waar de wijn werd bewaard. Er leek geen andere verklaring voor te zijn. We keken toe hoe ze naar de provisieruimte danste, met een glimlach voor Pierre en Armande, die haar met een al even verbaasde frons aankeken als wij. Ondanks de nieuwsgierige blikken gunde ze zich amper de tijd om adem te halen. Pierre schudde zijn donkere hoofd in een gebaar van berusting, zoals je doet wanneer je voor een onoplosbaar raadsel komt te staan, en verdween de betegelde gang in met een dienblad met zilveren koffiepotten; de kale Armande volgde hem op zijn hielen met de broodmandjes.

In de keuken was het warm en rook het naar toast en warme melk. Op de kachel stonden in een grote steelpan eieren te koken. Op de tafel waar ik groente zou gaan snijden waren in een vaas verse bloemen neergezet. Ik had daar nog nooit bloemen zien staan. Ik wist zeker dat het door de wind kwam, door Coyote: dat Yvette liep te zingen, de bloemen, de plotselinge verandering in de lucht, waar nu iets prettigs en zachts hing. Toen Yvette me vastpakte, tilde ze me op met een luide triller, en haar stem hield als die van een operazangeres dezelfde noot een poosje aan. Toen ze me weer had neergezet, gaf ze me een klopje op mijn hoofd, in het ritme van haar lied.

Mijn moeder trok zich terug in de provisieruimte. Ze had haar vaste werkschema en daar hield ze zich aan, zodat ze niemand voor de voeten liep. Het feit dat ze al langer dan alle anderen op het château werkte – op Jacques Reynard na dan – ergerde de andere personeelsleden, want ze konden het niet verkroppen dat zij hun op wat voor manier dan ook de baas was. Mijn moeder was een goede coupeuse, maar van die vaardigheid werd geen gebruikgemaakt – uit nijd, volgens mij –, wat haar frustreerde, want ze vond naaien erg leuk. De paar jurken die ze droeg had ze zelf gemaakt, van oude gordijnen en lakens; ze had in de oorlog zelfs een keer een blouse van parachutezijde gemaakt die ze in de velden buiten de stad had gevonden. Mijn vader had haar mooie jurken gegeven toen de Fransen tijdens de bezetting niet aan zulke spullen hadden kunnen komen, maar die droeg ze nu niet meer. Ze zouden er te nadrukkelijk aan hebben herinnerd dat ze had gecollaboreerd, waar ze zo wreed voor was gestraft. Ze bleven veilig opgeborgen in een hutkoffer in de stallen, waar niemand ze kon vinden. Soms haalde ze ze 's avonds tevoorschijn, als ze dacht dat ik sliep en er niets van merkte. Dan drukte ze ze tegen haar neus, in de hoop, denk ik, mijn vaders geur weer te ruiken. Of misschien verlangde ze naar betere tijden, toen het leven goed voor ons was geweest, toen het schoeisel dat door de gangen van het château beende uit glimmende zwarte laarzen had bestaan.

Yvette bleef de hele morgen liederen kwelen. Pierre en Armande wasten de ontbijtborden af en droogden ze, waarna ze ze aan mij gaven om ze weg te zetten. Ik draafde heen en weer naar de kast om ze op te stapelen, maar ze merkten me amper op; ik was niet belangrijker voor hen dan de eerste de beste ober. 'Ze is verliefd,' zei Pierre snuivend. Hij vond het kennelijk ongepast dat een monster als Yvette iemand liefhad zoals andere mensen. Ik betwijfelde of Pierre of Armande ooit zelf wel eens iemand hadden bemind zoals mijn moeder van mijn vader had gehouden. Ze waren kille, ongepassioneerde mannen die altijd alleen maar aandacht hadden voor wat er allemaal niet deugde. Als ze hun best deden, konden ze nog een foutje vinden op de vleugel van de allermooiste vlinder. En ze deden hun best, altijd en overal.

'Als je het mij vraagt, heeft ze haar verstand verloren,' bracht Armande daar op vlakke toon tegenin. 'Straks sluiten ze haar nog op, wat ik je brom.'

'Iemand zou tegen haar moeten zeggen dat ze moet ophouden met zingen.'

'Het is haar zwanenzang, Pierre. Laat haar nou maar.' Armande liet een lach horen van diep uit zijn keel en gaf me nog een bord aan.

'Ik blijf erbij: ze is verliefd. Moet je die bloemen op tafel nou toch eens zien!'

'Ze beginnen al slap te hangen.'

'En zoals ze door de keuken loopt te dansen. Vind jij dat niet heel vreemd?'

'Mensen telden in de middeleeuwen grof geld neer om kermisgedrochten te mogen zien.' Armande onderbrak het afdrogen even en kneep zijn ogen tot spleetjes. 'Trouwens, op wie denk je dat ze verliefd is? Jacques Reynard?'

'Op die Amerikaan. Hij lijkt bij iedere vrouw in het château een gevoelige snaar te hebben geraakt.' Pierre kneep met nauwverholen jaloezie zijn lippen op elkaar. Dat een man zonder er ook maar enige moeite voor te hoeven doen zo veel succes had bij de vrouwtjes was al erg genoeg, maar dat die man ook nog eens een Amerikaan was maakte hem nog veel kwaaier.

'Monsieur Magellan,' zei Armande met een knikje van zijn kleine kale hoofd. 'Iedereen heeft de mond vol van hem.' Pierre haalde zijn armen uit het sop en droogde ze af aan een theedoek.

'Sinds hij hier is gekomen, is alles veranderd. Moet je Yvette en Lucie nou zien; het was beter toen ze nog ongelukkig waren – toen wist je tenminste waar je aan toe was.'

'Lucie loopt te glimlachen en Monsieur Duval beent rond als een stier die zijn dagelijkse portie haver niet krijgt. Ze gaat hem uit de weg en daar wordt hij hoorndol van.' Armande haalde zijn schouders op. 'Daar ben ik Monsieur Magellan wel dankbaar voor.'

'Ik zou hem liever zien vertrekken. Ik moet niets hebben van verandering, zeker niet bij vrouwen. Niets is zo ontregelend als een vrouw die verliefd is.'

Armande wreef over de frons in zijn voorhoofd. 'Het is een ziekte, Pierre. Madame Duval heeft zichzelf opgeverfd als een poppenkop. Ze denken zeker dat wij niks in de gaten hebben, dat stelletje dwazen. Wat maken ze zichzelf belachelijk – om een beetje te gaan lopen flirten met een man die hun zoon wel had kunnen zijn!'

'Bijster knap is hij anders niet.'

'Maar hij spreekt wel goed Frans.'

'Het is gewoon dankbaarheid, Armande. Als de Amerikanen zich niet met de oorlog hadden bemoeid, zouden we nu allemaal Duits spreken.' Hun blik bleef op mij rusten. Ik trok me terug in de schaduwen.

Armandes gezicht vertrok zich in een wrede grijns. 'Als die jongen kon praten, zou hij Duits spreken.' In zijn ogen stond kille verachting te lezen.

'In dat geval is het een zegen dat hij stom is.'

'Eerder een gave,' snierde Armande. 'Want als hij praten kon, zou ik zijn mond uitspoelen met zeep.' Zijn hand bewoog zich dreigend in de richting van de zeep en ik maakte me zo snel ik kon uit de voeten, terwijl hun spottende lach me achtervolgde door de gang. Mijn moeder was niet in de provisieruimte, en ook niet in de waskamer. Met bonzend hart zocht ik haar op alle plekken die ik kon bedenken. Als ik bang was, was zij de enige die soelaas kon bieden. Op mijn zoektocht moest ik me twee keer verstoppen. De eerste keer toen Madame Duval door de betegelde gang naar de keuken kwam geschreden, haar knokige hand spelend met de bril die op haar borst hing, terwijl ze instructies blafte tegen Etiennette, haar secretaresse. De tweede keer toen Yvette de waskamer binnenstormde, waarschijnlijk om mijn moeder te zoeken. Ze bleef even staan, speurde met haar zwarte oogjes de kamer door, en hief toen een nieuw couplet aan, waarna ze de deur weer achter zich dichtdeed. Ik durfde niet via dezelfde weg te vertrekken en kroop in plaats daarvan uit het raam.

Uiteindelijk trof ik mijn moeder aan in de moestuin. Ze stond met Coyote te praten. Ik kroop door het gat in het hek en hurkte neer tegen de muur. Ik zat goed verstopt achter hoge rijen bonenstaken, maar ik kon hen duidelijk zien. Mijn moeder zat op haar knieën wortels uit te trekken; ze schudde de aarde eraf en veegde ze schoon. Ik vond het jammer dat ze een hoofddoek droeg, want haar haar had er toen het nog los over haar schouders viel heel mooi uitgezien en ik wilde graag dat Coyote het zo zag. Over haar jurk heen droeg ze een vuil oud schort, maar daar leek ze zich zelf niet druk om te maken.

Coyote zat op het gras te roken. Hij had zijn hoed afgezet en zijn zandkleurige haar was dik en zat warrig, als de vacht van een hond. Vanuit mijn schuilplaats kon ik zijn blauwe ogen zien; die waren zo helder en stralend alsof er een zonnetje achter scheen. Hij lachte met zijn mond wijdopen, zodat er rimpels in zijn wangen verschenen en de kraaienpootjes op zijn slapen dieper werden. Ik voelde weer die warme gloed in mijn borstkas. Die werd almaar warmer en warmer, en vulde de lege plekken in mijn hart op tot ik nog amper adem kreeg.

Ik sloop dichterbij, zodat ik kon verstaan wat ze zeiden. Ik was het gewend om me schuil te houden; daar was ik goed in.

'Ik werk hier al vanaf mijn eenentwintigste,' zei mijn moeder, die haar werkzaamheden even onderbrak om zich met de rug van haar hand het zweet van het voorhoofd te wissen. 'Hoewel het er voor de oorlog anders aan toeging.'

'Wat is er met de familie gebeurd?' vroeg Coyote, terwijl hij een trek nam van zijn sigaret. Hij hield geen oog van mijn moeder af, geen moment.

'Ik zou het niet weten. De Duitsers kwamen en ze moesten vertrekken. Ze hadden het erover gehad naar Engeland te gaan. Daar hadden ze familie. Maar dat deden ze uiteindelijk niet. Het château, de wijngaard, Mauriac... Het was hun thuis. Ze wilden dat allemaal niet in de steek laten. Trouwens, ik geloof niet dat ze ooit hadden verwacht dat maarschalk Pétain een wapenstilstand met Duitsland zou ondertekenen. Dat was een ontzettende schok. Het waren vechters, geen mensen die zich overgaven. Ze waren verbijsterd. Maar ze hadden geen keus. Ik weet niet of ze Engeland ooit hebben gehaald. Ik heb nooit meer iets van hen gehoord.'

'Misschien dat ze zijn omgekomen.'

'Ze zouden het verschrikkelijk vinden wat de Duvals met hun thuis hebben gedaan.'

'Maar jij blijft hier?'

'Ondanks alles blijf ik hier.' Ze sloeg haar ogen neer en begon weer in de grond te wroeten.

'Dit is Juniors thuis, hè?'

'En het mijne ook.' Ze legde de laatste bos wortels in de mand en kwam overeind. 'Trouwens, ik kan nergens anders heen.'

Opeens voelde ik iets prikkelen in mijn neus. Voordat ik het geluid met mijn handen kon dempen, moest ik niezen. Mijn moeder draaide zich geschrokken om. Coyote glimlachte alleen maar. 'Hallo, Junior,' zei hij laconiek. 'In de oorlog hadden we best zo'n spion als jij kunnen gebruiken!'

'Mischa!' zei mijn moeder, een beetje boos. 'Sluip toch niet altijd zo rond.' Ik kwam uit mijn schuilplaats achter de bonenstaken tevoorschijn. Haar gezicht verzachtte zich en zij moest ook glimlachen. 'Is alles goed met je?' Ik knikte. 'Loopt Yvette nog steeds te zingen?' Ik knikte nogmaals. 'Goeie god,' zei ze, en tegen Coyote: 'De hele boel staat hier op zijn kop.'

'Het hotel zit vol excentriekelingen,' zei hij. 'Neem nou die Engelse dames. Wat een apart stelletje. Ze hebben me gevraagd of ik vanavond samen met hen wil dineren. Saai zal het in elk geval niet worden.' Hij drukte zijn sigaret uit op de grond en duwde de peuk met zijn schoen onder de aarde. Hij kwam naar me toe gelopen en woelde door mijn haar. 'En wat ga jij doen, Junior?'

'Hij kan me hiermee helpen,' zei mijn moeder, met een hoofdgebaar naar de wortels.

'Wat een slavenarbeid!' grapte Coyote. 'Zou je niet liever met mij op verkenning uitgaan?'

'Ik geloof niet...' Ik keek waarschijnlijk nogal sip, want mijn moeder liet verslagen haar schouders zakken. 'Nou, misschien vanmiddag dan,' gaf ze toe.

'Dan neem ik mijn gitaar mee en gaan we wat liedjes zingen – goed, Junior?' Hij wendde zich naar mijn moeder toe en liet zijn blik op haar gezicht rusten. Ik bespeurde iets van tederheid in de manier waarop hij haar opnam, alsof zijn rusteloze ogen bij haar een rustpunt hadden gevonden. 'Zou je met ons mee willen gaan?' Op mijn moeders wangen verscheen een blos. Ze hield haar hoofd schuin, zoals ze altijd deed wanneer ze zich verlegen met iets voelde.

'Ik weet niet...'

'Ga mee. Ik ben een gast van het hotel. Ik vraag je om me gezelschap te houden. Allemachtig, ik betaal een godsvermogen om hier te mogen logeren, dus dan kunnen ze je vast wel een paar uurtjes missen.'

'Wie weet,' antwoordde ze, maar ik kon aan haar gezicht zien dat ze 'ja' bedoelde. Ze wilde zich alleen niet zo makkelijk gewonnen geven. Ik geloof dat Coyote het ook doorhad, want hij grijnsde kwajongensachtig

'Dan zie ik jullie op de stenen brug.' Hij gaf me een knipoog. 'Dat is ons speciale plekje, toch, Junior?'

In de keuken begon ik met hernieuwde energie de wortels te wassen en schoon te maken. Het enige waar ik aan kon denken was Coyote en hoe leuk het die middag zou worden. Yvette liep nog steeds zingend door de keuken en gaf af en toe met haar houten lepel een tik op de pannen. Pierre en Armande lieten haar valse gekweel met rollende ogen over zich heen komen en leverden als zij buiten gehoorsafstand was zachtjes mompelend commentaar. Van tijd tot tijd keek ze over mijn schouder en liet haar pafferige hand daarop rusten, terwijl ze opgetogen haar goedkeuring aan mijn bezigheden hechtte, alsof de toewijding waarmee ik aan het werk was – normaal gesproken niets voor mij – door dezelfde magie werd veroorzaakt als haar zonnige humeur.

Hoewel Yvette altijd alleen maar minachtend tegen mijn moeder had gedaan, bedankte ze haar nu voor de groenten en vroeg haar of ze zo vriendelijk zou willen zijn om alsjeblieft wat frambozen te plukken voor het dessert. Mijn moeder wist niet hoe ze op Yvettes bizarre manier van doen moest reageren. Ze vertrouwde haar voor geen cent, alsof ze elk moment weer kon veranderen in een iezegrim. Ze probeerde te doen alsof er niets bijzonders aan de hand was, alsof haar niets ongewoons opviel. Als Yvette al wist dat ze voor opschudding zorgde, liet ze dat niet merken. Maar ik vermoed dat ze het wel degelijk besefte, want als ze even op adem kwam tussen twee liedjes in, lag er een schalks trekje om haar mondhoeken.

Ik was klaar met de wortels. Yvette was de keuken uit gegaan en had haar gezang met zich meegenomen. Armande en Pierre waren de lunch aan het serveren in de eetzaal en mijn moeder was waarschijnlijk aan het werk in de waskamer. Ik besloot naar de privékant te glippen en op zoek te gaan naar Coyote. Ik genoot van de uitdaging. Coyote had me zelfvertrouwen gegeven. Ik geloofde echt dat ik een goede spion zou zijn geweest. Ik sloop zo zachtjes als een kat door de gangen en dook telkens als er iemand aankwam weg achter de meubels.

De eetzaal weergalmde van de stemmen en het scherpe getik van bestek op porseleinen servies. Het was een groot, hoog vertrek met openslaande deuren van vloer tot plafond. Het was een schitterende kamer waarin een heleboel licht binnenviel vanuit de tuin, zodat de geboende houten vloer mooi glansde. Mijn moeder had me verteld dat dit vroeger de zitkamer van haar bazin was geweest, die uitkwam in een serre en daarna op het grasveld. Toen de Duitsers waren gearriveerd, was er een vergaderzaal van gemaakt.

Ik kroop tevoorschijn en gluurde door een van de ramen. Ik zag Coyote meteen. Hij zat bij een stel dat ik nog niet eerder had gezien. Ze waren in een geanimeerd gesprek gewikkeld en moesten allemaal lachen. Aan de tafel daarnaast zaten de Fazanten. Daphne had Rex op schoot, die kauwde op een stukje brood. Het was me opgevallen dat hij de laatste tijd nogal dik aan het worden was, net als zijn bazinnetje. Ze droeg een donkerpaarse japon met goudgalon langs de V-hals. Haar oorlellen waren helemaal uitgerekt door oorbellen met stenen die pasten bij de halsketting die tot diep in de gleuf tussen haar borsten viel. Aan haar voeten had ze paarsfluwelen schoenen met roze veertjes en glimmende pareltjes erop. Het viel me tevens op dat ze veel meer geïnteresseerd leken in het gesprek dat Coyote voerde dan in hun eigen conversatie.

Mijn aandacht werd plotseling afgeleid doordat Yvette binnenkwam. Ze had haar schort afgedaan en bleek daaronder een frisse lichtblauwe jurk met een patroon van margrieten te dragen. Ze glimlachte vriendelijk terwijl ze tussen de tafeltjes door liep en complimentjes van de gasten in ontvangst nam, terwijl ze af en toe bleef staan om een praatje te maken. Haar manier van doen was niet te geloven. Deze flair leek helemaal niet te passen bij een vrouw die zelden glimlachte. Ik wou dat mijn moeder naast me had gezeten om het met eigen ogen te aanschouwen, en ook de verbijsterde uitdrukking op het bloedeloze gezicht van Madame Duval.

Toen ze uiteindelijk bij Coyotes tafeltje kwam, bleef ze daar een poosje staan, met haar hand op de rugleuning van zijn stoel, terwijl haar ampele boezem op en neer deinde van het lachen. Ik dacht dat Coyote haar opdringerig zou vinden; hij was tenslotte diep in gesprek geweest met zijn nieuwe vrienden. Maar tot mijn verrassing rolde hij niet met zijn ogen of reageerde hij niet verongelijkt, zoals Armande of Pierre zou hebben gedaan. Hij glimlachte breed, waarbij hij al zijn witglimmende tanden ontblootte, met die scherpe hoektanden die me aan die van een wolf deden denken. Zijn ogen twinkelden en hielden de hare een hele poos gevangen voordat ze ze weer loslieten. Met handgebaren betrok hij zijn vrienden bij het gesprek, waarna hij zich weer tot Yvette wendde, zijn hoofd achteroverwierp en met haar meelachte. Ik probeerde iets onoprechts in zijn uitdrukking te bespeuren, iets oneerlijks achter zijn hartelijke blik – alles wat maar kon bewijzen dat hij haar in zijn hart net zo afschuwelijk vond als ik. Maar hoe goed ik ook keek, ik moest constateren dat hij oprecht door haar was gecharmeerd.

Toen dacht ik terug aan zijn beleefde manier van doen tegenover Monsieur Cezade, hoe hij naar de andere klanten had gezwaaid toen hij me had uitgenodigd voor de lunch, de vriendelijke manier waarop hij iedereen aansprak – zelfs, vermoedde ik, mensen die hij niet echt mocht. Ik wilde weten waarom dat was. Hoe kon je zo aardig tegen iedereen doen?

9

MIJN MOEDER EN IK LIEPEN OVER HET PAD DAT DOOR DE VEL-den naar de rivier voerde. De warme middaglucht gonsde van de vliegjes en het welluidende getsjirp van krekels. Ze had haar hoofd-doek en haar schort afgedaan, en haar dunne zomerjurk wapperde om haar benen. Ze zwaaide zichzelf koelte toe met haar zonnehoed en streek haar haar achter haar oren, wat weinig zin had, want even later blies een windvlaag het weer los, zodat het weerspannig om haar kin en hals danste. Ze liep alsof ze danste, met wiegende heu-pen, en keek af en toe omlaag naar mij om te zien wat er in me om-ging.

Ik wilde haar vertellen dat ik wist dat ze Coyote leuk vond. Dat had ik van het begin af aan geweten. Ik had haar zien blozen en haar hand voelen gloeien in de mijne. Ik wilde haar vragen naar die och-tend, toen ik hen samen pratend had aangetroffen in de moestuin. Maar het liefst van alles wilde ik haar vertellen over Yvette in de eet-zaal. De wind had een grote verandering teweeggebracht. Hij had Joy Springtoe met zich meegevoerd en me Coyote teruggegeven. Ik stond mezelf niet toe eraan te denken dat Coyote zou kunnen ver-trekken, wat vast en zeker zou gebeuren. Mijn moeder moet dat hebben beseft, maar net als ik richtte ze zich op het hier en nu, om-dat de toekomst wel eens te veel onzekerheden en teleurstelling zou kunnen brengen.

'Waar loop je aan te denken, Mischa?' vroeg ze met een warme glimlach. Ik keek naar haar op en grijnsde. 'Ah, dus je denkt dat je mijn gedachten kunt lezen nu je een spion bent?' Ze richtte haar blik op de verte, maar ze glimlachte nog steeds. 'Hij is een aardige man. Afgezien van Jacques is hij zelfs de enige man die in heel lan-ge tijd aardig voor ons is geweest. Misschien ben ik niet goed wijs. Ik weet het niet. We hebben te veel ellende meegemaakt. De men-sen zijn wreed geweest. Vind je niet dat een beetje geluk ons wel toekomt? Ik bedoel, wat je vader betreft vergissen ze zich; hij was een goed mens. Maar je vader is er niet meer om ons te beschermen. We moeten voor onszelf zorgen, voor elkaar. Ik had nooit gedacht dat ik opnieuw van iemand zou kunnen houden. Toen je vader doodging, bevroor mijn hart als een sneeuwbal. Er bleef maar een klein plekje van warm, en dat, lieverd, is jouw plekje.' Ze liet haar hand op mijn schouder rusten en trok me dichter naar zich toe, zodat we naast elkaar kwamen te lopen. 'Ik ben bang, mijn kleine *chevalier*,' zei ze met zachte stem. 'Ik ben bang om weer van iemand te houden.'

We hoorde Coyote al een hele poos voordat we hem zagen. Zijn stem en het getokkel van zijn gitaar rezen op uit het bos en dreven op een briesje vol dennengeur naar ons toe. Mijn moeder zette haar zonnehoed weer op en ik rende voor haar uit als een hond die een konijn achternazit. Ik trof Coyote aan op dezelfde open plek als de dag tevoren, tegen een boomstronk geleund, met zijn hoed scheef op zijn hoofd. Hij glimlachte me toe, een glimlach die net zo scheef was als zijn hoed, maar net als de vorige keer brak hij zijn gezang niet af, ook niet voor mijn moeder.

'Toen ik door de straten van Laredo dwaalde...' zong hij, en mijn moeder ging op het gras zitten luisteren. Hij had een diepe, aangename stem, als karamel vlak voordat de suiker helemaal is gesmolten: diep, bruin en korrelig. Hij voelde zich volkomen op zijn gemak, alsof het hem net zo natuurlijk afging om zo met zijn gitaar te zitten zingen als kwinkeleren een vogel hoog in de bomen. Hij liet zijn blik op mijn moeder rusten en ze keken elkaar aan. De blik die ze wisselden was intiem, alsof ze al jaren minnaars waren. Hun stille uitwisseling was tijdloos; hij omvatte het verleden, het heden en de toekomst. Er kwamen geen woorden aan te pas, maar allebei begrepen ze de boodschap. Ik besefte het toen nog niet, maar mijn moeders manier van doen viel helemaal samen met hoe ze zich voelde. Ze was verliefd. Haar wiegende heupen, haar blozende wangen, de scherpe kantjes in haar manier van doen die door alle tragische gebeurtenissen die ze had meegemaakt waren veroorzaakt en er nu af werden gehaald – alles wees erop wat voor gevoelens ze had, maar bovenal deze blik. Die zei alles. Hij legde haar hart bloot.

Ik vroeg me af hoe vaak ze elkaar de afgelopen paar dagen hadden gezien. Toen ik spullen had gepakt voor Yvette, of met Pistou door de wijngaarden had rondgerend, hadden zij elkaar toen in het geheim ontmoet, zoals in de ommuurde moestuin? Deze blik leek daar wel op te wijzen. Ik voelde me niet buitengesloten, maar was juist blij. Ik zou graag zien dat ze met elkaar trouwden. Ik wilde nog een lang en gelukkig leven leiden. Coyote was de sprookjesprins in wie ik kon geloven.

Hij zong verder. Mijn moeder plukte een blauw bloemetje en draaide dat rond tussen haar vingers. Coyote wendde zijn blik alleen van haar af om naar mij te kijken. De uitwerking daarvan was dezelfde als die van de zon op een zonnebloem. Met een gezicht dat gloeide van genoegen glimlachte ik naar hem terug, waarmee ik hem een blik gunde op het blinde vertrouwen dat ik in hem had. De warmte die zich door mijn lichaam verspreidde drong diep door, helemaal tot aan het koude klompje van mijn ziel. Mijn hart hunkerde naar de man die ooit met zo veel genegenheid naar me had gekeken en in mijn ogen begonnen tranen te prikken. Beschaamd sloeg ik ze neer. Toen ik ze weer opsloeg, zong hij me nog steeds toe.

Mijn moeder was zo in zijn ban dat ze dit keer helemaal vergat op mij te letten. Haar lange haar golfde over haar schouders en over haar rug; het briesje kreeg er af en toe vat op en speelde ermee, terwijl zij met het bloemetje zat te spelen. Ze zag er niet zozeer uit als mijn moeder, maar meer als een blozend jong meisje. Of misschien zag ik haar op dat moment wel met de ogen van Coyote: zo teer en kwetsbaar alsof hij haar als een vrucht had geschild.

Toen hij stopte met spelen, klapte mijn moeder in haar handen. 'Dat was prachtig!' riep ze uit.

'Een man wordt door niets zo tot grootsheid geïnspireerd als door de aanwezigheid van een lieftallige vrouw,' antwoordde hij, en mijn moeder lachte verstolen. 'Wat zou je ervan zeggen als jij eens zou leren zingen, Junior?' Heel even dacht ik dat hij vergeten was dat ik geen stem had. 'Kom eens naast me zitten, dan zal ik je leren hoe het moet.'

Ik deed wat hij had gevraagd. Hij legde de gitaar op mijn schoot. Toen, met zijn ene arm om mijn rug heen en de andere op mijn linkerhand, onder de hals van de gitaar, deed hij me een G-majeurakkoord voor. Mijn handen waren klein en de gitaar was een gigantisch geval, maar Coyote legde elke vinger op de juiste snaar en samen begonnen we te tokkelen.

Die middag leerde ik drie akkoorden: C, G en F. Je staat er nog van te kijken hoeveel liedjes je kunt zingen door alleen die drie akkoorden te gebruiken, en Coyote zong ze allemaal.

Ik wilde ontzettend graag zingen. Mijn stem kwam als lava in mijn borstkas omhoog. Hij kookte en borrelde en werd zo heet dat ik het zweet op mijn neus voelde parelen. Ik was er klaar voor om los te barsten in gezang. En toch bleef er helemaal bovenaan een stop op zitten. Ik was nog steeds een pinguïn: een vogel die niet kan vliegen.

Het licht werd zachter en de zon zonk weg vlak achter de bomenrij, zodat we in een diepere schaduw werden gehuld. Coyote zat al pratend te tokkelen, en ik zat naast hem ingespannen naar zijn vingers te turen en opgewonden te wijzen als hij een van de akkoorden gebruikte die ik had geleerd. Hij vertelde over zijn jeugd in Virginia en de Oude Man met wie hij in het maïsveld bevriend was geraakt. 'Van hem heb ik geleerd hoe ik gitaar moet spelen,' zei hij, met een klopje op zijn instrument. 'Hij leerde me dat muziek een krachtig geneesmiddel is. Dan zaten we daar op die heuvel, met onze rug tegen de stenen muur, te kijken hoe de zon langzaam achter de horizon wegzonk, en zong hij zijn lied. Hij had een lage stem, als een diepe bas. Hij klonk heel droevig; hij sloeg een beetje over, snap je. Er zat een barst in, alsof zijn ziel daarachter huilde. Hij kon me tot tranen toe roeren. En ondertussen dansten die zwarte handen van hem opgewekt over de snaren, zodat die barst beetje bij beetje werd gedicht.'

Mijn moeder nam hem terwijl hij zat te vertellen scherp op. Ik zag niet wat zij zag: het verwaarloosde jongetje dat barrevoets rondrende als een wilde hond, op zoek naar liefde. Dat was de moeder in haar. Ze registreerde eenzaamheid en verlangen alsof die geluid maakten, als de kreet van een kind in het donker. Een heleboel dingen die met Coyote te maken hadden begreep ik destijds nog niet.

In mijn ogen was Coyote een tovenaar. Hij had een glimlach klaar voor iedereen en niemand kon weerstand aan hem bieden. Hij had mijn moeder en mij gered uit een donkere plek en had ons opgeheven naar het licht. Met zijn muziek en zijn stem had hij Yvette en Madame Duval betoverd. Zelfs de kinderen in de stad waren hun minachting vergeten en hadden me geaccepteerd. Hij was volkomen onverwacht verschenen, met een hart vol mededogen, en iedereen leek daardoor te zijn gecharmeerd. Ik vroeg me niet af waarom hij was gekomen, want daar zag ik het nut niet van in. Ik was er rotsvast van overtuigd dat de wind hem naar ons toe had gevoerd.

Mijn moeder en Coyote begonnen te praten en mijn aandacht dwaalde langzaam af naar Pistou en de brug over de rivier. Ik voelde dat hij daar op me stond te wachten, met zijn handen vol steentjes. Ik had nu genoeg van het stilzitten en popelde om wat rond te rennen en met mijn balletje te gaan spelen. Ik keek even naar mijn moeder, die duidelijk helemaal in Coyotes ban was. Haar huid gloeide, alsof er vanbinnen bij haar een vuurtje brandde. Die twee hadden alleen oog voor elkaar. Er vielen lange stiltes, waarin Coyote zomaar wat tokkelde op zijn gitaar, terwijl hij met een lome blik naar haar omlaagkeek. Ik voelde me op die momenten opgelaten, omdat ik niet goed wist waar ik zelf moest kijken. Ik glipte weg, in de wetenschap dat ze het fijn zouden vinden dat ik hen met rust liet.

Toen ik bij de brug aankwam, trof ik daar niet zoals ik had verwacht Pistou aan, maar Claudine. Eerst wist ik niet goed of ik wel naderbij moest komen. Ze leunde tegen het muurtje en staarde omlaag het water in, waarbij haar donkere haar als een gordijn voor haar gezicht viel, en ze had een strooien hoed op haar hoofd. Maar ik dacht terug aan haar vriendelijke glimlach en vatte moed. Toen ik tussen de bomen vandaan stapte, trapte ik op een twijgje, dat een knappend geluidje maakte, waarop zij zich plotseling omdraaide, alsof ze was betrapt op iets verbodens. Toen ze mij zag, verzachtte haar gezicht. Haar schouders ontspanden zich en ze glimlachte lief. 'O, ben jij het,' zei ze.

Ik fronste mijn wenkbrauwen en beende naar haar toe op de brug.

'Ik hoor hier eigenlijk niet te zijn,' beantwoordde ze mijn stilzwijgende vraag. Toen verscheen er een bewonderende uitdrukking op haar gezicht en voegde ze eraan toe: 'Maar je was niet in de kerk.'

Ik boog me over de brugleuning heen en keek omlaag. In het water zag ik het gezicht van Père Abel-Louis, en ik kromp ineen van schrik. Ik wilde niet aan Père Abel-Louis denken en ik wilde niet laten merken dat ik bang was. Snel draaide ik me af en wipte plots de hoed van haar hoofd. Ze slaakte een opgetogen kreetje en dook ernaar om hem terug te pakken. Ik ontweek haar toen ze een tweede poging waagde en rende toen weg langs de rivieroever. Ze kwam achter me aan, halfhartige tegenwerpingen makend, terwijl ze steeds harder moest lachen. 'Mischa!' riep ze uitgelaten. 'Kom terug!'

Uiteindelijk liet ik me pakken. Ze zette de hoed weer op haar hoofd en bond haar haar in een paardenstaart. Haar wangen bloosden, haar ogen schitterden. Het viel me op dat haar buitenste ooghoeken omlaagwezen, waardoor haar gezicht iets treurigs kreeg. Maar haar glimlach was breed en onthulde haar scheve tanden. 'Rotjong!' riep ze uit, maar ik wist wel dat ze dat niet meende.

Ik gebaarde naar de rivieroever waar ik meestal met Pistou steentjes in het water zat te gooien. We gingen zitten. De zon, die nu als een bloedsinaasappel laag aan de hemel stond, was nog steeds warm. Ik haalde mijn notitieboekje tevoorschijn en begon te krabbelen. *De Amerikaan leert me gitaarspelen.* Ze was onder de indruk. Het was een fijn gevoel om met haar te kunnen communiceren. 'Iedereen praat over hem,' antwoordde ze. Ik trok mijn wenkbrauwen op. 'Hij is vaak in de stad, in het café, om de krant te lezen. Hij is knap.' *Hij kan toveren.* 'Hij zingt prachtig. Laatst op het plein bleven zelfs de jongens staan luisteren. Misschien kan hij echt wel toveren. Niemand schijnt iets over hem te weten. Dat maakt hem nog opwindender.' *Alle vrouwen zijn verliefd op hem.* 'O, ja. Madame Bonchance van de kiosk doet nu ineens lippenstift op. Felrode, het vloekt bij haar haar! Hij doet aardig tegen iedereen, zelfs tegen Monsieur Cezade.' *Ik mag Monsieur Cezade niet,* schreef ik. Ze giechelde. 'Niemand mag Monsieur Cezade. Hij is net een groot dik rood varken.' *Hoe oud ben jij?* 'Zeven. En jij?' *Zesdriekwart. In oktober word ik zeven.* 'Je gaat niet naar school,' zei ze. Ik had er nog nooit met iemand over gepraat dat ik een verschoppeling was. Claudines meelevende blik dwaalde over mijn gezicht en mijn maag maakte een salto als een pannenkoek. Ik had het gevoel dat ik alles tegen haar kon zeggen en dat ze me er niet om zou verachten. *Ze willen me niet hebben,* schreef ik. *Mijn vader...* Ze legde haar hand op de mijne om me te laten stoppen met schrijven. 'Ik weet het. Hij was een Duitser. Maar het geeft niet. Het kan me niet schelen wie je vader was – en trouwens, hij was een goede Duitser, toch? Anders zou je moeder nooit van hem hebben gehouden.' Ik voelde mijn ogen prikken en slikte moeizaam, in een poging de tranen terug te dringen. Zoals zij het stelde, klonk het zo simpel. Ik staarde omlaag naar mijn half-affe zin, haar hand nog steeds op de mijne. 'Kun je daarom niet praten?' vroeg ze. Hoe kon ik uitleggen dat ze me mijn stem hadden ontnomen? 'Ooit komt je stem wel terug,' voegde ze er vol vertrouwen aan toe.

Tja, daar had ik nooit aan gedacht. Ik kon me niet voorstellen hoe het zou klinken als ik zou kunnen praten.

'Mensen kunnen ontzettend wreed zijn. Ze hebben jou en je moeder heel onrechtvaardig behandeld. *Le curéton* preekt vergevensgezindheid, maar in zijn eigen hart kan hij geen vergeving vinden. Zijn woorden zijn hol en betekenisloos.' Ze klonk meer als een volwassene dan als een kind van zeven. Ze trok haar hand terug van de mijne.

Waarom ben jij anders?

Ze moest zachtjes lachen. 'Omdat ik een hart heb en ik niet achter de massa aan loop. Ik ben niet bang voor *le curéton*, zoals de rest. Ik zal je een geheimpje vertellen, omdat je het toch niet verklappen kunt: *le curéton* is aan de drank. Hij drinkt een heleboel en wordt dan dronken. Ik heb hem door het koor in de kerk zien zwalken. Met Laurent heb ik hem door het raam bespied. Ik heb het aan mijn moeder verteld, maar zij geloofde me niet. Dat ik er alleen al over durfde te beginnen bracht me nog aardig in de problemen. *Maman* heeft me opgesloten in mijn kamer totdat ik mijn excuses zou aanbieden. Dat deed ik natuurlijk niet, want ik wist heel zeker dat ik gelijk had. Ze heeft me op het laatst toch naar buiten gelaten, maar ze zei er wel bij dat God me zou straffen.' Ze grinnikte ondeugend. 'Daar wacht ik nog steeds op.'

Jij durft wel, zeg!

'Nee, Mischa, jíj durft. Je moeder en jij gaan elke zondag naar de mis, terwijl *le curéton* telkens een andere manier vindt om jullie te vernederen. De mensen... Ach, je snapt wel wat ik bedoel. Maar toch blijven jullie in Mauriac. Dát is pas lef.'

Hier zijn we thuis, schreef ik, omdat ik mijn moeder dat ook had horen zeggen.

'Als je vader geen Duitser was geweest, was je niet zo knap geweest,' zei ze met een grijns.

Ik keek haar met knipperende ogen verrast aan. Ik had me altijd gegeneerd voor hoe ik eruitzag. Mijn blauwe ogen en blonde haar herinnerden me voortdurend aan mijn afkomst en de reden waarom ik werd uitgestoten. Ik had mezelf nooit als knap beschouwd, geen seconde.

'Jij bent de enige blonde jongen in Mauriac, Mischa. Op een goeie dag werkt dat in je voordeel.'

We bleven een poosje zwijgend zitten. De zon was al achter de horizon verdwenen, de lucht was lichtgrijs en de eerste ster twinkelde door de avondmist. Het voelde warm aan, zo naast Claudine. In die paar uur waren we elkaar heel na gekomen. Het was net alsof we al heel lang vrienden waren. Zij begreep me zoals niemand anders me begreep. Ondanks mijn Duitse vader, de collaboratie van mijn moeder, het feit dat we verschoppelingen waren, erger dan ratten, vond Claudine mij aardig. Ik voelde mijn borst zwellen van blijdschap. En toen steeg, als om mijn geluk compleet te maken, het geluid van Coyotes stem op in de stille, betoverde lucht. 'Toen ik door de straten van Laredo dwaalde...'

Mijn moeder riep mijn naam. Ik wilde niet gaan. Ik wilde niet weg bij Claudine. 'Ik heb het leuk gehad vanmiddag,' zei ze, en ze keek me glimlachend aan.

Mag ik je geheime vriendje zijn? krabbelde ik, en in mijn haast om onze vriendschap te bezegelen kreeg ik alleen maar hanenpoten op papier.

Ze schudde haar hoofd en keek streng. 'Geheim?' zei ze meelevend. 'Ik schaam me er anders niet voor om met je bevriend te zijn.'

Ik hoorde mijn moeder nogmaals mijn naam roepen.

'Je kunt maar beter gaan,' zei ze. Ze pakte mijn notitieboekje en potlood en streepte het woordje 'geheime' door. Toen schreef ze er met grote letters onder: JA.

Mijn moeder en Coyote waren nog steeds op de open plek. De schemering was neergedaald. Ze waren ervan uitgegaan dat ik in mijn eentje was gaan spelen, zoals altijd. Mijn moeder was te druk bezig haar rok af te kloppen en haar haar te fatsoeneren om mijn verliefdheid op te merken. Coyote stond met zijn gitaar op zijn rug, zijn ene hand in zijn broekzak en in de andere een brandende Gauloise.

'Zo, Junior, heb je je geamuseerd vanmiddag?' vroeg hij. Ik knikte en hoopte dat hij aan mijn uitgezette borstkas kon zien dat Claudine die had gevuld met bubbels.

'Je zult wel honger hebben, Mischa,' zei mijn moeder. 'Kom, laten we naar huis gaan.'

'Ik dineer vanavond met de Engelse dames,' zei Coyote geamuseerd grinnikend terwijl we ons een weg baanden door het bos.

'Die noem ik *les Faisans.*'

'Daphne Halifax is eerder een kleurige paradijsvogel, vind je niet? Is het je ooit wel eens opgevallen dat ze elke dag een ander paar schoenen aanheeft, het ene nog fantastischer dan het andere? Ze leiden een eigen leven, die schoenen!'

Terwijl we het pad af liepen, terug naar het château, luisterde ik met een half oor naar hun conversatie. Ze verwachtten niet van me dat ik daar een bijdrage aan zou leveren, dus konden mijn gedachten ongehinderd alle kanten op dwalen. Ze bleven rusten bij Claudines vriendelijke gezichtje, en toen ik later op de avond naar bed ging, waren ze daar nog steeds.

10

Mijn moeder was veranderd. Ze liep voortdurend te neuriën, waarbij haar stem als een schommel in een loom ritme rees en daalde. Ze bewoog zich zonder haast voort, met haar gedachten mijlenver weg. Ze zag er jonger uit. De scherpe trekken in haar gezicht hadden zich net zo verzacht als de houtskoollijnen die Daphne op haar schetsen vervaagde. Haar wangen hadden de kleur van de appels die nu rijpten in de boomgaard; haar ogen stonden dromerig en waren half in de verte gericht, geboeid door iets wat ik niet kon zien. De wereld om ons heen was aan het veranderen, maar het leek haar niet te deren. De wind had haar ook veranderd, maar ik geloof niet dat ze zich daarvan bewust was.

Het was begin september. Augustus was een lange, warme maand geweest. Nu werd de hitte getemperd, was het licht zachter geworden en trok het daglicht zich terug als het getij, elke dag een stukje verder. Ik liet mijn moeder met haar dagdromen alleen en slenterde naar het château. Pistou stond op het erf op me te wachten; hij schopte tegen steentjes, zijn handen in zijn zakken, zijn haar in een springerige bruine pony over zijn voorhoofd. We gingen op weg naar de brug, waarbij we onderweg mijn rubberen balletje naar elkaar overgooiden. Ik moest elke keer dat ik het uit mijn zak haalde aan Joy Springtoe denken. Als ik wegglipte naar de privékant, geloofde ik soms dat ik haar nog steeds kon ruiken. Die onmiskenbare gardeniageur die in de lucht was blijven hangen, ook al hadden de ramen opengestaan, en die na haar omhelzing in mijn kleren was achtergebleven. Ik had al een poosje geen last meer gehad van mijn nachtmerrie. Mijn dromen waren prettig geweest. Ik klampte me als ik sliep niet langer aan mijn moeder vast, maar merkte bij het wakker worden dat ik op mijn eigen plekje lag, met alleen haar arm om mijn middel geslagen.

Pistou en ik zwierven wat rond over de rivieroever. We bouwden een hut in het bos vlak bij de open plek waar Coyote zo graag gitaar zat te spelen. Terwijl we stokken in de grond zetten en de kieren volstopten met gras, hoorde ik mijn stem binnen in mijn hoofd zingen: *Toen ik door de straten van Laredo dwaalde*... Ik wist de woorden nog, stuk voor stuk, en ik wilde niets liever dan ze hardop de lucht in slingeren. Pistou, die mijn innerlijke stem hoorde, was onder de indruk. Hij zei dat hij zo helder klonk als een fluit. Ik vertelde hem dat ik gitaar leerde spelen. Ook daar was hij van onder de indruk. Ik liet mijn blik naar de kleine open plek dwalen, die overgoten was met zonlicht, en verwachtte half en half daar Coyote te zien zitten, met zijn hoed op zijn hoofd, zijn mond in een glimlach, zijn handen tokkelend op de snaren, en de wetenschap dat hij dichtbij was gaf me een warm gevoel.

We speelden in de wijngaard, renden tussen de wijnstokken door om *cache-cache* te spelen. Binnenkort zouden de druiven worden geplukt en zouden er tientallen vrijwilligers komen uit de stad, met grote manden bij zich om de druiven in te doen. Ik mocht nooit helpen. Ik keek altijd toe met Pistou en telde hoe vaak ze de druiven in hun mond staken in plaats van ze in de manden te leggen.

Vlak voor de lunch kwamen we bij een oud tuinhuisje dat verlaten achter de woekerende klimop en slingerplanten stond, afbrokkelend als het koekhuisje van Hans en Grietje. We hadden daar vaak gespeeld, want al tijden kwam er niemand meer. Mijn moeder had me verteld dat het gebouwtje voor de oorlog voor picknicks was gebruikt. Het stond op de heuvel en bood een prachtig uitzicht over de wijngaard, helemaal tot aan de rivier. Nu was het vergeten en treurig, stond het er vol roestige machines en zakken, en was het overschaduwd geraakt door notenbomen. Maar ik vond het fascinerend. Achter het verval kon ik nog steeds een glimp opvangen van de vroegere glorie, als as in een oude haard die nog steeds opgloeit als de wind eroverheen blaast. Ik stelde me voor dat daar mensen op de veranda zaten, tussen de stenen pilaren die helemaal rondom liepen, dat ze koffie dronken uit porseleinen kopjes met zilveren lepeltjes en toekeken hoe de zon langzaam in de rivier zakte en het water rood kleurde. Misschien hadden ze muziek gemaakt en gedanst in de lengende schaduwen van de notenbomen. Het fascineerde me dat mensen zo'n groot, ingewikkeld bouwwerk konden maken alleen maar om er te kunnen picknicken.

Buiten adem van het rennen kwamen we bij het tuinhuis. We hadden de hele weg het balletje lopen overgooien en hadden het niet één keer laten vallen. Toen we naderbij kwamen, voelde ik dat we niet alleen waren. Pistou voelde het ook. Zijn lach bestierf op zijn gezicht en hij stak zijn handen in zijn zakken, ondertussen als een hond snuffelend in de lucht. Ik borg mijn rubberen balletje weer in mijn zak en schoot snel onder de veranda om me tegen de muur te drukken. Van binnenuit hoorde ik geluiden. Laag gekreun, wat gebrom, en toen scheurde er opeens een schaterende lach door de lucht. Die lach herkende ik onmiddellijk: dat manische hoge gegier dat meer deed denken aan het geluid van een geprikkelde zeug dan aan een vrouw. Ik grijnsde naar Pistou. Hij trok veelbetekenend zijn wenkbrauwen op. We tuurden allebei door het raam.

Door het groenige schimmelwaas dat op het raam zat werd me een heel bijzondere aanblik geboden. Plotsklaps moest ik weer denken aan het gesprek dat ik had opgevangen tussen Pierre en Armande: 'Op wie denk je dat ze verliefd is – op Jacques Reynard?' Ze hadden geschimpt en geschamperd, maar daar was Yvette, haar grijze haar hing los en viel warrig over haar gezicht, als een zwabber, haar vierkante vlezige lijf was bevrijd uit de knopen en gespen die het gevangenhielden in haar jurk en schort, terwijl ze schrijlings boven op niemand anders zat dan... Jacques Reynard. Ze waren veel te druk bezig om ons op te merken. Jacques' broek hing op zijn enkels, zijn laarzen zaten onder het stof, zijn magere benen waren harig en zijn knieën verkrampten terwijl Yvette hem bereed alsof hij een van zijn eigen paarden was.

Ik drukte mijn gezicht tegen het raam om het beter te kunnen zien. Ik had dieren zien paren. Ik was tenslotte op het platteland grootgebracht, en er waren varkens, koeien en geiten op het terrein van het château. Ik wist waar ze mee bezig waren, en zo anders zag dit er trouwens niet uit. Hetzelfde gestoot, dezelfde primitieve drang die alles om zich heen doet vergeten, dezelfde onbedachtzaamheid. Alleen de vreugde die ze eraan beleefden onderscheidde hen van de dieren: de mallotige glimlach die op Yvettes pafferige gezicht verscheen en de vertrokken grijns op dat van Jacques, die meer deed denken aan pijn dan aan genot. Ze herinnerden me aan Monsieur Duval en Lucie. Ze bleven een hele poos zo bezig, aan elkaar vastgeklonken als magneten; Yvette hopste op en neer, Jacques omklemde haar billen alsof hij haar wilde leiden – wat door haar enorme omvang onbegonnen werk was. Pistou en ik giechelden achter onze hand en knipoogden naar elkaar. Toen aan dit alles vrij plotseling een einde kwam, zakte Yvette in elkaar als een van haar soufflés. Ze stortte neer in zijn armen en hij drukte haar tegen zich aan. Het was een verrassend teder moment, vond ik, van dit stel dat zich nog maar even tevoren als wilde beesten gedragen had. Omdat ik niet op gluren betrapt wilde worden, snelde ik weg tussen de bomen om te wachten tot ze naar buiten kwamen. We lagen als soldaten op onze buik, opgewonden door datgene waar we zojuist getuige van waren geweest, doordat wij iets wisten wat verder niemand wist. Ik vroeg me af of ze in slaap waren gevallen en wat Madame Duval ervan zou vinden als ze hen toevallig zo zou aantreffen. Ik had altijd een hekel aan Yvette gehad, ze was altijd heel gemeen geweest. Maar sinds ik haar 'pakjongen' was geworden deed ze aardiger en was ik minder bang voor haar. En toen, patsboem, had het chagrijn op haar gezicht plaatsgemaakt voor een glimlach. Nu ik wist wat de reden was voor haar transformatie, realiseerde ik me dat ik niet langer een hekel aan haar had. Ze moest tenslotte toch iets leuks hebben als Jacques van haar hield. Net zoals Claudine had gezegd over mijn vader. Misschien was ze wel zo onaardig geweest omdat ze zelf niet gelukkig was en had Jacques haar gelukkig gemaakt. Zat het leven echt zo simpel in elkaar: dat ongelukkige mensen vervelend zijn en gelukkige mensen aardig?

Uiteindelijk kwamen ze naar buiten. Yvette had haar haar weer in het bekende knotje vastgemaakt, haar jurk was van voren dichtgeknoopt, en Jacques had zijn broek weer opgehesen en zijn riem vastgegespt. Ze zagen er stralend uit, alsof ze waren wezen zwemmen in de koude rivier of een korte, stevige wandeling hadden gemaakt. Ze hielden elkaars hand vast en kusten elkaar. Jacques' rode snor zal wel hebben gekriebeld, maar daar gaf Yvette niet om. Zijn gezicht beviel me wel; dat stond open en vriendelijk. Hij keek haar teder aan, genietend van haar aanblik. 'Je bent verrukkelijk,' zei hij terwijl hij met zijn vingers over haar wang streek. 'Net een sappige druif.' Toen ze uit elkaar gingen, hij weer de heuvel op, terug naar de wijngaard, en zij de andere kant op naar het château, hoorde ik haar stem losbarsten in gezang. Hij klonk net zo onvast als eerst en klonk des te rasperiger omdat ik Coyote zo mooi had horen zingen, maar dat vond ik niet zo erg meer nu ik wist waar het door kwam.

Later, in de middag, trof ik de Fazanten schilderend aan in een van de kasteeltuinen. Ze kregen les van de onnavolgbare Monsieur Autruche. Ik wist dat Monsieur en Madame Duval die dag naar Parijs waren gegaan en de zorg voor de gasten hadden overgelaten aan Etiennette, wat de reden was waarom Yvette ertussenuit had kunnen piepen, naar het tuinhuis. Ik wist dat ik in de tuin bij de Fazanten veilig zou zijn, zolang ik maar niet de aandacht op mezelf vestigde.

Vooral Daphne was blij me te zien. 'Lieve Mischa, we hebben je sinds zondag niet meer gezien. Waar heb je toch gezeten?' Ik haalde mijn schouders op en grijnsde, want ik zou haar een uitgebreid antwoord hebben kunnen geven. 'Rex heeft je ook gemist,' voegde ze eraan toe terwijl ze hem van haar schoot tilde en in mijn armen drukte. Ik ging hem op het gras zitten aaien. 'We mogen in onze handjes knijpen dat we Monsieur Autruche hebben gevonden. Hij heet het beste te zijn wat Parijs te bieden heeft, en hier is hij nu, bij ons. Wat een voorrecht. Moet je je voorstellen!'

'Monsieur Autruche' – in het Frans betekende zijn naam 'struisvogel' – was een ontzettend gekke naam voor een man, bedacht ik. Hij leek helemaal niet op een struisvogel. Hij had glanzend zwart haar, een duister, knap gezicht en donkere bruine ogen die me zo doordringend aankeken dat ik mijn blik moest afwenden. Omdat hij uit Parijs kwam, wist hij niets van mijn achtergrond. Wat hem betrof kon ik net zo goed Daphnes kleinzoon zijn geweest. Dus staarde hij me niet vol walging aan, maar met iets anders, iets wat ik niet precies kon benoemen. Zijn neus was gekromd, zodat hij me deed denken aan een havik, en hij had hoge jukbeenderen waar het licht op viel. Hij droeg een broek met een vouw die hoog in zijn taille zat en een zijden sjaaltje om zijn hals, in een kleur geel die mooi paste bij zijn gele slip-over met V-hals. Ik stelde me zo voor dat hij het wel erg warm moest hebben onder al die kleren.

'Bonjour,' zei hij, en op een ouderwetse manier maakte hij een lichte buiging voor me. Hij glimlachte niet, hoewel zijn gezicht eerder gewichtig dan onvriendelijk stond.

'Hij heet Mischa,' zei Daphne behulpzaam. 'Hij kan niet praten, maar hij is heel intelligent.'

'Ah, Mischa,' zei hij, en zijn stem klonk zacht en nasaal. 'Hou je van schilderen?'

Ik haalde mijn schouders op. Ik kon me niet heugen dat ik ooit had geschilderd.

'Bon. Dan heb ik er een leerling bij,' zei hij, en hij leek het leuk te vinden. Hij legde een vel papier en een verfdoosje voor mijn neus en overhandigde me een penseel. Ik schoof Rex van mijn knie. Monsieur Autruche kwam naast me zitten. Ik kon zijn reukwater ruiken. De geur was zwaar en zoet, meer zoals een parfum dat een vrouw zou dragen. Ik dacht niet dat Coyote zo'n geurtje zou opdoen. 'Ik wil graag dat jullie experimenteren met kleur,' zei hij. 'Maak je maar geen zorgen over wat je tekent of waar het al dan niet op lijkt. Gebruik gewoon de kleuren die je mooi vindt.'

88

'Monsieur Autruche,' riep Debo uit, 'die verrekte lucht, die is zo vreselijk saai! Ik kan er gewoon niks interessants van maken. Hij ziet er net zo vlak uit als een meer in Zwitserland. Blauw.' Monsieur Autruche slaakte een ongeduldige zucht. Ik geloof dat Debo en Gertie nogal veeleisend waren.

Debo ging achter haar ezel zitten roken in het briesje. Ze had een kleurige zijden sjaal om haar hoofd gewikkeld, waarvan een slip over haar linkerschouder viel. Gertie en zij keken allebei gemelijk en zeiden amper iets, alsof ze zich aan elkaar ergerden. Dat verbaasde me helemaal niet, want ze leken een groot deel van de tijd met elkaar te kibbelen. Monsieur Autruche ging naar Debo toe. Hij liep niet gewoon, maar hij gleed, alsof er wieltjes onder zijn schoenzolen zaten.

'Het probleem is dat je gisteravond te veel hebt gedronken,' zei Gertie tegen Debo. 'Als jij niet zo'n hoofdpijn had, zou je de lucht wel met meer gevoel kunnen schilderen.'

'Wat een onzin. Ik heb maar een paar glazen op, meer niet. Wat moet ik doen, meneer Struisvogel?' Gertie zette een ontzet gezicht en Debo mompelde: 'Ik kan hem echt geen Monsieur Autruche noemen, hoor!'

Gertie klakte met haar tong en schudde geërgerd haar hoofd. Daphne werkte door alsof ze niets van hun gekissebis had meegekregen.

'Ik vond Jack uiterst charmant. Hij is een ouderwetse heer. Je kunt een heleboel over iemand te weten komen door hoe hij met het personeel omgaat,' zei ze peinzend.

'Hij was inderdaad beleefd tegen de kleine luiden,' stemde Debo met haar in terwijl ze toekeek hoe Monsieur Autruche de lucht voor haar overschilderde.

'Het zijn geen dwergen!' snauwde Gertie. Debo negeerde haar.

'Je moet naar de kleuren in de kleuren kijken,' zei Monsieur Autruche, en Debo trok haar neus op. 'Ik zie roze en geel in het blauw, jullie niet?'

'Ja, nu zie ik het ook,' antwoordde Debo, hoewel duidelijk was dat zij helemaal niets zag. 'Is het jullie niet opgevallen dat hij verschrikkelijk weinig over zichzelf losliet?' vervolgde ze.

'Dat vond ik ook,' beaamde Daphne. 'Elke keer dat iemand ernaar vroeg maakte hij zich ervan af met een wedervraag.'

'Wat zou hij te verbergen hebben?' Debo nam een lange trek van haar sigaret en leunde achterover op haar stoel.

Monsieur Autruche gaf het penseel terug en rolde weg. Hij voelde zeker aan dat ze haar belangstelling verloor.

'Goeie hemel, hij heeft toch zeker wel enig recht op privacy?' beet Gertie haar toe.

'En wij hebben toch het recht om die te schenden?' kaatste Debo niet minder fel terug.

'Hij is een fascinerende man. Hij zou met ons mee moeten doen, want hij heeft er tenslotte verstand van,' zei Daphne.

'Hij heeft overal verstand van,' was Gertie het met haar eens.

'Of hij weet gewoon net een klein beetje meer dan wij,' zei Debo. 'Dat is niet zo moeilijk. Ik zou niet willen beweren dat ik de Oude Meesters uit en te na ken.'

'Nou, ik weet heel weinig over de Dode Zeerollen,' gaf Daphne toe.

'Of Peter de Grote, Elgin, Chinese geneeskunde of het feit dat een lieveheersbeestje zijn leven begint als rups,' lachte Debo. Hij leek overal net voldoende van af te weten om indruk op ons te kunnen maken.'

Gertie was verontwaardigd. 'O, maar wat hij niet weet over antiquiteiten, is ook de moeite van het weten niet waard! Daar wist hij echt heel veel van,' zei ze.

'Nou, dat is ook zijn werk. Hij hóórt veel van antiek te weten,' stelde Debo zakelijk.

Gertie draaide zich naar haar toe. 'Kom op, geef maar toe: je vertrouwt hem niet, hè?'

Ze haalde haar schouders op. 'Hij is te mooi om waar te zijn; alleen een romanpersonage is zo betoverend als hij.'

'Wat ben je toch een ouwe cynicus!' verweet Gertie haar, en ze klakte met haar tong.

'Misschien, maar ik heb kijk op mensen. Ik mag hem wel. O ja, ik mag hem heel graag. Hij is geestig, intelligent, scherpzinnig en vriendelijk, maar hij is alleen...' Ze aarzelde, zoekend naar het juiste woord. 'Je komt er bij hem gewoon niet doorheen. Net als bij een acteur in een toneelstuk. Ik vraag me af waar achter die glimlach de echte Jack Magellan zit.'

'Volgens mij zou je van een koude kermis thuiskomen, Debo,' zei Daphne. Debo's bloedrode lippen plooiden zich in een zelfvoldane glimlach.

'O, nee hoor, ik denk dat ik heel gefascineerd zou zijn,' zei ze. 'Volgens mij is de echte Jack Magellan alleszins de moeite waard.'

Ik vond het leuk om verf op het papier te smeren. Ik streek met mijn penseel van links naar rechts, met rood, blauw, geel en groen. Ik zat thuis graag te tekenen, maar verf hadden we niet. Toen we nog in het château woonden, had ik graag met kleurkrijt gewerkt. Ik soebatte bij mijn vader altijd of hij vliegtuigen en tanks wilde tekenen, en dat deed hij dan met eindeloos geduld. Hij maakte zelfs Duitse bommenwerpers van papier en deed me voor hoe ik die door de kamer moest werpen. Ik vond het prachtig om ze omlaag te zien zweven en lichtjes op het tapijt in de zitkamer neer te zien duiken. Mijn moeder beweerde dat hij altijd een van mijn tekeningen in zijn uniform bij zich droeg. Die kan niet goed zijn geweest, want ik was nog maar klein. Mijn moeder vertelde me dat dat er niet toe deed; hij vond de tekening mooi omdat ik hem had gemaakt. Ik vroeg me af wat hij zou vinden van wat ik nu aan het maken was.

Monsieur Autruche boog zich over mijn tekening. Daarop was een boot op zee te zien. Ik had een grote gele bal geschilderd voor de zon en een paar vissen onder de boeg. Ik was er behoorlijk trots op. Hij snoof goedkeurend. 'Voor een kleine jongen heb je een goed kleurgevoel,' zei hij. Ik wilde niet verdergaan zolang hij over mijn schouder meekeek, maar aangezien hij niet in beweging kwam, had ik geen keus.

'Was het niet betoverend toen hij op zijn gitaar begon te spelen?' vervolgde Daphne. Rex had haar schoot weer opgezocht en al schilderend aaide ze hem.

'Hij heeft prachtig gezongen,' voegde Gertie eraan toe, die weer opleefde. 'Het was heel romantisch om zo buiten te zitten zingen, onder de sterrenhemel.' Ze kreeg even een weemoedige blik in haar ogen en hield haar hoofd op haar lange witte nek schuin.

'Schei maar uit over romantiek, lieverd,' zei Daphne zachtjes. 'Daar zijn wij allemaal te oud voor.'

'Onzin,' wierp Debo tegen. 'Een mens is zo oud als hij zich voelt.'

'Ik voel me oud,' zei Daphne.

'Of misschien zo oud als degene op wie je een oogje hebt?' voegde Debo er grinnikend aan toe.

'Echt, Debo, voor dat soort opmerkingen ben jij zéker te oud,' zei Daphne, maar ze moest desondanks glimlachen.

'Harold is zo lang geleden gestorven dat ik ben vergeten hoe het is met een man,' zei Gertie enigszins verdrietig. Debo knikte naar Monsieur Autruche en trok suggestief haar wenkbrauwen op.

'O, word wakker, Debo!' fluisterde Daphne. 'Volgens mij heeft hij meer belangstelling voor onze jonge vriend dan voor onze jongere zuster!' Gertie sloeg haar hand voor haar mond en Debo snoof en tikte haar as af op het gras.

'O hemel. Let maar goed op, Daphne. Hij is nog maar klein, maar hij is bijzonder knap,' zei ze, terwijl ze haar wangen naar binnen zoog.

Monsieur Autruche besteedde nu geen enkele aandacht meer aan de drie vrouwen en concentreerde zich op mijn ontluikende talent. Zijn reukwater was bedwelmend, zijn aanwezigheid naast me een gruwel. Zijn ogen hadden iets waar ik me erg ongemakkelijk van ging voelen. Ik herkende het niet, omdat ik zo'n blik nog nooit eerder had gezien, maar ik wist wel dat die me niet aanstond. Na een poosje legde ik mijn penseel neer.

'Ga je nu al?' vroeg hij verrast.

Ik knikte, nu eens een keer opgelucht dat ik geen stem had om me nader te verklaren.

11

IK HAD MET HEEL MIJN HART VAN JOY SPRINGTOE GEHOUDEN. Het was een liefde die werd gekenmerkt door een enorme dosis ontzag en bewondering, gevoelens die je zou kunnen hebben voor een regenboog of een gouden zonsondergang: een verre, onbereikbare, geïdealiseerde liefde. En ik miste haar ontzettend. Maar nu ontdekte ik een ander soort liefde die het gat kon vullen dat Joy had achtergelaten. Een liefde die voortkwam uit een dankbaarheid en begrip die woorden te boven gingen: Claudine. We waren nog maar kinderen, en toch dacht ik elk uur van de dag aan haar zoals een man aan een vrouw zou denken. Ik dwaalde rond bij de brug in de hoop dat ze me zou komen opzoeken, en dat deed ze ook, zo vaak als ze kon. Als ik niet samen was met Coyote of mijn moeder, was ik met haar, en als ik 's avonds naar bed ging, was zij degene die mijn nachtmerrie verjoeg en mijn hoofd vulde met haar klaterende lach en ontembare geest.

Eerst kon ik niet geloven dat ze uit alle kinderen in Mauriac mij had uitgekozen om mee op te trekken. Ze was een populair meisje, zoals me was opgevallen toen ze er op het plein met Coyotes hoed vandoor was gegaan. Ze was bovendien aantrekkelijk, want ook al was ze niet knap, onverschrokken was ze wel. Terwijl ik elke dag strijd leverde met mijn eigen demonen, leek zij er daar geen een van te hebben. Het leek zelfs wel alsof ze het jammer vond dat er helemaal geen drama in haar leven was. Misschien was dat wel de reden waarom ze zich tot mij aangetrokken voelde, want ze wist dat vriendschap met 'het moffenjong' verboden was. Haar moeder had tegen haar gezegd dat ze niet met mij mocht spelen en ik wist dat ze het heerlijk vond om haar eindeloze regels te overtreden.

'*Maman* maakt zich meer zorgen over hoe de dingen lijken dan over hoe ze echt zijn,' merkte ze een keer op. 'Tegenover de buitenwereld moeten we allemaal glimlachen met schone handen en gezichten, en mag er niet gefluisterd worden. Ze vindt het vreselijk als ik fluister, omdat ze dan geen controle heeft over wat ik zeg. Ze zou het besterven als ze wist dat wij vrienden waren.'

Maar later, toen onze vriendschap zich verdiepte, besefte ik dat ze op me gesteld was om wie ik was. Ik kon het zien aan haar ogen en kon het opmaken uit wat ze zei.

Claudine deed heel veel voor me, meer dan ze ooit zou beseffen. 's Middags spraken we stiekem af om samen te gaan spelen. Haar vader had haar voor haar verjaardag een Engelse spelletjesdoos gegeven. Die bevatte een dam- en schaakspel, Ludo, Slangen en Ladders, domino en kaartspelletjes – allemaal in een schitterende handgemaakte doos. We vonden Slangen en Ladders het leukst en werden daar behoorlijk fanatiek in. Als ik met haar samen was, was ik heel opgetogen. Haar aanwezigheid gaf me zo veel energie en zo'n licht gevoel dat mijn hele lichaam vanbinnen begon te bruisen. Vaak zaten we gewoon wat te praten, ik met pen en papier, en zij kletsend op haar eigen unieke grillige manier, waarbij ze zonder waarschuwing van de hak op de tak sprong en om de mafste dingen moest lachen. Andere keren zaten we alleen maar wat bij elkaar. Op die stille momenten keken we uit over de rivier, naar de vliegjes die vlak boven het water dansten, en grijnsden elkaar veelbetekenend toe, want ook zij hield van de natuur. We groeven weliswaar wormen op en ontdekten een oude mierenhoop, keken naar de konijntjes en probeerden de krekels te vangen, maar het fijnst van alles vonden we nog om dit alles stilzwijgend gade te slaan, terwijl het om ons heen gonsde en snorde alsof wij er helemaal niet waren.

Ik was dankbaar voor haar vriendschap. Ik had gedacht dat ik haar nooit duidelijk zou kunnen maken hoeveel ze voor me betekende. Maar op een dag kreeg ik daar toch de kans voor. Ik had mezelf nooit als dapper beschouwd. Ik had nooit geloofd dat ik echt mijn zwaard zou kunnen trekken. Maar die dag, toen het er echt op aankwam, deed ik nog wel meer dan dat. Ik besef nu dat mijn kleine gebaar een indruk op haar maakte die nooit meer zou kunnen worden uitgewist.

Het begon allemaal met een spelletje. We vonden stroomafwaarts in een verlaten schuur een paar oude visnetten en gingen proberen daar iets mee te vangen. We waren heel goed in wormen zoeken, maar van vissen brachten we helemaal niets terecht. De vissen schoten telkens met een flits van hun glanzende schubben weer veel te snel weg naar de schaduw onder de bomen. We lachten omdat het ons maar niet wilde lukken, en om haar te plagen deed ik een

keer net alsof ik haar in het water wilde duwen, maar vlak voordat ze erin viel greep ik haar vast. Het zou een ramp zijn geweest als ze er echt in was gevallen, want geen van beiden konden we zwemmen. Maar zij wierp alleen maar haar hoofd achterover en proestte het uit. Opeens verstomde haar lach en keek ze zonder zich te verroeren naar het water. Daar, in haar net, lag een vis. Hij was niet groot, maar hij leefde en spartelde. Ik boog me voorover en we haalden hem er samen uit en trokken het net naar de kant, waar de vis nog een poosje bleef spartelen. Toen hij stil bleef liggen, met zijn bolle ogen wijdopen en glinsterend van het slijm, streken we er met onze vingers overheen om na te gaan hoe hij aanvoelde. Claudine bracht haar vingers naar haar neus en snoof eraan. 'Jakkes, wat een stank!' riep ze uit. 'Misschien doe ik dit wel op als parfum als ik naar de kerk ga. Dan heeft *maman* eens iets anders om over te klagen!' Ik haalde mijn notitieboekje tevoorschijn en begon te krabbelen.
De onderbroek van Madame Duval!
'Walgelijk!' De gedachte sprak haar kennelijk aan, want ze giechelde. Toen lichtten haar ogen op en voegde ze er opgewekt aan toe: 'Laten we hem tussen de croissants en gebakjes van Monsieur Cezade leggen. Met deze hitte stinkt het daar dan binnen een mum van tijd een uur in de wind!'
Ik grinnikte en knikte enthousiast, maar ik had nooit gedacht dat ze het echt zou doen.
Het duurde niet lang of we waren op weg naar de stad met de vis verstopt in mijn vrije zak. In de andere zat mijn rubberen balletje en ik was niet van plan dat onder het vissenslijm te laten komen. Ik had haar gewaarschuwd dat mensen ons samen zouden zien en het tegen haar moeder zouden zeggen, maar zij zei dat ze dat niet erg vond. Ik geloof dat ze juist graag wilde dat haar moeder ervan wist. Ze vond het prachtig om zich in de nesten te werken. 'Ik háát die dikke Cezade,' klaagde ze. 'Hij is wreed en onaardig, en hij drinkt met *le curéton*. Weet je nog dat ik tegen je zei dat ik *le curéton* dronken door het koor had zien zwalken? Nou, ik heb hem ook 's morgens vroeg bij ons door de straat zien wankelen, terwijl die vetzak van een Cezade zich aan hem vasthield om niet te vallen. Ze zijn dikke vrienden, en een stelletje haaien bovendien! Nu gaat Cezade daar ook nog eens naar ruiken!'
Ik zag het niet zo zitten, maar liep toch achter haar aan. Ik was bang voor Monsieur Cezade en ik wou maar dat Coyote bij ons was. Ik had gezien dat Monsieur Cezade beleefd tegen Coyote deed.

Misschien zou hij, nu hij wist dat Coyote en mijn moeder vrienden waren, mij ook enig respect betonen. Maar ik besefte dat die kans klein was. Hij zou er juist van uitgaan dat hij me kon schoppen als een hond, omdat mijn moeder het toch niet zag. Ze namen allemaal aan dat ik, omdat ik geen stem had, hen niet zou verraden. Maar dan hadden ze het dus mis.

Mensen keken ervan op om ons samen te zien. Oude mannetjes die op bankjes zaten te dommelen werden wakker, kanten gordijnen bewogen voor de ramen, en groepjes roddelende vrouwen lieten hun stem dalen om elkaar iets toe te fluisteren over hun manden met etenswaren heen; ze waren vast en zeker allemaal blij dat Claudine niet hún dochter was. Mijn zelfvertrouwen begaf het bijna. Zelfs zo naast Claudine voelde ik me geïsoleerd en alleen. Hoe sterk ze ons samenzijn ook afkeurden, zij was wél een van hen en ik zou altijd een verschoppeling blijven.

We wandelden verder. Claudine hield haar hoofd fier geheven, haar kin uitdagend vooruitgestoken, haar blik recht voor zich uit gericht, een brede glimlach op haar bleke gezicht. 'We zullen die oude Cezade eens een lesje leren, jij en ik,' zei ze. Toen voegde ze eraan toe: 'Zijn ze niet een stom stelletje met z'n allen, om ons zo aan te staan gapen? Denk je niet dat als ik "boe!" roep, ze zich allemaal omdraaien en op de vlucht slaan?' Ik glimlachte halfhartig. Diep in mijn hart deelde ik haar opwinding helemaal niet.

We kwamen bij de *boulangerie pâtisserie*. Ik gaf haar de vis. Ze pakte hem aan en stopte hem in haar mouw. De zenuwen gierden door mijn lijf. Ik wist niet wat me banger maakte: het idee om die winkel binnen te stappen of om daar niet toe in staat te zijn. Het was me zeker aan te zien dat ik 'm kneep, want ze raakte mijn schouder aan en glimlachte me meelevend toe. 'Blijf jij maar hier uit het zicht. Als hij jou ziet, weet hij meteen dat we iets in ons schild voeren.' Ik voelde mezelf slap worden van dankbaarheid. 'Hou jij de wacht maar.' Waar ik voor moest waken zei ze er niet bij. Ik wist niet precies wat ze wilde dat ik deed als er iemand aan zou komen. Maar ik kreeg de tijd niet om mijn notitieboekje en potlood te pakken, want ze had de deur al opengedaan. Ik zag haar dikke bruine haar meedansen op haar voetstappen en toen ging de deur achter haar dicht. Het was stil, op het geluid van de kerkklokken in de verte na.

Ik wachtte. Ze had gezegd dat ze de vis ergens in de winkel zou leggen waar Monsieur Cezade hem niet zou kunnen vinden; op die manier zou hij langzaam wegrotten, totdat het zo erg stonk dat hij zijn winkel zou moeten verkopen en voorgoed uit Mauriac weg zou trekken. Dat klonk mij als muziek in de oren. Misschien zou dan een aardig iemand de winkel overnemen en kon ik me tegoed doen aan zo veel *chocolatines* als ik wilde. Claudine was een hele tijd in de winkel, zo leek het. Ik bleef buiten staan wachten, spelend met het rubberen balletje in mijn zak. De andere zak voelde slijmerig aan. Ik vroeg me af of mijn moeder er iets van zou merken als ze de was deed. Opeens zag ik een groep mensen de straat in komen en ik raakte in paniek. Wat spookte Claudine al die tijd toch uit? Ze had me niet gezegd wat ik moest doen als er mensen aankwamen. Op dat moment vloog de deur open en tuimelde Claudine naar buiten, terwijl ze heel hard riep: 'Rennen!' Ik drukte mijn rug tegen de muur toen Monsieur Cezade woedend achter haar aan stormde, zo snel als zijn dikke buik hem toestond. Ze riep niet mijn naam; ze was te loyaal om mij te verraden. Ik keek verbijsterd toe toen ze door de straat verdwenen. Wat zou hij doen als hij haar te pakken kreeg? Ergens in mijn achterhoofd hoorde ik het gejouw van een woedende menigte en klamme angst kroop over mijn huid. Doodsbang dat ze in groot gevaar zou zijn, reageerde ik op een manier die helemaal niets voor mij was en rende hen achterna.

Terwijl de herinnering aan die afschuwelijke dag terugkwam en me het bloed in de aderen deed stollen, handelde ik niet rationeel, maar instinctief. Ik werd bevangen door dezelfde gruwel, dezelfde paniek, en toch voelde ik me er ditmaal stukken beter tegen bestand, omdat ik nu groot genoeg was om terug te vechten. De lucht die ik in mijn longen zoog was brandend heet, maar ik rende almaar verder. Het duurde niet lang of Monsieur Cezade en Claudine kwamen allebei in zicht. Hij liep op haar in: een grote, dikke man die een klein, scharminkelig kind achternazat. Ik zag haar over haar schouder kijken en haar blik was verwilderd, als van een konijntje dat op het punt staat aan stukken gereten te worden door een hond. Ik wilde naar haar roepen, zodat ze zou weten dat ik achter haar was, maar kon niets anders doen dan doorrennen.

Ten slotte, toen de afstand tussen Cezade en mij steeds kleiner werd, ving hij haar in zijn grote handen en viel ze met een kreet op de grond. De lucht werd verscheurd door zijn woedende getier. Ik zag hem zijn hand opheffen, en toen kwamen de stadsbewoners in een kring om hen heen staan, zodat ik niets meer zag.

Radeloos van angst en woede stortte ik me in hun midden en wrong me naar voren tot waar Cezade dreigend boven Claudine uittorende. Toen ze mij zag, waarschuwden haar ogen me om er zo snel als ik kon vandoor te gaan, maar ik wierp me tussen hen in, zodat hij wel gedwongen was om haar pols los te laten. 'Wat doe jíj hier?' gromde hij.

'Je had niet moeten komen, Mischa!' fluisterde Claudine. Ik wilde haar vragen of alles goed met haar was, maar kon haar alleen maar hulpeloos aankijken. Ik besefte dat ze gewond was: haar huid was wit, haar ogen schitterden. Ze lag daar maar te hijgen op de grond, maar niemand stak een vinger uit om haar te helpen; de mensen bleven alleen maar met open mond staan toekijken. Het duizelde me omdat dit allemaal sterk leek op wat mij vroeger was overkomen. Hij zou haar toch zeker niets doen?

Op dat moment week de menigte uiteen, want Claudines moeder kwam eraan en haastte zich naar haar toe. 'Wat is hier in godsnaam aan de hand?' wilde ze woedend weten, terwijl ze haar kind in haar armen sloot. Ik zag dat Claudines knie geschaafd was. Er sijpelde een stroompje bloed langs haar been omlaag. Ze begon te huilen.

'Dat kleine kreng heeft geprobeerd een dode vis in een pastei te stoppen, maar ik heb haar op heterdaad betrapt!' antwoordde Cezade. Zijn gezicht was helemaal opgeblazen en het zweet parelde op zijn voorhoofd. Claudine gaf geen antwoord.

'Claudine?' Haar moeders stem had iets scherps wat me helemaal niet aanstond.

Ik haalde mijn notitieboekje tevoorschijn en schreef haastig iets op.

'Zeg eens, Claudine, heb je dat gedaan?'

Claudine wilde net antwoord geven, toen ik haar moeder het stukje papier toestak. Madame Lamont keek me vol afgrijzen aan, alsof ik nog veel afschuwelijker was dan de dode vis. 'Jij!' barstte ze uit, maar toen las ze haastig het briefje waarvan ze wist dat het haar dochter zou vrijpleiten. 'Was het jóuw idee?' Toen ze weer opkeek, stond er walging in haar ogen te lezen. 'Als ik het niet dacht! Waar zou mijn Claudine ook een dode vis vandaan hebben moeten halen?'

'Dat is niet waar!' antwoordde Claudine. 'Mischa heeft er niets mee te maken.'

Maar niemand wilde naar haar luisteren. Ze hadden hun zondebok gevonden en iedereen was blij.

'Dus het was dat kleine moffenjong,' zei Cezade met een peinzend knikje. 'Je bent de stad een doorn in het oog.' Hij keek me doordringend aan, maar ik gaf geen krimp. 'En weet je wat er met doorns gebeurt?' Ik was me ervan bewust dat alle ogen op me rustten, maar voor het eerst van mijn leven voelde ik een innerlijke kracht. Ik was nog nooit voor mezelf opgekomen, maar nu kwam ik op voor iemand anders, en dat vervulde me met trots. 'Doorns trek je uit,' vervolgde hij, en hij besproeide me met speeksel. 'Doorns trek je uit en gooi je weg!'

'Hoe durf je te proberen mijn dochter op te stoken met je malle fratsen?!' riep Madame Lamont uit, en ze stond op en trok Claudine overeind.

'Dat hééft hij niet gedaan!' Claudine probeerde me te verdedigen, maar het haalde niets uit. Haar moeder schudde alleen maar haar hoofd, alsof ze opgelucht was nu ze had ontdekt hoe het kwam dat haar dochter zich had misdragen. 'Blijf voortaan bij ons uit de buurt,' zei ze tegen mij. 'Kom mee, Claudine.'

Ik zag de menigte weer uiteenwijken en zich achter hen sluiten. Terwijl ze werd meegetrokken, wierp Claudine me een veelbetekenende blik toe. In haar ogen stond zowel dankbaarheid als spijt te lezen. Ze vond mij dapper en loyaal. En misschien was ik dat die dag ook wel. Maar diep vanbinnen besefte ik dat ik de schuld op me had genomen omdat ik van nature de zondebok was. Ik was een verschoppeling en zou dat altijd blijven, dus wat maakte het eigenlijk uit? Ik zou teruggaan naar het château, en zij zou altijd bij de anderen horen. Anders dan ik moest zij zich naar hen voegen. Maar het spelletje dat was begonnen als een ondeugende streek had ons wel onze vriendschap gekost. Ik was er kapot van.

Toen Cezade tegen mij begon te tieren, hoorde ik hem niet, en toen de rug van zijn hand de zijkant van mijn hoofd raakte, voelde ik daar amper iets van. Waardig liep ik weg, want ik wilde niet dat hij me zag huilen.

O, wat zou ik niet hebben gedaan als ik een stem had gehad! Wat zou het dan allemaal anders zijn gelopen.

12

MIDDEN IN DE NACHT STOND IK OP EN GING IN DE VENSTER-
bank waar mijn moeder zo vaak zat naar de sterren zitten kijken. Ze
zei altijd dat ik een wens mocht doen als ik een vallende ster zag.
Nou, die nacht zag ik er een. Hij was zo snel als een raket. Met een
grote boog schoot hij door de zwarte lucht, het ene moment heel
helder en het volgende ogenblik opgeslokt door de ruimte. Ik kneep
mijn ogen stijf dicht en deed een wens uit het diepst van mijn hart.
Het had geen zin om te wensen dat mijn vader terugkwam, want ik
was oud genoeg om te beseffen dat dat soort wensen niet zou worden vervuld. In plaats daarvan vroeg ik mijn stem terug.

Sinds Coyote bij ons was gekomen, was alles veranderd. Ik nam
niet langer genoegen met mijn notitieboekje en potlood, en de frustratie te moeten rondlopen met een hoofd vol gedachten begon me
uit te putten. Soms ging er zo veel in me om dat het wel leek of mijn
hart als een boef door de tralies van mijn ribbenkast heen zou breken. Ik zou zo veel willen zeggen, maar toch kon ik dat niet.

Dus staarde ik omhoog naar de lucht en bad dat ik als ik 's ochtends wakker werd weer een stem zou hebben. Dat ik als ik mijn
mond opendeed het zoete geluid van gesproken woorden zou horen. Mijn stem zou net zo snel terugkeren als hij verdwenen was, en
weldra zou ik me al niet eens meer kunnen herinneren hoe het was
geweest om hem kwijt te zijn.

Mijn moeder lag te slapen, zich niet bewust van mijn middernachtelijke wens. Ze zag er tevreden uit, alsof zoete dromen hun armen om haar heen hadden geslagen en haar hadden meegevoerd
naar een plek waar alles beter was. Mijn gedachten dwaalden af naar
Claudine; ik zag haar droeve blik en haar glimlach-met-al-haar-
tanden-bloot voor me, en voelde een steek van verlangen in mijn
borst. Voor het eerst sinds ik me kon heugen had ik een vriendinnetje gehad dat iedereen kon zien. En nu was ik haar kwijt.

Toen ik de volgende ochtend wakker werd, was ik teleurgesteld dat mijn wens niet was vervuld. Ik deed mijn mond open om iets te zeggen, maar er kwam alleen maar lucht naar buiten. Mijn moeder, die zoals gewoonlijk liep te neuriën, borstelde voor de spiegel haar haar, bracht zorgvuldig lippenstift op en glimlachte zonder iets van mijn wanhoop te merken haar spiegelbeeld toe.

Tot mijn grote verdriet was het ook nog eens zondag. We waren de week daarvoor niet naar de kerk geweest; mijn moeder kon geen twee diensten achterelkaar overslaan, weer of geen weer. Ik sloot mezelf op in de badkamer, ging op de wc-pot zitten en nam mijn hoofd in mijn handen. Een pinguïn die niet kon vliegen nam zijn eigen plaatsje op de wereld in, maar voor mij gold dat niet. Coyote en Claudine hadden moeite gedaan om met me te communiceren, maar zij waren bijzondere gevallen. Anderen zouden die moeite niet nemen. Ik zou voor altijd achter een glazen wand moeten leven, naar buiten kijkend vanaf mijn stille plek, voorgoed buitengesloten.

Voordat de wind was gekomen, was ik er tevreden mee geweest met Pistou tussen de wijnranken te spelen. Ik had zonder klagen geaccepteerd dat ik niet kon praten; ik was eraan gewend geraakt. Trouwens, voorheen had ik geen andere vrienden gehad dan Pistou en mijn moeder. Nu had Coyote mijn hart geopend en had Claudine contact met me gelegd. Ik wilde door de glazen wand heen breken met een lied en hen aanraken met woorden die ze konden horen. Ik wilde niet langer overal buiten staan. Hete tranen prikten in mijn ogen en ik veegde ze kwaad weg.

Er werd op de deur geklopt. 'Mischa? Is alles goed met je?' De woede vormde een bal in mijn keel, zodat ik bijna geen adem kreeg. Omdat ik niet in staat was antwoord te geven, pakte ik het zeepbakje en gooide het in het bad. Met een bevredigend gekletter kwam het neer.

Mijn moeders stem klonk nu verontrust. 'Mischa? Wat voer je daar uit?' Ze rammelde aan de deurklink. 'Laat me eens binnen, Mischa!'

Ik stond op en gaf een schop tegen de badkuip, en nog een, en nog een. Ik begon te snikken. Mijn moeder moet mijn hijgende ademhaling hebben gehoord, want ze beukte tegen de deur in een poging het slot te forceren. Ik pakte alles wat ik maar vinden kon en gooide het om me heen de badkamer door. Toen zag ik in de spiegel ineens een gezicht. Ik herkende het niet als het mijne.

Als een dolle stier in een hok ging ik zo tekeer dat ik niet in de gaten had dat mijn moeder was weggelopen, totdat de deur plotseling openging en Coyote naar binnen tuimelde. Achter hem stond mijn moeder met een bezorgd gezicht handenwringend toe te kijken, terwijl de tranen haar over de wangen biggelden. Coyote vroeg me niet wat er aan de hand was; hij trok me gewoon in zijn armen en drukte me stijf tegen zich aan. 'Het is in orde, Junior,' zei hij troostend. 'Het is oké.' Ik voelde zijn baardstoppels tegen mijn gezicht en zijn warme lichaam tegen het mijne, en mijn woede zakte, als water dat wegspoelde door een afvoerputje.

Ik snikte als een klein kind, maar ik geneerde me daar niet voor. Niet tegenover Coyote. Het deed er niet toe. Het was een fijn gevoel door een man te worden vastgehouden. Het voelde vertrouwd, als thuis.

We gingen naar de keuken en namen plaats aan tafel. Mijn moeder legde mijn notitieboekje en potlood voor me neer. 'Wat is er, Mischa?' vroeg ze, en haar verdrietige ogen stonden smekend.

Ik wil niet meer anders zijn, krabbelde ik. Ik kon hun niet vertellen over de wens die ik had gedaan. Die was kinderachtig en dwaas geweest. Ze ving Coyotes blik. Hij hield de hare een hele poos vast, waarna hij naar mij keek.

'We zijn allemáál anders, jongen,' zei hij vriendelijk. 'Iedereen is uniek.'

Ik tikte met het uiteinde van mijn potlood ongeduldig op de woorden. Dat was niet wat ik bedoelde. Ik was meer anders dan anderen. Ik zag dat mijn moeder naar woorden zocht, met gefronste wenkbrauwen en een vertrokken gezicht. Ze vond dat het allemaal haar fout was. Schuldgevoel gaf haar gezicht een uitgeputte uitdrukking, alsof ze alle strijd moe was. Ze legde haar hand om mijn pols.

'Het spijt me verschrikkelijk,' zei ze.

Coyote glimlachte, maar ik kon wel zien dat hij met me meeleefde, omdat zijn glimlach zijn ogen niet bereikte; die stonden droef. 'Je bent een *chevalier*, Junior. Chevaliers deserteren niet van het slagveld. Ze vechten door totdat ze winnen.'

Ik wil mijn stem terug! schreef ik. Mijn handschrift was nu bijna onleesbaar. Hij bleef er een poosje naar kijken voordat hij antwoord gaf.

'Die komt wel terug,' stelde hij me gerust. Het verraste me dat hij daar zo zeker van leek te zijn. Mocht ik daarop hopen? 'Op een goeie dag komt hij terug. Je moet gewoon geduld hebben.' Er spatte een dikke traan op het papier, zodat de woorden die ik had neergeschreven vervaagden. Hij wist niet dat ik mijn stem terug had gewenst en dat mijn wens niet in vervulling was gegaan.

Ik wil niet naar de kerk, schreef ik in plaats daarvan. 'Laten we samen gaan,' stelde hij grijnzend voor. 'Met z'n drietjes. Goed, Anouk?' Mijn moeder staarde hem een poosje aan, met een blik die meer leek te zeggen dan ik kon bevatten. Toen bloeide haar gezicht op met een prachtige glimlach die me mijn eigen narigheid deed vergeten.

'Ja, we gaan allemaal samen,' antwoordde ze. 'Daar zal iedereen van opkijken, nietwaar?'

Ik liet mijn schouders zakken en legde mijn potlood neer. Ik geloofde niet langer in wensen.

We liepen over het onverharde weggetje naar de stad. De lucht was grijs en zwaar, en er dreef een lichte motregen op het briesje, als een waternevel uit zee. Ik liep voor hen uit, geïsoleerd op mijn eigen eiland van stilte, terwijl doelloze en duistere gedachten door mijn hoofd maalden. Ik trapte tegen een steentje, mijn handen in mijn zakken, en draaide het balletje van mijn vader met mijn vingers rond en rond. Coyote en mijn moeder voerden een kalm gesprek. Als ik er niet bij betrokken was, was hun Engels even betekenisloos als Japans. Ik concentreerde me op de steen en had met mezelf te doen. Toen ving ik opeens een paar woorden op, zoals een dommelende visser wakker schiet als er een onverwachte vangst in zijn fuik begint te spartelen. Misschien dat ik mijn oren spitste door de verandering in hun toon. Hun zachte stemmen maakten duidelijk dat ze heel vertrouwelijk met elkaar waren. Ze dachten zeker dat ik niets in de gaten had, want ze letten niet op en hun stemmen klonken net hard genoeg om ze te kunnen verstaan.

'Ik neem jullie allebei mee hiervandaan,' zei Coyote.

Er sloeg een golf van opwinding door me heen. Mijn duistere gedachten werden plots overgoten met licht en ik werd ineens opgetild uit het moeras waarin ik dreigde weg te zakken. Ik deed alsof ik het niet had gehoord en bleef tegen het steentje schoppen, handen in mijn zakken, mijn gezicht, dat nu begon te gloeien van hoop, naar de stad gewend.

We kwamen aan in Mauriac. Ik vertraagde mijn pas om op gelijke hoogte te komen met mijn moeder en liet het steentje midden op het pad achter voor straks op de terugweg naar huis. Uit de huizen kwamen mensen die zich op hun zondags hadden aangekleed, de vrouwen met japonnen en hoeden, de mannen met pakken en alpino's, de kinderen schoongeboend, hun haar geborsteld tot het glansde. Onmiddellijk merkte ik de verandering in de atmosfeer op; die vibreerde niet langer van afkeer, maar van nieuwsgierigheid. Ze lieten hun ogen van mijn moeder naar Coyote dwalen. Coyote lichtte zijn hoed een stukje op en groette iedereen met een handgebaar en een glimlach. Zijn zelfverzekerdheid was onweerstaanbaar, zijn charme iets waar je niet omheen kon. De vrouwen bloosden en sloegen hun ogen neer, een glimlachje om de lippen; de mannen beantwoordden zijn groet, want het zou onbeleefd zijn geweest om dat niet te doen. De kinderen met wie ik had gespeeld op het plein zwaaiden vrolijk naar me. Aan hun enthousiaste gezichten kon ik wel zien dat ze van Coyote onder de indruk waren. Doordat hij daar zo naast me liep kreeg ik status. Ik trok mijn schouders naar achteren en veranderde mijn stijve manier van lopen in een zwierige tred, net als de zijne. Met mijn handen in mijn zakken grijnsde ik naar hen terug. Ze beseften niet hoeveel hun vriendschappelijke gebaren voor mij betekenden. Toch was er maar één iemand die ik echt graag wilde zien. Ik vroeg me af of ze zou komen.

Coyote kende een paar van de stadsbewoners bij naam. In zijn onzekere Frans had hij voor hen allemaal een vriendelijk woord: een opmerking over een mooie jurk, over de gebeurtenissen van de afgelopen week; hij informeerde naar een ziek neefje, een moeder op leeftijd. Zijn beperkte kennis van de taal weerhield hem er niet van vriendschap met iedereen te sluiten. Hij zei zelfs iets over Monsieur Cezades *chocolatines*, en tot mijn verrassing moest Monsieur Cezade glimlachen. Maar het viel me wel op dat niemand mijn moeder groette.

Toen we de Place de l'Eglise over liepen, zag ik Claudine. Mijn hart sloeg over van vreugde. Ik versnelde mijn pas. Ik wist wel dat ze niet met mij mocht omgaan, maar haar moeder kon me mooi niet verhinderen naar de kerk te komen. Ik zag dat er een pleister op Claudines knie zat en dat ze een verband om haar elleboog had. Ik liep achter haar, maar ze moet hebben gevoeld dat ik er was, want ze draaide zich om. Even stond er aarzeling op haar gezicht te lezen, toen haar verlangen en de regel die haar moeder haar had opgelegd in haar binnenste streden om voorrang. Maar haar moeder kon niet weten dat Claudine en ik een verbond hadden gesloten. Vaak zijn de verbonden die je in je jeugd sluit de meest hechte die er bestaan. Zo was het met ons ook. Claudine dacht er ook zo over, want opnieuw trotseerde ze haar moeder. Ze maakte zich los uit het groepje van haar broertjes en zusjes en kwam naar me toe gerend. Het was een heel openlijk vertoon van vriendschap. Zoiets had nog nooit iemand gedaan, maar Claudine liet zich er door niets en niemand van weerhouden om duidelijk te maken hoe ze erover dacht. Overrompeld hield ik mijn adem in. 'Dankjewel, Mischa,' zei ze, en vol genegenheid lachte ze haar tanden bloot. 'Ik zal nooit vergeten wat je hebt gedaan.' Ik kon geen antwoord geven en voelde me ontzettend gefrustreerd. *'Bonjour, madame,'* zei ze op onschuldige en vrolijke toon tegen mijn moeder. Mijn moeder was al net zo verrast als ik, want ze vergat terug te glimlachen. Claudines moeder riep haar, maar ze luisterde niet. Ze gaf me een knipoog alsof ze wilde zeggen: 'Weet je nog wat ik beloofd heb?' Ik wilde haar zeggen dat ik het papiertje waarop ze het woord 'geheime' had doorgestreept en met grote letters JA had geschreven had bewaard.

'Claudine!' riep haar moeder. 'Kom onmiddellijk hier!' Haar stem klonk woedend. Ze keek zenuwachtig om zich heen, bang voor wat de mensen zouden denken van haar dochters vriendschap met 'het moffenjong'.

'We zien elkaar later nog wel,' fluisterde Claudine snel voordat ze terugkeerde naar haar familie. Haar moeder gaf haar op strenge toon een uitbrander, maar Claudine bleef desondanks glimlachen.

In de kerk gonsde het van de geruchten. Aller ogen waren gericht op mijn moeder en Coyote; een fluistering, achter handen en zwarte sluiers, golfde langs de banken. Ik besefte het op dat moment niet, maar met hun aanwezigheid daar die ochtend in de kerk maakten ze hun relatie tegenover iedereen kenbaar. Coyote had besloten het officieel te maken: hij was verliefd en wilde dat iedereen evenveel van zijn geliefde hield als hij.

Mijn hart was zo vol dat het wel uit elkaar leek te zullen barsten: van trots, van opwinding, van liefde. Ik ging tussen mijn moeder en Coyote in zitten. Ik kon de spanning tussen hen voelen zinderen alsof die een elastiekje was dat op z'n verst was uitgerekt. Mijn moeder voelde zich niet helemaal op haar gemak, maar trotseerde iedereen. Ze hield haar kin geheven en haar schouders naar achteren, en het viel me op dat ze zich niet op haar knieën liet zakken om te bidden. Ik stelde me zo voor dat Coyote haar net als mij zelfvertrouwen schonk. We waren een formidabel trio. Coyote leek geen oog te hebben voor de roddelaars en beantwoordde hun blikken met een stralende witte glimlach en een beleefd knikje. Toen Père Abel-Louis door het gangpad kwam aangeschreden, met wapperende gewaden alsof er duivels koortsachtig om hem heen dansten, kromp ik vol schrik in elkaar, bang voor wat hij van mijn moeders vriendschap met Coyote zou denken.

Het hardvochtige gezicht van Père Abel-Louis staat voorgoed in mijn geheugen gegrift. Hij was teruggetreden en had toegelaten dat de menigte mij te grazen nam en mijn moeder mishandelde, terwijl hij dat heel makkelijk had kunnen voorkomen. Hij was een duistere en angstaanjagende kracht, groter en machtiger dan welk mens ook. Toen mijn moeder me had verteld over God en de duivel, had Père Abel-Louis automatisch de rol van de duivel toebedeeld gekregen, zodat ik daar nu rotsvast in geloofde. Hij had God uit Zijn eigen huis weggejaagd en hij had de massa tegen ons opgehitst. In mijn kinderlijke verbeelding was ik bang dat hij Hem ook uit de hemel zou verjagen, zodat ik als ik doodging nergens heen zou kunnen.

Ik probeerde mezelf zo klein mogelijk te maken, zodat Père Abel-Louis me niet zou zien. Maar zijn harde ogen kregen ons meteen in de gaten, waarschijnlijk omdat we ons de week daarvoor niet bij de dienst hadden laten zien. Tot mijn verrassing keek hij niet kwaad, zoals ik had verwacht, maar verontrust. Zijn dunne witte lippen trokken nerveus terwijl hij zijn blik over ons drieën liet dwalen. Die bleef rusten op Coyote. Het bleef een hele poos stil, terwijl de twee mannen elkaar opnamen. Père Abel-Louis was net een rat die roerloos blijft zitten voor een slang; hij leek wel versteend. Ook zonder te kijken wist ik wel wat Coyote voor gezicht zou zetten. Hij was afwachtend, vroom, respectvol, maar volkomen zeker van zichzelf. Le curéton had aan macht ingeboet, en ik wist niet waarom. Ik wist alleen dat we die dag een kleine overwinning hadden behaald.

Père Abel-Louis schudde zichzelf wakker uit zijn trance en heette de verzamelde gelovigen welkom. Hij keurde ons geen blik meer waardig en deed alsof we lucht waren. Maar hij leek wel gekrompen, alsof Coyote hem zag zoals hij werkelijk was: een indringer in het huis van God, en die wetenschap beroofde hem van zijn macht.

Ik wist op dat moment dat de hemel veilig was gesteld. Ik wist dat ik, als ik doodging, niet alleen een plek zou hebben om naartoe te kunnen, maar ook dat mijn vader daar op me zou wachten.

Ik dacht die ochtend meer aan God dan ooit. Voor de allereerste keer voelde ik Zijn aanwezigheid daar in die kerk. Zijn licht was groter dan de duisternis die Père Abel-Louis verspreidde, en Zijn liefde deed mijn angst verdwijnen totdat er helemaal niets meer van over was.

Ik dacht aan mijn vader. Ik herinnerde me zijn gezicht, zijn koele blauwe ogen en zijn vriendelijke, warme glimlach. Ik herinnerde me de tederheid waarmee hij mij in zijn armen had genomen om

met me te dansen, almaar de kamer rond, waarbij hij me stevig vasthield, mijn wang tegen de zijne gedrukt, terwijl de muziek van de
grammofoon de kamer in schalde en ons meevoerde op de klanken
van een orkest van violen. Ik kon zijn lach bijna in zijn borstkas voelen vibreren: luid, helder en uitbundig als een klok.

Ik bezag Père Abel-Louis met dezelfde innerlijke kracht die ik de
dag tevoren ten overstaan van Monsieur Cezade en de vijandige
menigte toeschouwers had gevoeld. Ik kromp niet langer op mijn
plekje in elkaar. Met Coyote naast me had ik het gevoel dat ik iedereen aan zou kunnen. Ik keek tersluiks naar Claudine, rechts van me.
Zij keek naar mij, met ogen die glommen van trots. Ik wist dat zij
net zo'n hekel aan *le curéton* had als ik. Ze moet hebben gezien dat
hij van zijn à propos was gebracht, want ze grijnsde naar me en be-
vestigde met een knipoog onze overwinning. Mijn borst zwol en
werd nog warmer, en de brok brak nu eindelijk en vulde me vanbinnen, zodat ik maar moeilijk adem kreeg.

Het onzevader werd uitgesproken en toen zong Père Abel-Louis
de tegenzangen, met een onvaste stem die dunnetjes klonk. '*Pax do-
mini sit sempre vobiscum.*' Er trok een vreemde tinteling door mijn lichaam, alsof ik een huid afwierp. Ik voelde me gewichtloos, duizelig van geluk, ook al wist ik niet waarom. De wolken moesten buiten
zijn weggetrokken, want het zonlicht brak door de ramen en vulde
de kerk met een stralende gloed. Toen hoorde ik midden in dat hemelse licht een stem. Hij klonk prachtig, zo helder als een fluit. De
rest van de kerkgangers hoorde hem ook. Ze staakten hun gezang
en verstomden een voor een toen de stem zich boven de hunne verhief in een glorieuze jubeling: '*Et cum spiritu tuo.*'

Het duurde even voordat ik me realiseerde dat de engelachtige
stem uit mijn eigen keel afkomstig was.

13

DE VERSCHRIKTE UITDRUKKING OP HET GEZICHT VAN PÈRE
Abel-Louis benam me de adem. Ik hield op met zingen. Opeens viel
er een stilte. Niet één van de kerkgangers roerde zich ten overstaan
van dat wat alleen een wonder kan worden genoemd. Ik voelde honderd paar ogen op me rusten en werd neergedrukt onder hun gewicht. Zelfs mijn moeder en Coyote waren sprakeloos.
    Père Abel-Louis stond in de waterval van zonlicht die door de
kerkramen naar binnen viel. Zijn huid was lijkbleek geworden, alsof hij een geslacht varken was dat in de *boucherie* hing, en zijn dunne lippen vertrokken zich in verbijstering. Heel even was hij van
zijn stuk gebracht. God had gesproken en Zijn stem was oneindig
krachtiger dan die van de priester. Dat viel niet te ontkennen. Omdat hij zich het wonder graag wilde toe-eigenen, kwam Père Abel-
Louis met een gespannen uitdrukking het gangpad door gebeend.
Ik was zo geschrokken van het geluid van mijn eigen stem dat ik niet
in elkaar kromp, maar bleef staan, bang om iets te zeggen voor het
geval ik dat niet meer zou kunnen. De priester torende boven me
uit. Ik kon de muffe lucht ruiken die uit zijn gewaad kwam, een
mengeling van alcohol en lichaamsgeur, en deinsde terug. Langzaam stak hij zijn hand uit. Ik aarzelde, want mijn haat jegens hem
was zo diep in mijn ziel gebrand dat ik hem niet durfde aan te raken.
Maar zijn zwarte ogen boorden zich in de mijne en uiteindelijk
bleek hij sterker. Tot mijn schande moet ik bekennen dat een piep-
klein stukje van mijn ziel ernaar hunkerde om door hem geaccepteerd te worden. Aarzelend stak ik mijn hand uit om die in de zijne
te leggen. Ik verwachtte dat hij me zou verschroeien, maar het enige wat ik voelde was het zweet op zijn sponzige handpalm.
    'God heeft dit huis vandaag gezegend met een wonder. De jon-
gen kan praten. Laten we nu diep in ons hart kijken of we het voorbeeld van de Heer kunnen volgen en kunnen vergeven.' Zijn stem

klonk luid en gebiedend toen hij weer de leiding nam over zijn kerk en de verzamelde gelovigen. Er speelde een minzame glimlach om zijn lippen, alsof hij wilde zeggen: 'Ik ben de verbinding tussen jullie simpele zielen en de Heer – laat niemand geloven dat hij zonder mij tot God kan komen.' Mijn wangen klopten en mijn hart hamerde. Ik moest weer denken aan de dolgedraaide menigte en wilde een kreet van doodsangst slaken. Maar daar zat Claudine, haar ogen groot van verbazing, me bemoedigend toe te grijnzen.

'Mischa!' Mijn moeder negeerde de priester en schoof naar achteren op de bank, haar stem een fluistering. Ze pakte mijn bovenarmen vast en keek me doordringend aan. 'Mischa!' Ik kon de twijfel in haar ogen zien, en de angst die daarachter lag: ze durfde het wonder niet te geloven, voor het geval het een illusie was geweest of een speling van geluiden. 'Is het waar, Mischa, kun je praten?'

Ik slikte moeizaam. Mijn keel werd dichtgeknepen van angst. De hele gemeente zat nu te wachten op een bevestiging. Ik was niet minder verrast dan zij en wist dat ik, als ik nu zou falen, weer net als vanouds uitgestoten zou worden en beschuldigd van bedrog. Ik dacht aan de vallende ster, aan mijn hartenwens, en vroeg me af of die inderdaad in vervulling was gegaan, of dat, zoals ik eerder geneigd was te geloven, het door Coyotes toedoen kwam en met de wind te maken had.

Ik haalde diep adem. '*Maman*,' piepte ik. Ze slaakte een zucht van verlichting. Ik schraapte mijn keel en waagde nog een poging. 'Kunnen we nu naar huis gaan?' Ze trok me stijf tegen zich aan.

'Jongen toch, jongen toch,' hijgde ze in mijn nek. Ik voelde Coyotes hand door mijn haar woelen en daardoor kroop er een tintelende warmte door mijn hele lichaam. 'Natuurlijk kunnen we naar huis gaan,' zei ze terwijl ze overeind kwam.

'Ik nodig u uit om ter communie te gaan,' zei de priester, terwijl hij een hand naar mijn moeder uitstak. Maar zij was niet zwak zoals ik; in haar hart was geen deeltje dat verlangde naar acceptatie. Wat haar betrof had ze niets verkeerd gedaan. Zij zou in haar hart nooit iets vinden om te vergeven of te vergeten.

Coyote ging ons voor en mijn moeder en ik kwamen vlak achter hem aan. Het geloof is zoiets krachtigs dat de inwoners van Mauriac er echt van overtuigd waren dat God die ochtend had gesproken. Ze staken hun handen naar me uit om me aan te raken toen ik langs hen liep, in de hoop dat Gods genade, die nu op mij rustte, hun ook geluk zou brengen. Ze glimlachten, sloegen een kruisje, bogen hun hoofd, terwijl Père Abel-Louis zegenend zijn hand ophief, vastbesloten om ondanks mijn moeders afwijzing deel uit te maken van het wonder. En Claudine zat alleen maar triomfantelijk naar me te grijzen – had zij niet steeds beweerd dat mijn stem op een goede dag zou terugkeren? Toen we eenmaal op het plein waren, begonnen de kerkklokken feestelijk te luiden. Mijn moeder wilde niets te maken hebben met Père Abel-Louis en trok me haastig mee. 'Hij wil ons inlijven,' mompelde ze nijdig. 'Na alles wat hij heeft gedaan! Nou, dat laat ik niet gebeuren. God is mijn getuige dat ik hem dat niet toesta.' Coyote liep met lange passen met ons mee, zijn handen in zijn zakken, zijn hoed schuin op zijn hoofd.

Terwijl mijn moeder haar gal spuwde, keerden we in stilte terug naar huis. Nadat ik jaren niets gezegd had en alleen maar had rondgelopen met een hoofd dat zwaar was van al mijn gedachten, zat ik nu om woorden verlegen. Uiteindelijk deed Coyote zijn mond open. 'Nu kunnen we samen zingen,' zei hij. Zijn terloopse toon was voor mij een bevestiging dat hij de hand in het wonder had gehad. Hij deed nonchalant, alsof hij wel had verwacht dat het zo zou gaan. Terwijl de rest van de kerkgangers niet over het wonder uit kon, deed Coyote het met een schouderophalen af. 'Ik ben blij dat je niet bent vergeten hoe je moet zingen.'

Mijn stemming klaarde op. 'Ik ben nooit opgehouden met zingen,' antwoordde ik. 'Alleen kon niemand me ooit horen.' Het was heel onwennig om de vibratie van mijn stem in mijn borstkas te voelen. Ik was gewend aan het geluid van mijn gedachten. 'Claudine heeft gezegd dat ik mijn stem op een dag terug zou krijgen. Nou, ze heeft gelijk gekregen.'

'Claudine?' herhaalde mijn moeder, en haar woede vervloog in het licht van mijn herwonnen spraakvermogen.

'Ze is mijn vriendinnetje,' deelde ik haar trots mede.

'Dat meisje met die scheve tanden,' hielp Coyote haar op weg.

Mijn moeder glimlachte. 'Wat hebben jullie tweeën allemaal uitgespookt?'

'Junior en ik?' zei hij voor de grap. 'Wij houden er een heel geheim leven op na, nietwaar, Junior?'

'Ga je me die cowboyliedjes leren zingen?' vroeg ik, terwijl ik het steentje terugvond dat ik op de heenweg op het pad had laten liggen en er een harde schop tegen gaf. 'En ik wil graag leren gitaarspelen.'

'Dat leer ik je graag,' zei hij, en hij keek toe hoe ik wegholde achter mijn steentje aan. 'Die jongen is een taaie,' hoorde ik hem tegen mijn moeder zeggen. 'Taaier dan je zou denken.'

Het duurde niet lang of iedereen had de mond vol over het wonder. Het château gonsde van het nieuws als een korf vol bijen, en de bijenkoningin zelf, die die ochtend niet naar de kerk was gegaan, was er sterker door geïntrigeerd dan wie ook. Toen we terugkwamen, stond Lucie ons bij de stallen op te wachten. 'Madame Duval wil jullie allebei graag zien,' liet ze ons weten, en ze kon geen oog van me afhouden. 'Is het waar, kun je echt praten, Mischa?' Ze leek zich bepaald zenuwachtig te maken, en daar had ze ook alle reden toe, gezien al het verbodene dat zich tussen Monsieur Duval en haar had afgespeeld en waar ik getuige van was geweest.

'Ja, het is waar,' antwoordde ik, terwijl ik me langzaam bewust werd van de macht die mijn teruggekeerde stem me gaf. Ik stak mijn kin in de lucht en keek haar met vaste blik aan. Ze leek te krimpen, hoewel ze toch al niet groot was.

'Ze is in de bibliotheek,' voegde Lucy eraan toe, waarna ze zich op haar hakken omdraaide en zich over het erf terughaastte naar de keuken. Ik glimlachte. Ik begon me af te vragen hoeveel andere mensen er nu bang voor me zouden zijn, nu ik, zoals ze dachten, was aangeraakt door God.

'Gaan jullie maar,' zei Coyote, die teder mijn moeders arm aanraakte. Ze kromp niet in elkaar, maar boog zich naar hem toe. Haar mondhoeken krulden zich in een verlegen glimlach, waarvan de volle betekenis een jongen van mijn leeftijd ontging. Ik had de afgelopen jaren altijd alleen maar in een wereld van mimiek geleefd, niet in staat om uitgebreid te communiceren, maar de boodschappen die Coyote en mijn moeder uitwisselden met hun blikken en glimlachjes gingen mijn interpretatievermogen te boven. 'Laten we vanmiddag naar het strand gaan,' stelde hij voor.

'Dat lijkt me een goed idee,' antwoordde mijn moeder. 'Dat vind jij ook leuk, hè lieverd?' zei ze tegen mij.

'Jullie moeten zien te ontsnappen aan de pelgrims,' zei Coyote met een scheve grijns. 'Voor je het weet komen die uit heel Frankrijk naar je toe gestroomd om je aan te raken. Zieken, stervenden, eenzamen, armen... God verhoede!' Hij lachte spottend. 'We kunnen jullie beter allebei wegsmokkelen voordat ze van de stallen een pelgrimsoord maken.' Mijn moeder moest ook lachen, maar alleen omdat ze hem grappig vond, niet omdat ze aan het wonder twijfelde. Ze besefte niet dat Coyote degene was die me mijn stem had teruggegeven. Ik geloof dat ze echt dacht, net als de rest van de mensen, dat het een godsgeschenk was. Maar Coyote en ik wisten wel beter. Ik besloot haar in die waan te laten en het geheim te houden. Ik wist zeker dat Coyote dat graag wilde. 'Dan vraag ik Yvette of ze *baguettes* wil maken,' vervolgde Coyote. 'Ze kan een picknick voor ons inpakken.' Hij liet zijn lachende ogen op mij rusten en voegde er met een zacht klopje op mijn schouder aan toe: 'Nu je een heilige bent, maakt ze er vast iets heel speciaals van.'

Mijn moeder en ik wachtten in de bibliotheek op Madame Duval. Ik had het idee dat ze er genoegen in schepte om ons te laten wachten; daarmee kon ze benadrukken dat ze macht over ons had. Mijn moeder ging niet zitten en toen ik me op een stoel liet zakken, berispte ze me zachtjes. Ik wilde er anders wel graag achter komen wat me nu allemaal wel en niet zou worden toegestaan; ik was nu tenslotte een heilige en kon doen wat ik wilde. Maar mijn moeder keek zo benauwd dat ik haar met tegenzin gehoorzaamde.

Madame Duval kwam binnen met Etiennette in haar kielzog. '*Bonjour*,' zei ze kortaf. 'Ga maar zitten,' zei ze vervolgens tegen mijn moeder.

Ik wachtte niet tot de uitnodiging ook aan mijn adres werd gericht en nam uit mezelf plaats op de bank naast mijn moeder.

'Is het waar wat ik heb gehoord – dat de jongen kan praten?' Ze glimlachte niet, maar keek langs haar neus naar me omlaag alsof ik een vieze stank verspreidde.

'Het is waar,' antwoordde ik zelfverzekerd.

Ze verstijfde en haar mond viel open, alsof hij aan een los scharnier hing. 'Goeie god,' bracht ze naar adem happend uit, en ze sloeg een kruisje. 'Dus het is echt een wonder!'

'God is genadig geweest, *madame*,' zei mijn moeder. Haar eerbiedige toon ergerde me zo dat ik besloot er een geintje van te maken.

'Ik zag een licht, Madame Duval,' begon ik. 'Het was feller dan de zon. De stem van *le curéton* leek van heel ver weg te komen, alsof ik me op een andere plek bevond.' Ik voelde dat mijn moeder naar me keek en niets liever wilde dan dat ik me gedroeg, maar daar trok ik me niets van aan. Haar angst prikkelde me juist nog meer. Waarom hadden we ons ooit bang laten maken door deze vrouw?

'Ga verder,' zei ze, en haar stem klonk nieuwsgierig. Etiennette zat in de armstoel naast haar en keek me met knipperende ogen aan alsof ik nog steeds werd overgoten door hemels licht.

'Ik hoorde stemmen.'

'Wat voor stemmen?'

'Misschien dat het stemmen van engelen waren,' zei ik, terwijl ik

een zo vroom mogelijk gezicht trok. 'Ze klonken prachtig. Die stemmen dwarrelden om me heen en toen... toen zag ik Hem.'
'Hem?'
'Jezus.' Omwille van het effect fluisterde ik nu. Madame Duval zat op het puntje van haar stoel en boog zich naar me toe omdat ze geen woord wilde missen.
'Jezus?' herhaalde ze, met duidelijk ontzag voor mij. 'Heb je een visioen gehad?'
'Hij stond daar in dat duizelingwekkende licht, Zijn armen uitgestrekt, Zijn gezicht een en al liefde.' Ik knipperde een paar krokodillentranen weg.
'En wat zei Hij?'
'Hij zei...' Ik aarzelde en haalde diep adem.
'Hij zei... "Spreek, mijn zoon, zodat ik door jou tot de mensen van Mauriac kan spreken. Zing, zodat ze door jou tot kilometers in de omtrek mijn stem kunnen horen. Verspreid het woord van Christus en je zult tot in der eeuwigheid aan mijn rechterhand zitten." Dus deed ik mijn mond open en zong voor Hem.'
'Mijn hemel!' riep ze uit. 'Het is wat je noemt een wonder.' Opeens sprongen de tranen haar in de ogen. Ze pakte mijn hand en drukte die tussen haar knokige, koude vingers. 'Vergeef me, Mischa. Ik ben dwaas geweest. Moge God me vergeven. Ik heb alleen maar gedaan wat ik dacht dat goed was. Ik had nooit...' Ze maakte haar zin niet af.
Mijn moeder, in verlegenheid gebracht door mijn schitterende optreden, kwam haar te hulp. 'U bent heel goed voor ons geweest, *madame*. Huilt u alstublieft niet. U hebt het goedgevonden dat we hier bleven wonen, terwijl niemand anders ons wilde opnemen. U hebt me in dienst genomen toen verder niemand daar iets voor voelde. U bent goed en vriendelijk voor ons geweest. We kunnen u alleen maar danken, *madame*.'
Madame Duval liet mijn hand los en haalde een zakdoek tevoorschijn. Ze snufte en bette haar ogen. Haar mond was vertrokken in een grimas die haar er niet mooier op maakte.
'Ik zal met Madame Balmain praten en haar vragen of ze Mischa bij zich wil nemen. Nu hij kan praten, moet hij echt naar school.'
'Dank u wel, *madame*,' zei mijn moeder op dweperige toon. Ikzelf voelde louter afkeer van de vrouw die me altijd met minachting had behandeld.
'God heeft je gezegend, Mischa,' zei ze. Het viel me op dat haar handen trilden, en dat was volkomen terecht, want de enige weg die

voor haar lag was de weg naar de hel. 'Gaan jullie nu maar, alsjeblieft. Jij ook, Etiennette. Ik wil graag alleen zijn.' Ze keurde mij verder geen blik meer waardig. Ik voelde dat ze bang voor me was, dat had ik aan haar ogen gezien. Ik huppelde mijn moeder achterna en was uitermate met mezelf ingenomen.

Toen we de gang doorliepen, bukte mijn moeder zich en siste in mijn oor: 'Tot in der eeuwigheid aan de rechterzijde van Christus – hoe verzin je het! Als je niet oppast, word je nog samen met haar verdoemd!' Ik keek naar haar op. Ze kon de trots die in haar ogen straalde en het glimlachje dat rond haar mondhoeken speelde niet verbergen. 'Het was beter toen je nog niet kon praten!'

Op weg naar buiten kwamen we door de keuken, langs Yvette, Armande en Pierre, die hun geroddel staakten en ons met nauwverholen fascinatie aanstaarden. Mijn moeder stak haar kin in de lucht en groette hen beleefd. Bedwelmd door de nieuwe macht die ik bezat, huppelde ik naar Yvette toe. 'Is het waar?' vroeg ze. 'Kan mijn kleine pakjongen praten?' Haar haar was losgeschoten uit haar knot en haar gezicht zag knalrood. Zo te zien had ze flink met Jacques Reynard in het tuinhuisje liggen rollebollen.

'Het is waar.' Toen kon ik het niet laten om eraan toe te voegen: 'U ziet er goed uit, *madame*. Als een sappige druif.' Het bloed trok weg uit haar wangen en ze staarde me verbijsterd aan. Ik keek onschuldig met mijn ogen knipperend terug.

'Ik voel me niet zo lekker,' stamelde ze. 'Armande, haal eens een stoel.' Armande zette haastig een stoel onder haar achterste. Ze liet zich erop neerzakken. Omdat ze haar plotselinge flauwte aanzagen voor een bevestiging van het wonder, keken Armande en Pierre me met angst in hun ogen aan.

'Zoals jullie horen, spreek ik Frans,' liet ik hun weten. 'Als íémand de mond uitgewassen moet worden met zeep, dan zijn jullie het wel.'

Armande deed zijn mond open om iets te zeggen, maar er kwam niets anders dan gesis uit.

'Mijn vader was een goed mens. Hij zit aan de rechterhand van God. Dat weet ik omdat ik hem daar heb gezien, in mijn visioen van licht.' Ik wist dat ik nu te ver ging, maar was niet meer te stuiten. Ik vond het heerlijk om hen te zien kronkelen. Ze waren zo vroom dat ze niet aan mijn woorden twijfelden, geen seconde. Triomfantelijk stapte ik de zonneschijn in, waar mijn moeder op me stond te wachten.

Coyotes glanzende convertible kwam naast de stallen tot stilstand. Zoals hij had beloofd, had hij Yvette een picknick laten klaarmaken van koud vlees en kaas, *baguettes* en pruimen, en een fles witte wijn. Hij woelde door mijn haar en grijnsde me veelbetekenend toe, alsof hij op de hoogte was van mijn spelletje en het wel amusant vond. We reden de lange oprijlaan af, onder een baldakijn van platanengroen, en de wielen van de auto rolden over de kleine plekjes zonlicht die dansten op het grind. Toen waren we op de open weg. Met de wind in mijn haar, de geur van naaldbomen en vochtige aarde in mijn neusgaten, voelde ik me voor het eerst in tijden echt gelukkig. Ik leunde achterover en sloot mijn ogen. De zon voelde warm aan op mijn huid, hoewel je aan de wind kon merken dat de herfst eraan zat te komen. Ik wist al bijna niet meer hoe het was om stom te zijn. Mijn stem klonk me inmiddels heel vertrouwd in de oren. De wind had me Coyote gebracht. Hoe zou ik hem ooit kunnen bedanken?

Toen ik mijn ogen weer opendeed, zag ik dat Coyotes hand op mijn moeders been rustte. Ze duwde hem niet weg. Tot mijn verrassing legde ze haar hand boven op de zijne en vouwde haar vingers eromheen. Ze voerden een gesprek, maar door de wind in mijn oren kon ik hen niet verstaan. Van tijd tot tijd wierp mijn moeder haar hoofd achterover en lachte, met een hand op haar hoed zodat die niet weg zou waaien. Ze zagen eruit als het eerste het beste verliefde stel. Ik vroeg me af of mijn moeder ook zo naast mijn vader had gezeten, met haar hand op de zijne en haar lach die als een klingelende klok boven de wind uit klonk. Als hij ons nu vanuit de hemel kon zien, wat zou er dan door hem heen gaan? Zou hij verdrietig zijn dat ze van een ander hield, of zou hij blij zijn dat ze gelukkig was? Ik wist dat ze ermee had geworsteld, want ik had haar 's avonds laat, als zij dacht dat ik sliep, gadegeslagen terwijl ze naar de onbeweeglijke trekken op het portret van mijn vader staarde. Ze had me zelf verteld dat ze bang was om weer van iemand te houden. Misschien had ze bedoeld dat ze bang was om mijn vaders nagedachtenis te verraden. Nou, ik begreep best dat je op een heleboel manieren van iemand kunt houden. Het leek mij niet verkeerd dat mijn moeder voor meer dan één man liefde voelde, en ik dacht niet dat mijn vader er ook maar enig bezwaar tegen zou hebben; hij was immers niet bij ons om voor haar te kunnen zorgen.

We spreidden het picknickkleed uit op het zand, op een plekje dat door rotsen tegen de wind was beschut. De Atlantische Oceaan strekte zich voor ons uit, opgeslokt door de grote mond van de horizon. De zee was woelig; de golven rezen en daalden. De wind was hier kouder en joeg over het strand, maar wij zaten warmpjes in de zon. We aten onze *baguettes*, want na alle opwinding van die ochtend hadden we trek. Coyote speelde op zijn gitaar en we zongen samen zijn cowboyliedjes. Mijn stem was precies zoals Pistou had gezegd: zo helder als een fluit. Mijn moeder zong mee, want we kenden de teksten inmiddels uit ons hoofd. Toen gaf hij de gitaar aan mij, gaf me nog even kort uitleg over de snaren, en keek toe terwijl ik speelde, eerst aarzelend en allengs met steeds meer zelfvertrouwen. 'We zullen eens een echte cowboy van je maken, Junior,' zei hij grinnikend, en hij nam een slokje wijn.

Na de lunch gingen we op onze rug liggen, onze ogen gesloten, terwijl hij ons nog meer verhalen vertelde over de Oude Man uit Virginia. Ik moet in slaap zijn gevallen, want toen ik wakker werd, liepen Anouk en Coyote hand in hand over het strand; mijn moeders jurk wapperde om haar benen, en met haar vrije hand hield ze haar hoed op zijn plaats. Ik sloeg hen een poosje gade. Toen begon ik me te vervelen en besloot ik op het strand schelpen te gaan zoeken. Ik vroeg me af waar Pistou was. Ik had hem al een tijdje niet gezien. Ik wilde hem vertellen over mijn stem, over Madame Duval en Yvette, maar hij was nergens te bekennen.

Ik trok mijn schoenen uit en liet de koude golven over mijn tenen spoelen. Ik vond een heleboel schelpen en trof een slagveld aan van dode kwallen, hun doorzichtige lijven helemaal slap terwijl ze heen en weer rolden in het tij. Ik liep zo druk naar schatten uit de zee te zoeken dat ik helemaal niet in de gaten had dat ik een bocht om was geslagen. Ik begon te zingen. Ik hield van het geluid van mijn stem en het vibrerende gevoel in mijn borstkas. Mijn hoofd was licht en ik voelde me gelukkig. Ik was niet langer bang. De kleine *chevalier* had op zijn zwaard leren vertrouwen. Doordat ik helemaal opging in mijn spel, merkte ik niet dat de zon aan de kim steeds verder zakte en de zee omtoverde in gesmolten koper.

Toen ik uiteindelijk terugkeerde bij ons plekje, wachtte me een onthutsende aanblik en ik verstopte me achter de rotsen om toe te kijken. Coyote was mijn moeder aan het zoenen. Ze lagen op het kleed, met hun armen om elkaar heen, en drukten hun gezichten teder tegen elkaar. Het leek helemaal niet op Yvette en Jacques Reynard; het had niets beestachtigs, geen gehops en gezwoeg. Ze lagen elkaar alleen maar kusjes te geven, te lachen, te kletsen en elkaar te strelen.

Mijn hart zwol van vreugde. Nu ze hadden gezoend, zouden ze

vast ook wel gaan trouwen. Ik herinnerde me Coyotes opmerking dat hij ons hiervandaan zou halen. Misschien als de wind omsloeg.

14

IK WAS ALTIJD DOL GEWEEST OP DE DRUIVENPLUK. NU KEEK IK
er meer dan ooit naar uit. Ik verstopte me altijd met Pistou en keek
dan toe hoe de plukkers heen en weer dwaalden tussen de keurige rij-
en wijnstokken, terwijl ze geleidelijk aan hun manden vulden met
druiven. Als die vol waren, werden ze met ossenwagens onder enorme luifels gebracht, waar ze beschermd waren tegen de wind en regen van de herfst. We begluurden de meisjes, hun jurken tot hun heupen opgetrokken, terwijl ze met hun voeten de druiven persten, hun
blote benen bruin en glad. We keken graag naar de festijnen in de
schuur: de *pâtés*, de gigantische terrines met soep en kannen wijn die
op rood-wit geblokte tafelkleden werden uitgestald. Monsieur en
Madame Duval zaten als een koning en koningin aan het hoofd van
die tafels. Er werd gedanst, gekletst en gelachen. Alleen Jacques Reynard zag er verdrietig uit, als een bruin herfstblad dat in een ver-
dwaald hoekje was gewaaid. Zijn verdriet werd aangezien voor chagrijn, maar wat begrepen ze hem verkeerd. Hij hield van de velden en
de wijnstokken. Zijn laarzen lieten in de aarde diepe sporen achter,
zoals die van zijn overgrootvader hadden gedaan. Hij maakte net zo
goed deel uit van het château als de anderen. Toen ik mijn moeder
vroeg waarom hij altijd zo treurig keek, gaf ze me alleen maar een aai
over mijn bol en zei teder: 'Sommige mensen komen nooit over de
oorlog heen, lieverd. Je bent nog te klein om dat te begrijpen.'
Jacques Reynard was altijd aardig voor mijn moeder en mij geweest. Tussen ons drieën bestond een stilzwijgende band. Ik had
mijn moeder nog nooit tegen hem horen klagen over Madame Duvals hooghartigheid of over hoe iedereen mij als uitschot behandelde. Ze spraken nooit over de oorlog, mijn vader, de Duitse bezetting
van het château, of over de familie die daar ooit had gewoond. Het
was net alsof het allemaal te pijnlijk was om aan terug te denken.
Maar de blik in zijn ogen was teder en liep over van medeleven. Hij

stuurde me nooit weg wanneer ik mijn hulp kwam aanbieden, maar gaf me klusjes te doen, die ik met veel gevoel voor verantwoordelijkheid voor hem uitvoerde. Werken voor Jacques Reynard maakte me trots, terwijl ik me als ik karweitjes in de keuken deed, onder het toeziend oog van Armande en Pierre, waardeloos en leeg voelde.

Sinds Coyote er was had ik Jacques amper gezien. Wij hadden het te druk gehad met 'Laredo' zingen en hij had al zijn aandacht bij de voorbereidingen voor de druivenpluk. Ik ging hem opzoeken in de werkplaats. Hij zat op een blok hout een groot wiel te repareren. Zijn alpino bedekte zijn kale hoofd, waardoor je alleen het haar aan de zijkanten en de achterkant zag, dat ooit rood was geweest maar nu steeds grijzer werd, zodat het leek alsof hij een volle kop met haar had. Zijn snor wipte op en neer terwijl hij, spijkers in het hout hamerend, met zijn tanden knarste. Hij droeg dezelfde donkerbruine broek, hetzelfde moleskin jasje en witte hemd als altijd, de mouwen opgerold zodat je zijn sterke bruine armen en vaardige handen zag. Toen hij me in de deuropening zag staan, brak er op zijn sombere gezicht een brede glimlach door.

'*Bonjour*, Monsieur Reynard,' zei ik, ook met een glimlach.

'Dus het is waar?' antwoordde hij, en hij liet zijn hamer op zijn knie rusten. Ik knikte. Zijn ogen twinkelden ondeugend. 'Nu ben je een heilige. Sint-Mischa.' Hij haalde zijn schouders op. 'Klinkt goed.'

Met mijn handen in mijn zakken slenterde ik naar binnen. Tegenover hem kon ik niet doen alsof. 'Maar een wonder is het niet,' zei ik schaapachtig, terwijl ik mijn lok over mijn voorhoofd liet vallen.'

'Als het geen wonder is, wat is het dan wel?'

'Coyote.'

'Wie?'

Verrast keek ik hem aan. Hij had toch zeker wel van Coyote gehoord? Iedereen had het over hem. 'De Amerikaan.'

'Noemen ze God tegenwoordig zo?' Hij grinnikte en pakte een moer en een bout op. 'Het lijkt me in elk geval wel beter dan Abel-Louis.'

'Coyote is God niet. Maar hij kan wel toveren.'

'O ja?'

'De wind heeft hem hiernaartoe gebracht, ziet u. Sinds hij er is, is alles ten goede gekeerd.' Ik probeerde het uit te leggen, maar ik kon wel zien dat hij me niet geloofde. Had hij de verandering bij Yvette dan niet opgemerkt?

'Mooi zo. Dan krijgen we vast een overvloedige oogst.'

'Ik heb tegen Madame Duval gezegd dat ik Jezus heb gezien.' Nu keek hij me geamuseerd aan, terwijl hij de bout heen en weer rolde tussen zijn met olie bevlekte vingers.

'En wat zei ze?'

'Ze barstte in tranen uit,' antwoordde ik met een trotse grijns. 'Ze vroeg me of ik haar wilde vergeven.'

'Vergeving zal haar niet redden van de verdoemenis,' mompelde hij. 'Soms is vergeving niet genoeg!'

'Père Abel-Louis heeft *maman* uitgenodigd ter communie te gaan.'

Hij schudde zijn hoofd. 'Dat zal best. Maar je moeder weigerde zeker?'

'Ja, inderdaad.'

'Waarom zou ze van die goddeloze vent ook maar iets aannemen? Na alles wat hij heeft gedaan zou hij zich diep moeten schamen.' Met de rug van zijn hand wreef hij over zijn voorhoofd, zodat daar een smeer vet op achterbleef. 'Ik wil wedden dat hij jou om de hals is gevallen als de verloren zoon. Ja, het zou echt iets voor hem zijn om zo'n wonder aan te grijpen om dat stelletje stommelingen nog meer in zijn greep te krijgen. Je moeder zou er goed aan doen niet meer naar de kerk te gaan. Dat heb ik haar jaren geleden al gezegd, nadat, nadat...' Hij haalde diep adem en zijn gezicht kreeg de kleur van een oude blauwe plek. 'Maar ze is een koppig typje, die moeder van je. Volgens mij gaat ze alleen maar naar de mis om hem te pesten. Jouw moeder is voor niemand bang.' Hij hield mijn blik een hele poos gevangen en voegde er toen op vriendelijker toon aan toe: 'Je vader was een beste kerel, Mischa. Laat je door niemand iets anders wijsmaken.'

In mijn broekzak draaide ik het rubberen balletje met mijn vingers om en om.

'Denkt u dat het een wonder is?' vroeg ik.

'Wie weet.' Hij haalde zijn schouders op en plukte aan zijn snor. 'De liefde is een wonderlijk iets. Dat je stem is teruggekomen is ook een wonder, want dat is te danken aan de liefde van je moeder. Zie je, Mischa, je bent hem nooit echt kwijt geweest; hij was alleen bevroren, als een zaadje in de winter. Als je dat genoeg zonlicht en water geeft, kan het groeien.'

'Iedereen wil me aanraken, omdat ze denken dat dat geluk brengt.'

'Ze leven hier nog in de middeleeuwen. Stelletje primitievelingen. Als ik jou was, zou ik er alles uit halen wat erin zit. Dat komt je toe. Ze kunnen allemaal de pot op!'

'Bent u ooit verliefd geweest?' vroeg ik opeens, en toen bloosde ik. Ik was er nog niet aan gewend om mijn mond in bedwang te houden. Ik dacht aan Yvette, maar Jacques Reynard kennelijk niet. 'Ik heb eens van een meisje gehouden, maar zij hield niet van mij. Ik dacht dat dat niet erg was, omdat ik wel liefde genoeg voor twee in me had. Ze gaat vanzelf wel van me houden, dacht ik. Dat zal ze op haar manier ook best hebben gedaan, maar het was niet genoeg.'

'Wat gebeurde er dan?'

'Ze werd verliefd op iemand anders. Het punt met liefde is dat je die niet net zoals een kraan kunt dichtdraaien.' Hij kreeg een dromerige blik in zijn ogen en met zachtere stem voegde hij eraan toe: 'Ik zal altijd van haar blijven houden. Ondanks alles. Dat zal nooit veranderen. Want ik kan niet anders.' Hulpeloos haalde hij zijn schouders op, alsof hij zich van zijn eigen dwaasheid bewust was.

'Waar is ze nu?'

'Het was lang geleden,' zei hij met een zucht. 'Ze is nu een herinnering. Trouwens, er bestaan een heleboel manieren om van iemand te houden. Dat heb ik in de loop der tijd wel geleerd.' Ik wilde hem naar Yvette vragen, maar vermoedde dat dat te ver zou gaan.

Hij stond op, met het wiel in zijn hand. 'Hé, luiwammes, sta daar niet zo te niksen. Help me eens dit wiel aan de kar te zetten, anders mogen we straks zelf de vaten naar de schuren dragen.'

De rest van de ochtend hielp ik Jacques Reynard. Ik was graag bij hem. Bij hem voelde ik geen behoefte om iets te zeggen, ook al had ik dat nu gekund.

Na een picknicklunch met mijn moeder en Coyote bij de rivier liet ik hen alleen en zocht de Fazanten op. Ik trof Daphne in haar eentje met Rex aan op het terras. Ze zag er verdrietig uit.

'Dag mevrouw Halifax,' zei ik terwijl ik over het gras naar haar toe gelopen kwam. Haar gezicht lichtte op, zoals een zonnebloem zich naar de zon keert.

'Lieve jongen, is het echt waar wat ze allemaal zeggen? Je bent een wandelend wonder. God zij geprezen.'

'Waarom zit u hier zo alleen?'

'Lieve help, je spreekt Engels, en we dachten nog wel dat je ons nooit begreep. Wat hebben we allemaal wel niet gezegd?' Ze kleurde, maar bleef glimlachen. 'Kom eens bij Rex en mij zitten. Nu kunnen we tenminste fatsoenlijk met elkaar praten. Hoe kan het dat je Engels spreekt, jongeman?'

'Mijn grootvader was een Ier. Mijn ouders spraken samen Engels.' Ik haalde mijn schouders op. 'Ik geloof dat ik het gewoon heb opgepikt.'
'Slimme jongen. Ik heb altijd wel geweten dat je slim was. Had ik dat niet al gezegd? En ik zie dat je je niet langer schuilhoudt?'
'Madame Duval denkt dat God me heeft aangeraakt. Ze is nu bang voor me.'
Daphne grinnikte. 'Ik heb haar nooit gemogen,' zei ze zachtjes. 'Een kille vrouw. Geen aardig mens. Helemaal niet aardig.'
'Waarom zit u niet te schilderen?'
'Vandaag heb ik daar niet zo'n zin in.' Ze slaakte een diepe zucht.
'Bent u verdrietig?'
'Een beetje. Kun je dat aan me zien?'
'Nu ziet u er niet verdrietig uit.'
'Dat ben ik ook niet. Ik heb jou om mee te praten, Mischa. Ik heb je altijd graag gemogen. Maar dat weet je wel, toch?'
Ik knikte. 'Ik heb u ook altijd graag gemogen, en Rex ook. Ik kijk graag naar uw schoenen.' Ze stak een voet naar voren en bewoog hem heen en weer.
'Op deze ben ik heel dol.' Ze droeg roodfluwelen schoenen met een grote roze strik op de neus. 'Rood en roze vind ik een mooie combinatie. Heel apart.'
'Als u zulke schoenen aanhebt, kunt u niet verdrietig zijn.'
'Dat zou je wel denken, hè? Maar toch…' Ze kreeg weer een melancholieke blik in haar ogen. 'Morgen vertrekken we,' vervolgde ze op kalme toon, uitkijkend over het gras, haar blik verloren tussen de wijnstokken. 'Maar ik wil helemaal niet weg.'
Opeens kreeg ik het gevoel dat me iets afgenomen werd. 'Ik wil niet dat u weggaat!' riep ik geheel naar waarheid uit. 'Móét u weg?'
'Ik vrees dat we hier niet eeuwig kunnen blijven, lieverd. We zijn hier al weken. Trouwens, het is kostbaar. In Engeland is het een saaie boel. Alles is nog steeds op de bon, in Londen is het een treurige bedoening, en de stad staat voor een deel nog maar amper overeind. Ik woon dan wel niet in het centrum, maar toch breekt het mijn hart. Er zijn zo veel mensen omgekomen, er wordt zo veel gerouwd. Terwijl het hier zo groen en zo zonnig is, en zo lekker ruikt. Als je op deze betoverende plek bent, vergeet je dat allemaal.'
'Hebt u kinderen?' Ik weet niet waarom ik dat vroeg, maar ik flapte het er ineens uit.
Ze draaide zich naar me toe. Door die simpele vraag leek ze ineens jaren ouder geworden. Haar gezicht zakte in, zodat haar

122

wangen zwaar en vaal leken, en de wallen onder haar ogen leken ineens dikker. 'Ik heb een zoontje gehad zoals jij, Mischa,' antwoordde ze.

'Wat is er met hem gebeurd?' Mijn stem was een fluistering, want ik voelde al voordat ze antwoord gaf dat het met hem tragisch was afgelopen.

'Hij had polio, de arme ziel. Hij was helemaal verlamd. Ik heb hem maar kort bij me mogen houden. Toen overleed hij. Zie je, hij was zo bijzonder dat God hem graag terug wilde hebben. Ik smeekte of hij nog wat langer bij me mocht blijven, maar die wens werd niet vervuld. Ik draag hem hier bij me.' Ze drukte haar oude hand tegen haar borst en glimlachte krampachtig. Maar haar ogen bleven dof van verdriet. 'Hij zit voor altijd hier.'

Ik raakte haar hand aan. Die trilde. Ze drukte de mijne. 'Jij bent een heel bijzondere kleine jongen, Mischa. Jij bent niet zoals de anderen. Je bent volwassen voor je leeftijd. Het idee dat je nog maar zes bent! Net als jij was George enig kind. Bill en ik wilden nog wel meer kinderen hebben, maar dat heeft niet zo mogen zijn. De tijd heelt alle wonden, zeggen ze. Ik ben oud, het is allemaal lang geleden gebeurd. Ik heb geen kinderen of kleinkinderen, maar toch ben ik moeder. Er gaat geen dag voorbij dat ik niet aan hem denk.'

'Wat was hij voor iemand?' Ik hield nog steeds haar hand vast en zij trok de hare niet terug uit mijn greep.

'Hij was blond, net als jij, en knap.' Haar huid herkreeg zijn veerkracht en ze zag er weer blij uit. 'Hij had ogen zo bruin als sherry. Ze leken wel van goud. Hij was een ondeugd. Hij mocht graag een balletje trappen. Bill en George hebben heel wat keren samen in onze tuin gevoetbald. Ze konden het uitstekend met elkaar vinden. Natuurlijk was hij verlamd, dus kon hij niet met de andere kinderen spelen, maar Bill speelde met hem. Bill was zijn grote vriend. Toen ik hem een keer vroeg of hij het erg vond dat hij geen vriendjes had, schonk hij me een stralende glimlach en antwoordde dat hij die wel degelijk had. "Papa is mijn vriend," zei hij. Dat was heel ontroerend.'

'Wacht Bill op u in Engeland? Moet u daarom naar huis?' Ik wilde dolgraag dat ze zou blijven.

'Nee, lieverd, een paar jaar geleden is Bill overleden. Hij is nu bij George. Dat is een hele troost voor me. Ze voetballen nu samen en George is fit en gezond.' Ze maakte haar hand los uit de mijne en streek ermee over mijn gezicht. 'Ik heb Rex en mijn vriendinnen. Ik ben niet alleen, godzijdank. Maar jou zal ik missen, Mischa. Ik zal je heel erg missen.'

'Ik zal u ook missen, mevrouw Halifax.'

'Goeie god, kind, zeg toch Daphne. Als je me "mevrouw Halifax" noemt, voel ik me verschrikkelijk oud.'

15

DE VOLGENDE OCHTEND GING IK NAAR SCHOOL. IK LIEP ERNAARtoe met mijn moeder, apetrots in mijn nieuwe blauwe jak. Ik hield niet haar hand vast, maar stapte naast haar voort met mijn handen langs mijn zij, terwijl mijn vingers met het rubberen balletje speelden dat ik altijd bij wijze van troost bij me droeg. Mijn hart hamerde net zoals wanneer we 's zondags naar de kerk gingen. Nu waren we meer dan ooit een bezienswaardigheid. Ik was een wonder. Voor velen vormde ik het levende bewijs dat God bestond. De ogen die naar me gluurden vanachter kanten gordijnen straalden nu dankbaarheid uit in plaats van boosaardigheid. Jezus had hun op een directere manier geleerd dat ze moesten vergeven dan welke preek van Père Abel-Louis ook maar zou kunnen. Een oude man die in het bleke ochtendlicht op een bankje aan zijn pijp zat te lurken, knikte naar me toen ik langsliep, en een paar in het zwart geklede oude vrouwen sloegen een kruisje voordat ze zich weer als kraaien terugtrokken in de schaduwen, terwijl ze zekerder wisten dan ooit dat wanneer de Dood zou komen, die hen naar een plek zou voeren waar het leven beter was.

Kleine kinderen staan niet stil bij de dood. Zij hoeven geen wonderen te zien gebeuren om ervan overtuigd te raken dat er een hogere macht bestaat; instinctief weten ze dat dat zo is. Ze volgen het voorbeeld dat de priester hun stelt niet op en trekken zich vaak niets aan van het voorbeeld dat hun ouders geven. Ze luisteren naar elkaar, en wie in de groep het sterkst is, bepaalt wat er gebeurt. Ze staan niet stil bij wreedheid; ook dat is een instinct – de wet van de jungle regeert. Van zwakheid moeten ze niets hebben; de sterksten overleven en types zoals ik, die anders zijn, worden uitgestoten en belasterd. Ik herinnerde me nog goed dat ik met hen had gespeeld op het plein en hoopte dat mijn relatie met Coyote me tegen hun wreedheid zou beschermen.

Mijn moeder maakte zich zorgen, merkte ik. Ze had de hele ochtend al rondgelopen met een frons op haar voorhoofd. De huid tussen haar wenkbrauwen was samengetrokken, zodat ze iets bozigs had gekregen. Maar ik wist dat ze niet boos was. Sinds mijn stem was teruggekeerd, verkeerde ze de hele tijd in verwarring. Ze was gelovig. In haar ogen was het, net als voor de rest van de kerkgemeenschap, een wonder van God geweest. Daar had ze geen probleem mee. Ik had haar op haar knieën naast haar bed zien zitten, terwijl ze God onverstaanbaar mompelend en met stille tranen keer op keer had gedankt. Nee, waar ze moeite mee had, was dat mensen ineens anders tegen ons deden. Voorheen was ze gelukkiger geweest, toen ze had geweten wat ze kon verwachten. Ze was verontwaardigd. Volgens haar hadden ze ons om te beginnen al niet zo moeten mishandelen. Ze zou nooit vergeten wat er in die zomer van 1944 was gebeurd en zou het hun zeker niet vergeven.

We hielden halt bij het hek van de school en ze hurkte neer om de plooien uit mijn jak te strijken. 'Het gaat vast goed,' stelde ze me gerust, en ze drukte een kus op mijn wang. 'Je gaat een heleboel dingen leren, en je bent tegenover hen al in het voordeel omdat je Engels spreekt.'

'Maak je over mij maar geen zorgen, *maman*. Ik kan wel op mezelf passen.'

'Dat weet ik wel,' antwoordde ze, en er brak een trotse glimlach door op het plechtige masker van haar gezicht. 'Jij bent mijn *chevalier*.' Het viel me op dat ze het woord 'kleine' wegliet.

Ik zette me schrap en liep met de andere kinderen naar binnen. Niemand zei iets tegen me, maar ze staarden me allemaal schaamteloos aan, zoals kinderen zo goed kunnen. Ik voelde me naakt, als een vis die zich ineens buiten de veiligheid van het koraalrif in de grote open zee bevindt, zonder plekje om zich te verstoppen. Opeens wees een lerares naar me en ze haastte zich naar me toe.

'Mischa,' zei ze vriendelijk, 'kom maar met me mee.' Ze had steil bruin haar en diepgouden ogen, en haar glimlach was breed en oprecht. 'Dit wordt je eerste dag, knul. Je zult wel heel zenuwachtig zijn. Maar dat hoeft niet, hoor. Ik ben Mademoiselle Rosnay en ik ben je juf.' Ze legde haar hand op mijn rug en leidde me dwars door de lawaaiige zwerm kinderen heen een klaslokaal binnen. Daar stonden rijen houten tafeltjes en een schoolbord; er waren tekeningen van de leerlingen aan de muur geprikt, en het rook er sterk naar een ontsmettingsmiddel. Bij een tafeltje hing een groepje jongens rond die speelden met een jojo. Toen ik binnenkwam, staakten ze hun spel en draaiden zich naar me toe. Er daalde een stilte neer over het lokaal.

'Mischa!' Ik herkende haar stem onmiddellijk en een golf van opluchting sloeg door me heen.

'Claudine!'

'Ah, je hebt al een vriendinnetje. Mooi zo,' zei Mademoiselle Rosnay.

'Je komt bij mij in de klas!' riep ze opgetogen uit. 'Ik zal wel op hem letten, Mademoiselle Rosnay. Is dat goed?'

'Nou, natuurlijk is dat goed,' antwoordde Mademoiselle Rosnay, die me mijn tafeltje wees. 'Dit wordt jouw plek,' zei ze. Het tafeltje zag er afgesleten uit en zat vol inktvlekken en krassen die vorige generaties kinderen in het hout hadden achtergelaten, maar het was van mij. Ik voelde een golf van trots: dit was mijn eigen tafeltje, mijn plekje in de school, zoals iedereen een eigen plekje had. Ik borg de pennendoos die mijn moeder me had gegeven netjes onder het blad weg en sloot het deksel.

'Ik ben zo blij dat je je stem terug hebt,' zei Claudine, en ze raakte mijn arm aan. 'Ik wist wel dat dat zou gebeuren.'

'Het voelt een beetje vreemd,' antwoordde ik, wat niet waar was, maar de hele situatie was overrompelend. Ik wist niet precies wat ik moest zeggen.

'Dat geloof ik graag. *Le curéton* wist niet hoe hij het had. Hij trok helemaal wit weg, en toen werd hij blauw en daarna grijs en ten slotte roze. Dat afgrijselijke zweterige roze dat naar alcohol stinkt. Iedereen heeft het erover. Je bent een heilige, Mischa. Weet je, mijn moeder zegt dat je me als ik je aanraak geluk zult brengen – ze is wél omgeslagen!'

'Bedoel je dat ze het nu niet erg meer vindt als we vrienden zijn?'

'Helemaal niet. Daar moedigt ze me zelfs toe aan. Ik moet je zo vaak mogelijk aanraken en dan zullen er geweldige dingen gebeuren.'

Ik keek haar samenzweerderig aan. 'Dat denk ik niet,' fluisterde ik. 'Ik ben niet echt een heilige.'

'Dat geeft niet, hoor,' zei ze met een grijns. 'Ik heb je liever zoals je bent. Heiligen zijn toch maar saai. Maar goed, zal ik je voorstellen aan de anderen?' opperde ze, zwaaiend naar het groepje jongens.

Op hun hoede kwamen ze naar ons toe, mij aankijkend vanachter lange lokken die over hun voorhoofd vielen, hun handen in hun zak.

'Dus jij bent een wonder?' zei er eentje.

'God heeft hem zijn stem teruggegeven,' zei Claudine. 'Hij heeft een visioen gehad – ja toch, Mischa?'

'Een visioen?' bauwde een ander haar na.

'Echt waar?' riepen ze uit.

'En wat zag je dan?'

Ze haalden hun handen uit hun zak, streken het haar uit hun gezicht en keken me met knipperende ogen bewonderend aan. Ik ging op het tafeltje zitten met mijn voeten op de stoel en vertelde hun wat ik Madame Duval had verteld. Ik overdreef nog wat meer vanwege het effect, aangemoedigd door de grote ogen en opengezakte monden. Claudine speelde zoals het een goede medeplichtige betaamt het spelletje van mijn leugen mee en moedigde me telkens aan verder te vertellen. Met z'n tweeën hielden we de hele boel voor de gek, en niet zo'n beetje ook. Ik genoot van het gevoel van vriendschap en van het warme zwellen van mijn hart dat daarmee gepaard ging.

Er kwamen een paar meisjes op ons af, die het verhaal-uit-de-eerste-hand niet wilden missen. Hun ouders hadden het sinds de kerkdienst van de vorige ochtend over niets anders meer gehad en ze wilden het me graag zelf horen vertellen. Ik herhaalde het voor de tweede keer. Inmiddels was ik er zelf bijna in gaan geloven. Ze bestookten me met vragen: hoe had Jezus eruitgezien? Had ik God met eigen ogen aanschouwd? Had mijn vader een uniform gedragen? Hoe was het in de hemel? Ik deed mijn uiterste best ze te beantwoorden, waarbij ik zwaar leunde op wat mijn moeder me had verteld en op de vrome prenten die ik in de kerk had gezien. Mijn antwoorden moeten hen tevreden hebben gesteld, want toen Mademoiselle Rosnay in haar handen klapte – het teken dat iedereen naar zijn eigen tafeltje moest gaan – klopten ze me allemaal op de rug.

'*Bonjour, tout le monde,*' zei ze, voor haar tafel staand.

'*Bonjour, Mademoiselle Rosnay,*' riepen we allemaal in koor. Ik deed de andere kinderen na en ging zitten. Claudine, die aan het tafeltje naast me zat, schonk me een brede glimlach. Ik merkte op dat het tafeltje aan haar andere kant onbezet was gebleven.

'Hierbij wil ik de nieuwste leerling in onze klas, Mischa Fontaine, welkom heten. Ik vraag jullie allemaal hem zo veel mogelijk te helpen, zodat hij hier snel gewend zal raken.'

Ik voelde me dolgelukkig. Claudine was er trots op dat ze mijn vriendinnetje was en ik had de rest van de klas al voor me gewon-

nen. Mijn heiligheid had me heel wat opgeleverd. Ik voelde me totaal niet schuldig dat ik over mijn visioen had gelogen; wie kon tenslotte met zekerheid zeggen dat God níet de hand had gehad in het
wonder? Misschien was God wel verantwoordelijk voor de wind en
dus ook voor Coyote. Trouwens, ik bewees Hem een dienst, want ik
sterkte de mensen in hun geloof, en dat was vast een goede zaak.
Ik wilde bovendien graag leren. Mijn moeder had me zo goed en
zo kwaad als het ging zelf onderwezen, maar niets haalde het bij een
echte school, en de opwinding dat ik nu echte boeken had en een juf
die dingen op het schoolbord schreef was bedwelmend.
Ik was net helemaal in de les verdiept, toen de deur openging.
Een groezelige jongen met donker haar en ernstige ogen kwam het
lokaal binnendrentelen. Mademoiselle Rosnay stond dit niet aan.
Ze zette haar handen in haar zij en kneep haar lippen op elkaar.
'Laurent, ik heb er schoon genoeg van dat je 's ochtends te laat
komt. Ofwel je zorgt dat je op tijd in mijn klas bent, ofwel je krijgt
straf.'
'Het spijt me,' zei hij met een schouderophalen. 'Er zijn problemen thuis.'
Mademoiselle schudde haar hoofd en slaakte een zucht. 'Dat is
geen excuus, en dat weet je best. Ga nu maar zo snel mogelijk zitten.'
Toen hij langs mijn tafeltje liep, keek hij nog eens goed. Ik herkende hem van die keer dat we op het plein hadden gespeeld. Hij
had me op mijn rug geklopt en gezegd: 'Wat kun jij rennen, zeg!'
Hij ging zitten en fluisterde iets tegen Claudine. Vanaf dat moment
hield ik hem vanuit mijn ooghoek in de gaten. Ik kon zijn aandacht
voelen. Maar anders dan bij de rest van de klas was die niet positief.
In de pauze verspreidden de kinderen zich over het schoolplein.
Claudine bleef bij mij, mijn trouwe samenzweerder, en fluisterde
me nog meer suggesties in om mijn verhaal te verfraaien. Het viel
me op dat Laurent zich op de achtergrond hield. Hij keek toe hoe
we naar buiten gingen, zijn voorhoofd in een broeierige frons. Maar
ik vergat hem algauw weer, want weldra werd ik omringd door kinderen die mijn verhaal nog niet hadden gehoord en anderen die het
nog eens wilden horen. Met het gemak van een acteur die helemaal
opgaat in zijn rol vertelde ik het opnieuw. Ik kende het script uit
mijn hoofd en had inmiddels geleerd wanneer ik voor het effect
pauzes moest inlassen.
Claudine trad op als mijn impresario; ze voelde het aan toen het
gesprek me begon te vermoeien en vroeg om een pauze. We renden

weg naar een trapje dat naar een klaslokaal leidde en gingen daar dicht naast elkaar op zitten, lachend om ons succes. 'Je bent briljant!' riep ze enthousiast uit. 'Ze eten uit je hand!'

'Het is niet allemáál onwaar,' zei ik, want ik wilde niet dat ze me als een grote leugenaar beschouwde.

'Dat weet ik ook wel. Maar het kan geen kwaad om er een schepje bovenop te doen. Je moet de waarheid een goed verhaal nooit laten bederven, zeg ik altijd maar.'

'Ik heb echt iets gevoeld,' zei ik, serieus nu. 'Ik heb weliswaar God of Jezus niet gezien, maar ik voelde wel degelijk dat ze er waren, en mijn vader ook. De kerk werd overspoeld met licht en er trok een tinteling door mijn hele lichaam. Dat is de waarheid. Die heb ik behalve aan jou tot nog toe aan niemand verteld.'

Ze glimlachte teder. 'Ik geloof je, Mischa. We kunnen lachen zo veel als we willen, maar feit is dat je je stem terug hebt. Zo'n wonder kan alleen van God afkomstig zijn, visioen of niet. Het doet er niet toe. Je kunt praten.' Ze haalde haar schouders op. 'Het doet er niet toe hoe dat zo is gekomen.'

'Ik geloof niet dat Laurent me erg aardig vindt,' zei ik, denkend aan zijn broeierige aanwezigheid in het lokaal.

'Hij is alleen maar jaloers. We hebben altijd alles samen gedaan, Laurent en ik. Nu is hij kwaad. Zijn ouders hebben altijd ruzie, omdat zijn vader er andere vrouwen op nahoudt.'

'Andere vrouwen?' Ze wist wel een heleboel voor een meisje van zeven.

'Hij is verliefd op Madame Bonchance – je weet wel, de vrouw van de kiosk.'

'Die met dat rode haar?'

Ze giechelde. 'Sinds ze met Laurents vader het bed deelt, maakt ze een hoop werk van zichzelf. Ze heeft nu steeds knalrode lippenstift op, haar haar zit in de krul, en ze verft een groene schaduw boven haar ogen. Het ziet er niet uit! Maar Laurents vader vindt het kennelijk mooi.' Ik dacht aan Yvette en Jacques Reynard: nog zo'n onwaarschijnlijk stel.

Toen we weer terug waren in de klas, was het gezicht van Laurent helemaal betrokken, alsof hij de hele pauze over Claudines nieuwe vriendschap had zitten piekeren. Ik negeerde hem en beantwoordde nog meer vragen over de hemel en over God. Opeens kwam hij recht voor me staan. 'Je mag dan zijn aangeraakt door God,' beet hij me toe, 'maar toch is jouw vader nog steeds een nazizwijn.'

Er daalde een stilte over het vertrek neer. Claudine maakte aanstalten tussenbeide te komen. Haar bleke gezicht gaf me het zelfvertrouwen mijn zwaard te trekken. Ik rechtte eveneens mijn schouders en maakte mezelf lang, hoewel ik niet zo lang was als Laurent. 'Weet je waarom mijn vader geen echte nazi was? Omdat nazizijn iets is wat in je hoofd zit en niets te maken heeft met uit welk land je komt,' antwoordde ik zo hooghartig als ik kon. 'Jij, Laurent, bent dan misschien wel een Fransman, maar jij bent meer nazi dan hij.'

Ik voelde mijn wangen rood worden bij dit spitsvondige antwoord. Ik wist niet waar ik de woorden vandaan haalde of wat ze eigenlijk precies betekenden, maar ze klonken goed. Aan zijn reactie te zien vond hij dat ook. Hij trok zich terug, met ogen die zwart zagen van woede. Claudine keerde zich naar hem toe.

'Hoe durf je zulke dingen over Mischa te zeggen, Laurent! Ik dacht dat jij een fatsoenlijke jongen was, maar je bent al net zo bevooroordeeld als je ouders!'

Toen Mademoiselle Rosnay binnenkwam, keerden we allemaal naar ons tafeltje terug – ik met een rode blos vanwege de overwinning en Laurent met een gebogen hoofd van schaamte.

Die middag trok de wind aan. De bladeren werden van de bomen gescheurd, wervelden rond in de lucht en dwarrelden hulpeloos tollend neer. Ik zei niets meer tegen Laurent en Claudine negeerde hem, wat haar moeite kostte, want ze werd er stil en verdrietig van. Aan het eind van de dag keerde ik terug naar huis, maar de smaak van de overwinning proefde nu bitter op mijn tong. Ik vertelde mijn moeder over Mademoiselle Rosnay en Claudine, maar niet over mijn opschepperij of mijn woordenwisseling met Laurent.

Tegen de avond was de wind aangezwollen tot een storm. De regen gutste neer en spetterde op de grond, zodat er grote plassen in de modder ontstonden. Mijn moeder dacht aan Jacques Reynard en aan de druivenpluk, die al over een week zou plaatsvinden. Ik dacht aan Coyote. Had niet net zo'n storm hem naar Château Lecrusse gevoerd? Als mijn grootmoeder gelijk had, zou de wind hem nu misschien ook weer wegvoeren. Ik voelde me niet op mijn gemak: ik wilde niet bijgelovig zijn, maar durfde de tekenen ook weer niet goed te negeren.

Ik lag wakker in mijn bed, terwijl de ademhaling van mijn moeder zacht en regelmatig klonk tegen de achtergrond van rammelende ramen en schuddend glas. De wind huilde als een van Jacques Reynards wolven. Ik kroop dieper weg onder de deken en trok die over mijn hoofd. Ik viel in een onrustige slaap. Beelden van Laurent kwamen op in mijn gedachten, die botsten met beelden van Claudine, Madame Duval en Yvette. Toen verdwenen ze en begon mijn nachtmerrie weer, die me inmiddels zo vertrouwd was dat ik ook terwijl ik nog droomde wist dat het niet echt was. Maar dat maakte het er niet minder angstaanjagend op. Dezelfde gezichten, dezelfde haat, dezelfde angst, alleen was het einde ditmaal anders...

Opeens verschijnt er een man ten tonele en wijkt de menigte uiteen. Hij draagt een uniform dat ik nog niet eerder heb gezien. Het is groen, de kleur van olijven. Hij trekt zijn hemd uit en legt het om mijn moeders schouders. 'Jullie moeten je schamen, om je zo tegen je eigen volk te keren!' roept hij, maar ze horen hem niet. Vervolgens legt hij een hand op mijn hoofd. 'Met jou komt alles in orde, hoor, jongen.' Ik kijk op naar zijn gezicht. Hij glimlacht me vriendelijk toe; zijn ogen zijn aquamarijnen tegen het donkere bruin van zijn huid, en hij woelt door mijn haar. 'Het is in orde, Junior,' herhaalt hij. 'Met jou komt het dik in orde.'

Naar adem happend deed ik mijn ogen open. Mijn moeder lag nog steeds naast me te slapen, een blos op haar gezicht, en een klein glimlachje verried waar ze over droomde. Ik glipte het bed uit en ging mijn kleren zoeken. Het licht in de hal brandde, maar ik kon niets vinden. Toen ik een la opendeed, stelde ik verbijsterd vast dat er niets in zat. Ik krabde me op het hoofd en probeerde na te denken. Ik dacht niet dat ik nog droomde. Ik raakte in de war. Ten slotte bleef me niets anders over dan mijn jas en laarzen over mijn pyjama heen aan te trekken. Nog steeds versuft en gedesoriënteerd stommelde ik de trap af en ging dwars door de storm op weg naar het château. Ik wist niet hoe ik Coyote moest vinden, maar ik moest hem vertellen dat hij niet bij ons weg mocht gaan. Ik trok mijn jas om mijn schouders en drukte mijn kin tegen mijn borst. De regen maakte mijn hoofd in een mum van tijd kletsnat en sijpelde als koude vingers over mijn rug. Ik huiverde, knipperde de druppels van mijn wimpers en haastte me voort. Mijn gedachten schoten alle kanten op, mijn gevoel was helemaal verdoofd. Wat was er met mijn kleren gebeurd? Ik wist nog steeds niet helemaal zeker of ik nou droomde of niet.

Ik kwam bij de stenen muren van het château en bleef daar een poosje tegenaan geleund staan, met mijn rug naar de wind. Was Coyote hier in 1944 geweest, toen de Amerikanen Mauriac hadden bevrijd? Had híj mij gered van de woedende menigte? Was híj verantwoordelijk voor onze redding? Hadden mijn moeder en hij daardoor een band? Was dat de reden waarom hij Pistou kon zien, terwijl verder niemand dat kon: omdat hij écht kon toveren? Ik huiverde toen er weer een waterstraaltje langs mijn rug sijpelde. Ik moest het hotel binnen zien te komen. Ik moest hem vinden. Hij mocht niet weggaan zonder ons. De voordeur zat op slot en de luiken waren allemaal gesloten. Het was aardedonker. Af en toe dreven de wolken uiteen, zodat ik een glimp van de vollemaan opving, ver boven de storm verheven, zo ver dat de wind er geen vat op had. Ik wist dat als er een manier bestond om het château binnen te komen, die via de serre zou voeren. Toen de wolken openbraken haastte ik me naar de achterkant, door de buxustuin waar de kamer van Joy Springtoe op had uitgezien. Tegen de tijd dat ik bij de serre was aanbeland, was ik doornat en tot op het bot verkild. Ontnuchterd door de kou hurkte ik neer tegen het glas, mijn hoofd in mijn handen, terwijl ik me afvroeg wat ik moest doen – totdat ik het geluid hoorde van een spa die herhaaldelijk met kracht in de grond werd gedreven. Eerst dacht ik dat het de wind was die een los luik deed rammelen, maar hoe ingespannener ik luisterde, hoe duidelijker me werd dat er in de tuin iemand stond te spitten. Ik tuurde voor me uit het donker in, maar zag alleen pikzwarte nacht en neerplenzende regen. Ik hield mijn adem in en spitste mijn oren. Mijn hart hamerde zo hard dat het niet meeviel om daarbovenuit nog iets te horen. Het geluid bereikte mijn oren, hard en gewelddadig. Toen scheidden de wolken zich en heel even scheen de maan als een schijnwerper op de verste border helemaal achter in de tuin, tegen de muur, waar een man op zijn knieën in de aarde zat te scheppen. Vol afgrijzen hield ik mijn adem in, want mijn eerste gedachte was dat hij, nadat hij een moord had gepleegd, nu bezig was het lijk te begraven. Zodra het wolkendek zich weer aaneensloot maakte ik dat ik wegkwam, zo snel mijn trillende benen me konden dragen. Ik was doodsbang. Gedachten aan Coyote die er midden in de nacht vandoor ging vervaagden in het vuur van mijn angst. Het enige waar ik nu nog aan kon denken was hoe ik me zo snel mogelijk bij het château uit de voeten kon maken, voor het geval de moordenaar zag dat ik hem bespioneerde en mij ook zou vermoorden.

Ik bereikte de veiligheid van de stallen. Daar was het warm en rook het naar het citroenreukwater van mijn moeder, vermengd met de geur van dennenhout. Ik kleedde me uit en hing mijn pyjama in de badkamer te drogen. Vervolgens kroop ik naakt in bed en ging zo dicht mogelijk bij mijn moeder liggen zonder haar aan te raken. Naast haar was het warm en het duurde niet lang of ik dommelde in, te moe om me nog zorgen te maken over de moordenaar in de tuin.

Het was nog steeds donker, maar de regen was gestopt toen mijn moeder me wakker maakte. 'Ssst,' fluisterde ze. Ze was al aangekleed, haar haar naar achteren gespeld, en haar ogen schitterden van opwinding. Als ze mijn pyjama in de badkamer al had gezien, liet ze daar niets van merken. 'Je kleren liggen op de stoel. Vlug nu.'

'Waar gaan we naartoe?' vroeg ik.

'Naar Amerika,' antwoordde ze met een glimlach.

'Amerika?' herhaalde ik ongelovig. Het kon deze nacht niet nog gekker worden.

'Coyote zit te wachten in de auto. Niet praten nu, lieverd. Daar hebben we geen tijd voor.' In haar hand had ze een bruine envelop. Voordat ze hem in haar jaszak stak, zag ik nog net dat daar in haar zwierige handschrift de naam Jacques Reynard op stond.

Ik deed wat me gezegd was. Nu begreep ik waarom de laden leeg waren geweest. Ik keek om me heen: de kamer was kaal, alsof we er nooit waren geweest. Opeens sloeg er een golf van verdriet over me heen. Ik had nooit iets anders gekend dan Mauriac. De geest van mijn vader dwaalde door de gangen van Château Lecrusse. Soms hoorde ik zijn laarzen op de houten vloeren, het geluid van orkestmuziek uit de grammofoon, mijn moeders kabbelende lach terwijl hij met haar door de kamer danste. Mijn hart sloeg over bij de gedachte alle dingen waar ik thuis van hield te moeten achterlaten: de groene rijen wijnstokken, de druivenpluk, de ondergaande zon die de rivier goud kleurde, het uitzicht vanuit het tuinhuisje, Daphne Halifax, Jacques Reynard... Claudine. Er welde een dikke traan in mijn oog op, die over mijn wang omlaagbiggelde. 'Het geeft niet dat je verdrietig bent, lieverd,' zei mijn moeder, en ook in haar ogen blonken tranen. 'We gaan een groot avontuur tegemoet,' stelde ze me gerust. 'We trekken naar een ander land. We krijgen een kans om helemaal opnieuw te beginnen.'

'Maar papa dan?' piepte ik. Ik hoefde me niet nader te verklaren. Ze nam me in haar armen en drukte me dicht tegen zich aan.

'Papa is hier niet, Mischa. Hij is in de hemel.' Ze hield me voor haar, zodat ik haar gezicht kon zien. 'We dragen hem hier met ons mee, in ons hart. Hij zal altijd bij ons zijn, snap je? Ik hou nog altijd evenveel van hem. Van Coyote hou ik op een andere manier. Er bestaan een heleboel manieren om iemand lief te hebben, Mischa. Ons hart kan een heleboel liefde aan. Ooit komen we hier terug. Maar als we hier blijven, zullen we nooit loskomen van het verleden.' Ze liet een treurig lachje horen. 'Je bent nu een heilige, Mischa. Het valt niet mee om dat waar te maken. Ik geloof niet dat het eerlijk is om die last ook nog eens op je schouders te leggen. Kom, we moeten opschieten. Vertrouw mij maar: dit is de beste oplossing. De *chevalier* heeft zijn strijd geleverd, en hij heeft gewonnen. We zijn hier klaar.'

Deel 2

Mijn vrienden en familie
Die wonen in het land
Ze weten niet waar
Hun jongen heen is gegaan
Eerst kwam ik in Texas
En werkte bij een veeboer
Ik ben maar een arme cowboy
En ik weet dat ik het verkeerd heb gedaan

Laat iemand een brief voor me schrijven
Aan mijn moedertje met haar grijze haar
Dan aan mijn zuster
Mijn dierbare zuster
Maar er is nog iemand
Veel dierbaarder dan moeder
Die bitter zou wenen
Als ze wist dat ik hier zat.

16

New York, 1985

HULPELOOS STOND IK IN DE SNEEUW, ALSOF IK WEER EEN KLEINE jongen was. Ik krabde aan mijn kin, die stoppelig voelde doordat ik mijn baard had verwaarloosd, en staarde somber naar de grijze jassen die zich voorthaastten over de trottoirs. Ik had het idee dat ik Coyote opnieuw was kwijtgeraakt en mijn maag verkrampte van spijt. Waarom was hij teruggekomen? Waar had hij de afgelopen dertig jaar uitgehangen? Ik was kwaad op mezelf dat ik hem had laten gaan zonder hem de kans te geven zich nader te verklaren. Het leek wel of ik in die tijd altijd kwaad was; zelfs Stanley was op zijn hoede voor me, merkte ik. Esther was echter voor niemand bang. Ik schudde mijn hoofd, terwijl de wanhoop me als een boa constrictor zodanig in zijn greep kreeg dat ik moeite had met ademhalen. Ik stak mijn handen in mijn zakken en beende terug naar het kantoor, snikken onderdrukkend waar het allang te laat voor was.

De stad was ontwaakt. Geel-zwarte taxi's reden rammelend door de straten, druk toeterend, en spetterden de mensen die zich met hoeden op en laarzen aan naar hun werk haastten nat met waaiers van water uit de regenplassen. Zwervers lagen in hun kartonnen dozen nog steeds te slapen, hongerig en verkleumd, omdat ze zo veel mogelijk de drukte wilden vermijden. Ik vroeg me af of Coyote tot die onwaardige situatie was afgezakt. Hoe had hij zo diep kunnen zinken? Wat had ik graag aan het verleden willen vasthouden, maar de tijd had me meegevoerd als een rivier en ik had me genoodzaakt gezien het los te laten. Mijn jeugd in de Bordeaux was voor me verloren als een stroomopwaarts gelegen plaats waar ik nooit meer naar terug kon. De Coyote van wie ik had gehouden was er ook niet meer.

Toen ik bij de winkel kwam, was ik één brok chagrijn. Ik moet wel een afschrikwekkende aanblik hebben geboden: weerbarstig haar met een laag sneeuw erop, blauwe ogen die fonkelden van woede, mijn mond een grimmige streep in een grauw, ongeschoren gezicht, in elkaar gedoken en lomp. Stanley had de winkel geopend. Het belletje klingelde toen ik naar binnen ging. Hij keek op van zijn bureau en toen hij me zag, zag ik hem in elkaar krimpen.

'Goeiemorgen,' zei hij.

Ik gromde wat, beende langs hem heen en ging de trap naar mijn kantoor op. Ik vond het vreselijk dat mijn woede me zo in zijn greep had, maar kon er niets aan doen.

Achter mijn bureau bleef ik een hele tijd verbitterd voor me uit zitten staren naar de plek waar een uur tevoren Coyote nog had gezeten. Ik kon nog steeds de zoete geur van zijn Gauloise ruiken, en die riep herinneringen bij me op; de kamer kon net zo goed gevuld zijn geweest met pijnbomen en eucalyptussen en de vochtige geur van natte aarde na een regenbui.

Ik had de spullen van mijn moeder niet willen uitzoeken. Ik was bang geweest voor wat ik zou aantreffen, voor de herinneringen die ze zouden oproepen. Haar appartement zag er nog steeds zo uit als zij het had achtergelaten. Er was niets verplaatst, helemaal niets. Nu was Coyote teruggekeerd en had hij de zwachtels weggerukt die de wond in mijn hart hadden bedekt. Die was niet zo mooi geheeld als had gemoeten, maar was nog even rauw en pijnlijk als op de dag waarop hij was toegebracht. Ik besloot een dag vrij te nemen en haar spullen te gaan opruimen. Daar was geen beter moment voor dan nu, en hoe langer ik het voor me uit schoof, hoe langer de herinneringen zouden blijven etteren en hoe moeilijker het voor me zou worden over haar dood heen te komen.

Coyotes plotselinge verschijning had mijn nieuwsgierigheid gewekt. Mijn moeder had zelden over hem gesproken. Ze had alleen van tijd tot tijd opgemerkt dat hij ooit zou terugkomen. 'En als hij komt, lieverd, zal ik er voor hem zijn.' Eerst had ik dat geloofd, maar naarmate de jaren verstreken had ik het opgegeven en was mijn gekwetstheid omgeslagen in woede. Zij wilde per se dat er aan tafel altijd voor hem werd gedekt, als voor een wandelende jood, helemaal tot het einde aan toe, toen ze in haar eentje had zitten eten. Zie je, ze had de dood voelen naderen, als de wind die een tunnel in wordt gezogen wanneer de regen nabij is. Ze had het fluitje in de verte gehoord, klaar om haar mee te nemen naar de hemel waar ze zo sterk in geloofde. Ze at alleen, de tumor binnen in haar groeide en groeide, en ontnam haar tegelijk met haar levenskracht ook haar hoop.

Ik pakte mijn jas en ging naar beneden. Stanley was met een klant bezig en praatte met diepe stem over een zeventiende-eeuws Engels notenhouten bureau. Hij keek me over de rand van zijn bril heen aan, met een behoedzame uitdrukking op zijn gezicht. Esther zat, omringd door rommelige stapels papieren en boeken, aan het bureau; de hoorn van de telefoon ging helemaal schuil onder haar dichte bos grijze krullen. Toen ze me zag, hing ze op en begroette me met dezelfde hartelijkheid als elke morgen.

'Wat een prachtige dag!' riep ze enthousiast uit, zonder zich ook maar iets aan te trekken van mijn slechte humeur. 'Ik ben dol op sneeuw. Al van kleins af aan heb ik die altijd heerlijk gevonden.' Ze had een sterk New Jersey-accent, wat me deed denken aan het stadje Jupiter waar mijn moeder en ik na onze vlucht uit Frankrijk met Coyote waren gaan wonen. 'Heb je trek in koffie, Mischa? Je ziet er moe uit. Ik heb zo'n idee dat je niet best slaapt. Nadat mijn moeder was overleden, heb ik zelf een maand niet kunnen slapen. Ik schonk gin in mijn koffie om op de been te blijven.'

'Ik neem een dag vrij,' zei ik, terwijl ik mijn jas aantrok.

'Goed idee. Ga een stuk wandelen, geniet van de sneeuw, kijk naar de wereld, haal diep adem, bel een vriend op – dan voel je je straks vast een stuk beter.'

'Dank je.'

'Geen dank. Nergens knapt je humeur zo van op als van een stevige wandeling.'

'Wat ken je me toch goed,' zei ik om haar te plezieren, en ik voelde me schuldig omdat ik zo'n opgewekt iemand met mijn slechte humeur confronteerde.

'Nou en of,' antwoordde ze met een licht hoofdschudden. 'Mijn vader was een echte *schlemiel*. Er kon geen glimlachje af. Het leek wel of alle lasten van de wereld op zijn schouders rustten, en hij liep eeuwig en altijd rond met een gezicht dat grauw zag van somberheid en een blik in zijn ogen als van een hond die een schop had gekregen. Hij was zo chagrijnig als de pest en snauwde iedereen die hem probeerde op te vrolijken af. Ik ken jullie soort.'

'Dankjewel, Esther. Nu voel ik me een heel stuk beter.'

'Mooi zo, dat doet me deugd. Daarom kan ik elke dag mijn bed uit komen: omdat ik weet dat ik de wereld een beetje leuker kan maken.' Ik glimlachte, maar ze had het zonder ironie gezegd.

Het belletje klingelde toen ik de deur opendeed en de sneeuw in stapte. Was ik echt zo'n ouwe brompot als Esthers vader? Vanuit mijn ooghoek zag ik dat Zebedee, de klokkenmaker, op de stoep met de postbode stond te praten. Hij stak zijn hand op bij wijze van groet. Omdat ik niet de zuurpruim wilde uithangen, beantwoordde ik die door terug te zwaaien. 'Prachtige dag! Alleen jammer van de sneeuw!' zei hij grinnikend, en zijn bleke oogjes keken over de rand van het leesbrilletje dat op het puntje van zijn neus balanceerde. Als hij grinnikte, leek hij net een tuinkabouter. Zijn haar viel grijs en wollig om de achterkant en zijkanten van zijn hoofd, maar bovenop was hij kaal en zijn grote, vlezige oren piepten tussen zijn krullen uit. Ik keek hoe de sneeuwvlokken als veertjes neerdwarrelden op zijn kale kruin en smolten door de warmte van zijn huid.

'Wat had je vanochtend een vreemde bezoeker,' voegde hij me toe.

'Heb je hem gezien?'

'O, jazeker. In dit deel van de stad lopen veel te veel zwervers rond. Iemand zou er echt eens wat aan moeten doen, zeker met dit weer. Die arme stakkers vriezen nog dood.'

'Heb je hem wel eens eerder gezien?'

'Ik vind ze er allemaal hetzelfde uitzien.' Hij bedankte de postbode, die wegliep om zijn ronde te vervolgen.

'Heb je hem naar binnen zien gaan?'

'Ik ging ervan uit dat hij een sleutel had. Hij liet zichzelf binnen. Ik dacht dat hij misschien een Engelse aristocraat was. Die zien er allemaal uit als zwervers, heb ik me laten vertellen.'

'Hij heeft ingebroken, Zeb, hoewel ik daar geen enkel bewijs voor heb.'

'Asjemenou, zeg... Heeft hij iets meegenomen?'

Ik schudde mijn hoofd.

'Nou, dat mag dan wel een wonder heten.' Het was jaren geleden dat ik iemand dat had horen zeggen.

Het appartement van mijn moeder lag aan de Upper West Side. Toen ik binnenkwam, sprong Marcello, de portier, achter zijn bureau vandaan om me te omhelzen. 'Ik vind het zó erg,' riep hij tegen mijn borst, want hij was veel kleiner dan ik. 'Uw moeder was een goed mens, meneer Fontaine.'

'Dank je, Marcello,' antwoordde ik, terwijl ik weer een brok in mijn keel kreeg. Mijn moeder was een vrouw geworden met wie niet te spotten viel, maar ze had voor Marcello altijd een glimlach overgehad. Misschien deed hij haar aan Jacques Reynard denken; hij had hetzelfde rode haar en hetzelfde vriendelijke gezicht.

'Ik heb haar post voor u bewaard,' zei hij terwijl hij zich losmaakte en terugliep naar zijn bureau. 'Het is inmiddels een hele stapel. Een deel ervan is voor u, geloof ik. Condoleancebrieven, waarschijnlijk. Vandaag was de eerste dag dat er niets voor haar gekomen is. Het nieuws raakt bekend, nietwaar?'

'Dank je,' zei ik nogmaals, en ik pakte de stapel aan en liep naar de lift.

Ik kon het niet aan om haar post door te kijken. Nog niet, in elk geval. Dus legde ik die op het tafeltje in de hal. Het appartement rook nog steeds naar haar en naar de geurkaarsen die ze altijd had gebrand. De gordijnen waren gesloten, zodat het binnen donker en somber was. Het voelde stil en leeg aan, en deed me aan een crypte denken. Er was geen muziek, geen beweging, geen enkel leven; er stonden zelfs geen bloemen. Ik stelde me zo voor dat mijn moeder blij was geweest dat ze eruit had kunnen stappen. Ik kreeg niet het gevoel dat ze er nog was en het leven niet kon loslaten. Zij was weg en ik was alleen. Ik was een man van in de veertig en ik miste mijn moeder. We waren altijd met z'n tweeën geweest: *maman* en haar kleine *chevalier*. Nu was ik alleen over.

Ik dwaalde versuft door de kamers. Het verlies drukte zwaar op me en deed me nog meer gebogen lopen. Ze had niet van frutsels en franje gehouden. Ze was heel Frans gebleven, met een elegante en ingetogen smaak. De houten vloeren waren donker en geboend; de meubels waren voornamelijk Frans en Engels antiek, met bekleding in lichte, neutrale tinten. In de hoek van de woonkamer stond een kleine vleugel met keurige stapels zware, glimmende boeken over kunst en interieurs erop. Ze had pianogespeeld, hoewel ik niet wist in welke fase van haar leven ze les had genomen. Als de gordijnen niet waren dichtgetrokken, was het appartement licht en luchtig. Toen ze nog had geleefd, hadden lelies in hoge vazen en gardenia's in potten haar tuintje gevormd. Nu was het donker en was er geen tuin; alleen de geur van haar bloemen hing nog in de stille, roerloze lucht.

Elke centimeter van het appartement herinnerde me aan haar. Door haar afwezigheid leek de ruimte veel groter en op een merkwaardige manier niet vertrouwd. Ik merkte dingen op die me nog nooit eerder waren opgevallen: een ornament of schilderijtje, en ook dingen die ik me herinnerde van ons leven in Frankrijk, zoals het met tapisserie beklede voetenbankje dat mijn grootmoeder voor haar had gemaakt toen ze nog een meisje was. We waren met weinig bagage vertrokken, of dat had ik althans altijd gedacht, totdat ik op een koffer stuitte die op de ladekast in haar slaapkamer lag.

De koffer was niet groot, hoewel ik hem toen ik klein was wel groot had gevonden. Vroeger hadden er de jurken, hoeden en kousen in gezeten die mijn vader in de oorlog voor haar had gekocht. Ze had de koffer in de stallen bewaard en de kleren alleen gedragen als ze alleen was. Later, toen we naar Amerika waren verhuisd, had ze ze bewaard omdat het toen inmiddels heilige relieken waren geworden. Ze had ze kunnen aantrekken, maar dat deed ze nooit. Ze maakten deel uit van het hoofdstuk van haar leven dat mijn vader toebehoorde. Een hoofdstuk dat ze alleen bezocht in haar dromen, omdat ze haar leven aan Coyote had gewijd en opnieuw was begonnen. Dat hoofdstuk was afgesloten en ik durfde het niet goed weer op te slaan.

Ik zette de koffer op de grond. Ik maakte hem niet meteen open, maar ging eerst iets te drinken voor mezelf halen. Moeder had een kleine drankkast achter in de woonkamer. De kristallen karaffen stonden nog precies zo op de planken als zij ze had achtergelaten, en het oppervlak van de vloeistoffen glansde zilver en goud als in het laboratorium van een alchemist. Ik schonk mezelf een glas gin in en nam een handje pinda's uit het olijfgroene potje waarop hazewindhonden waren afgebeeld die over het Engelse platteland renden. Toen, gesterkt door de alcohol, ging ik op het tapijt in haar slaapkamer zitten en klapte het deksel van de koffer open.

Wat me het eerst opviel was de geur: citroen, vermengd met haar eigen unieke aroma. Mijn borst zwol van verdriet toen ik werd teruggevoerd naar mijn jeugd. Die geur had gestaan voor een toevluchtsoord, voor veiligheid en een thuisgevoel. In haar armen had ik die ingeademd en alles was goed geweest. Ik haalde een lichtgroene jurk van chiffon uit de koffer en drukte hem tegen mijn neus. Voor mijn geestesoog was ze een jonge vrouw, wier haar over haar schouders en haar rug golfde, met een huid zo zacht en glad als een bloemblaadje, terwijl haar jurk om haar benen danste als ze heupwiegend voortliep over het onverharde pad naar het château. Toen ze overleed, was ze in de zestig geweest. Haar ziekte had haar vlees weggevreten, zodat haar botten hadden uitgestoken en haar wangen waren ingevallen, waardoor ze veel ouder had geleken dan ze was. Maar haar ogen waren, hoewel haar blik hol was geworden, dezelfde gebleven: die van een meisje dat gevangenzat in een lichaam dat haar in de steek liet.

Ik legde de jurk op de grond. Er waren er nog vijf, en ze waren allemaal goed geconserveerd. Ik haalde een paar hoeden uit de koffer die ik nog nooit had gezien, evenals handschoenen en kousen, stuk voor stuk zorgvuldig in vloeipapier gewikkeld. Onder de kleren lagen wat oude boeken: *De graaf van Monte Christo* van Alexandre Dumas, *Nana* van Zola, een paar Engelse kinderboeken en een encyclopedie. Allemaal waren ze prachtig ingebonden. Ik vroeg me af of ze uit haar jeugd stamden, of cadeautjes waren van mijn vader. Alleen in de kinderboeken stond een opdracht: *Voor mijn lieve Anouk, een boek over elfjes en andere tovenarijen, papa.* Ik legde ze bij de stapel op de vloer en boog me weer over de koffer.

Toen ik een zwart fotoalbum aantrof, was mijn fascinatie sterker dan mijn verdriet. Het was gebonden in dun leer en de bladzijden binnenin waren van zwart papier. De foto's waren klein, zwart-wit, keurig ingeplakt met witte fotohoekjes die op het papier waren vastgelijmd. Mijn moeder had in een krullerig en meisjesachtig handschrift overal wat bij geschreven in witte inkt, maar de meeste namen zeiden me helemaal niets. Naar de foto's van mijn grootouders bleef ik echter een hele poos zitten kijken, terwijl ik op hun gezichten zocht naar mijn eigen trekken en die van mijn moeder. Ik wist dat ze vlak buiten Bordeaux was opgegroeid. Dat haar Franse moeder haar Ierse vader daar had leren kennen toen hij als jongeman naar de stad was gereisd om de fijne kneepjes van de wijnmakerij te leren kennen. Verder wist ik niets over hen, of het moest zijn dat mijn grootmoeder geloofde in de kracht van de wind.

Bladerend door het album kwam ik steeds vaker de naam Michel tegen. Hij stond op alle familiefoto's, meestal naast mijn moeder, en hoe scherper ik tuurde, hoe meer me opviel dat hij sterk op haar leek. Mijn moeder had er nooit iets over gezegd dat ze een broer had gehad. De naam Michel was nooit genoemd. Maar ja, ze had het ook zelden over haar ouders gehad. Ze had me verteld dat haar moeder was overleden. Maar haar vader? En als ze een broer had, wat zou er dan van hem geworden zijn? Was hij omgekomen in de oorlog – of, wat misschien waarschijnlijker was, had haar familie haar onterfd nadat ze met mijn vader was getrouwd? Wat me op de foto's opviel was dat ze elkaar heel na leken te staan. Er viel niet aan te twijfelen dat ze ooit een hecht en liefdevol gezin hadden gevormd. Als je dit album zo zag, was het eigenlijk gek dat ze geen rol hadden gespeeld in mijn jonge jaren. Maar als je bedacht dat mijn vader een Duitser was geweest, viel het misschien toch wel te begrijpen.

Ik legde het album aan de andere kant van de koffer op de grond, zodat ik niet zou vergeten het mee naar huis te nemen om het nader te bestuderen, en keek wat er nog meer in zat. Ik haalde er een kleine doos uit. Daarin lagen een paar brieven in enveloppen, een sieradendoosje met een setje diamanten dat ik nog nooit had gezien, oude medailles en nog een zwart-witfoto van mijn vader, zonder lijstje. Deze was heel anders dan de foto die ze in de stallen altijd op haar kaptafel had staan: vrolijker. Hij droeg een donkergrijze polo en een lichte broek, en had zijn handen in zijn zakken gestoken. Hij hield zijn hoofd schuin, zijn knappe gezicht glimlachte breed en zijn korte blonde haar werd in de war geblazen door de wind. Mijn maag maakte een sprongetje, want het leek wel een portret van mezelf. Een hele poos hield ik de foto in mijn handen, geboeid door wat mijn eigen spiegelbeeld had kunnen zijn. Alleen had ik al een hele tijd niet met zo veel overgave gelachen. Toen werd mijn blik naar de bodem van de koffer getrokken, want daar lag mijn rubberen balletje, dat ik al jaren kwijt was.

Ik nam een grote slok gin. Die trok een brandend spoor van mijn keel naar mijn maag, maar het was een aangename sensatie. Ik nam het rubberen balletje in mijn handen en speelde er peinzend mee. In gedachten zag ik Pistou, de brug over het riviertje, de strakke rijen wijnstokken, Jacques Reynard, Daphne Halifax, Claudine en Joy Springtoe. De zandstenen muren van het château rezen op, de lichtblauwe luiken open om de zon binnen te laten, de witlinnen gordijnen opbollend in het briesje, de zingende vogels, het getsjirp van krekels, de hoge platanen, die zwartijzeren hekken, de waakzame leeuwen en de lange bochtige oprijlaan die zich een weg baande de heuvel op. Ik kon me niet heugen op welk moment in mijn leven ik het balletje was kwijtgeraakt, maar nu ik het had teruggevonden herinnerde ik me hoe belangrijk het ooit voor me was geweest. Het was niet alleen mijn anker geweest, maar ook het enige wat ik van mijn vader had bezeten. Hoe en wanneer had ik die band laten verbreken? Ik wist het niet meer.

Dus de medailles moesten aan mijn vader hebben toebehoord, het setje diamanten moest een cadeau van hem aan mijn moeder zijn geweest. Ik had haar ze nooit zien dragen. Ik ging ervan uit dat de sieraden even heilig waren geworden als de kleren, weggeborgen in de koffer samen met het hoofdstuk van haar leven dat ze had afgesloten. Ik ging ervan uit dat de twee brieven liefdesbrieven waren. Ik kon me er niet toe zetten ze te lezen. Nog niet. Ik legde ze bij het fotoalbum om ze mee naar huis te nemen. Toen haalde ik een schoenendoos uit de koffer waar een touwtje omheen zat. Met zwarte pen had mijn moeder JUPITER op het deksel geschreven. Ik zette de doos op mijn knie, maakte het touwtje los en haalde het deksel eraf. Er zaten souvenirs in van de overtocht van Bordeaux naar New York aan boord van de *Phoenix*: menu's, zeep die nog in de originele verpakking zat, buskaartjes en gedroogde bloemen. Ik had nooit kunnen denken dat mijn moeder zo veel zou bewaren. Ze was zo praktisch geweest toen ze na Coyotes vertrek de zaak had gerund. Ik had niet gedacht dat er bij haar veel ruimte was voor sentimentaliteit. Haar vele schatten verrasten me.

Ik bekeek ze allemaal, stuk voor stuk. Elk voorwerp deed me terugdenken aan een bepaald moment, het ene nog mooier dan het andere. Wat was ik een groot gedeelte ervan vergeten. Ze waren goed geweest, misschien wel de gelukkigste momenten van mijn leven. Maar het was een enkele groene veer die een gordijn opentrok en het toneel in al zijn pracht en luister onthulde. Ik draaide hem rond tussen mijn duim en wijsvinger en voelde dat er een glimlach op mijn gezicht verscheen: ik zag het bord weer voor me, zo scherp alsof ik weer een kind was: KAPITEIN CRUMBLES RARITEITENKABINET.

17

Jupiter, New Jersey, 1949

'En wie mag je jonge vriend wel zijn?' vroeg Matias, terwijl zijn deegachtige vingers met een lange groene veer speelden. Coyote woelde door mijn haar. 'De *chevalier*, of, met zijn meer gangbare naam: Sint-Mischa,' antwoordde hij met een glimlach.

Matias lachte, diep van onder uit zijn buik, met een lach die in zijn grote ribbenkast echode alsof hij opklonk vanuit een vat. 'Ik heb meer heiligen gezien, maar volgens mij ziet hij er heel anders uit! *Dios mio*, wanneer heeft God Zijn handen van hem afgetrokken?'

'We zijn ontsnapt voordat dat kon gebeuren, Matias,' kaatste Coyote op quasiplechtige toon terug. 'In Mauriac zijn ze een schrijn voor hem aan het bouwen. Daar zullen pelgrims naartoe komen uit heel Europa met hun zieken en stervenden. Maar wij weten wel beter, nietwaar, Junior?' Ik herinnerde me een steek van schuldgevoel om mijn schaamteloos overdreven verhalen op het schoolplein en keek met een schaapachtige glimlach naar hem op.

'Zozo, Sint-Mischa, en hoe vind je onze winkel?' vroeg Matias, en hij stak de veer achter zijn oor.

Ik mocht Matias meteen en de winkel vond ik prachtig. Matias was een boom van een kerel. Zijn haar was een wilde warreling van zwarte krullen, zijn gezicht was zacht en vlezig, zijn ogen zo glanzend als snoepgoed. Hij sprak met een sterk accent waarvan ik later hoorde dat het Chileens was. Hij liet me zien waar hij vandaan kwam op een wereldkaart die tegen de muur in het kantoortje achter was geprikt. 'Dit piezeltje land,' zei hij, 'is zo lang en smal dat het het beste van het continent bevat: bergen, canyons, meren, zee, woestijn en vlakten; de Atacama-woestijn is de droogste plek op aarde en maar eens in de tien jaar bloeien er bloemen. Aan Chili heb ik mijn hart verpand, en ooit, als ik oud en niet meer zo knap ben, wil ik terugkeren naar Valparaiso en daar vogels kweken.' Zoals hij de dingen zei werden ze grappig, ook al was dat helemaal niet de bedoeling. Het was moeilijk hem serieus te nemen. Een keer vertelde hij me dat mensen van hem verwachtten dat hij grappig was, omdat hij zo'n dikke buik had. 'Dikke mensen zijn op de wereld om anderen te amuseren. Als ik dun zou worden, zou niemand me meer grappig vinden.' Coyote en Matias waren dol op elkaar; dat zag je zo. Ze klopten elkaar om de haverklap op de rug, vertelden elkaar moppen die ik niet begreep en smeedden samen plannetjes als dieven, waarbij ze als ze geld verdienden de buit verdeelden. Ze beklonken hun successen met een fles champagne en als het tegenzat deden ze precies hetzelfde, alleen was de champagne dan goedkoper.

Kapitein Crumbles Rariteitenkabinet was een pakhuis aan de rand van Jupiter, New Jersey. Vanbuiten was er niets bijzonders aan te zien: gewoon een wit gebouw van overnaadse planken met hoge bomen eromheen; op het bord dat boven de deur hing na onderscheidde het zich niet van andere panden. Maar vanbinnen was het net de grot van Aladdin. Elke centimeter van het gebouw bevatte iets bijzonders waar Coyote en Matias de hand op hadden weten te leggen, van meubels tot snuisterijen. Er waren houten kooien met opgezette vogels, trommelende speelgoedaapjes, antieke bureaus uit Engeland, ingelegd met notenhout en met geheime laatjes en deurtjes. Druk versierde spiegels uit Italië, opgezette wilde zwijnen uit Duitsland, rijke Franse wandtapijten, felgekleurde zijden lantaarns uit China, tapijten uit Turkije, gigantische deuren met houtsnijwerk uit Marokko, glaswerk uit Praag, houten speelgoed uit Bulgarije, leer en suède uit Argentinië, lapis lazuli uit Chili en zilver uit Peru. Het daglicht stroomde naar binnen door ramen die hoog in de muren zaten, zodat alles fonkelde als edelstenen. Voor een kleine jongen was het een paradijs. In Mauriac had ik nog nooit zoiets gezien. Ik wist niet wat ik zag en mijn ogen werden zo groot als schoteltjes. Vervolgens, toen ik gewend raakte aan de duizelingwekkende aanblik, bracht ik er uren door; ik klauterde over tafels, stoelen en kasten, speelde met de cimbaalspelende muizen, opende geheime laatjes, waarin steevast, uit het zicht en vaak vergeten, nog meer schatten te vinden waren.

Iedereen kende Kapitein Crumbles Rariteitenkabinet en van heinde en verre stroomden de mensen toe. Omdat Jupiter een badplaats was, was er 's zomers veel volk, maar was het er in de wintermaanden stil. In Coyotes winkel was het echter altijd druk. Op sommige dagen was er niet genoeg personeel om de bezoekers te bedienen, dus als ik niet op school zat was ik in de winkel te vinden om Coyote en Matias te helpen, trots dat ik er helemaal bij hoorde. Het duurde niet lang of ik had het vak onder de knie en ontdekte, tot mijn verrassing, dat ik een geboren verkoper was.

We leidden het leven van een doodgewoon gezin: Coyote, mijn moeder en ik. We waren hier aangekomen als een stel pasgeboren vlinders, terwijl we de emotionele bagage die we in Mauriac met ons mee hadden gezeuld in Bordeaux als cocons op de kade hadden laten staan. In Jupiter vonden we een warm onthaal. Niemand wist dat mijn vader een Duitser was geweest. Mensen waren niet geïnteresseerd in mijn afkomst, maar in mijn leuke gezicht en schelmse streken, en ze moedigden me aan om er nog een schepje bovenop te doen. Daar gaf ik graag gehoor aan, nu ik die dag op school in Frankrijk had mogen meemaken hoe het is om bewonderd te worden. Ik zoog de waardering op zoals Matias' Atacama-woestijn, want aan vriendelijke mensen was ik niet gewend. De vijandigheid van Mauriac raakte steeds verder op de achtergrond, en kwam alleen op een speelse manier weer naar boven als ik verhalen vertelde over Pierre en Armande, Yvette en Madame Duval en onze goede oude vriend Jacques Reynard.

Coyote keerde terug uit Frankrijk als een zegevierende ridder. Overal werden feestjes voor hem gegeven. De inwoners van Jupiter wilden ons leren kennen en telkens weer horen hoe Coyote met zijn stem en zijn gitaar mijn moeders hart had veroverd. We genoten in de late herfst van barbecues op het strand, terwijl de zon nog warm was, de wind een kille ondertoon had, en de bladeren verkleurden in spectaculaire tinten rood, goud, geel en bruin. We dronken thee in hun tuinen te midden van appelbomen die vol hingen met fruit, waar honden als mensen werden behandeld en wij vorstelijk werden onthaald. Elke keer dat we over de hoofdstraat liepen glimlachten de stadsbewoners ons toe en zwaaiden, alsof ze trots waren dat ze ons kenden. Na verloop van tijd dacht ik minder aan Jacques Reynard en Daphne Halifax. Ik schreef één keer naar Claudine – mijn moeder deed de brief voor me op de post – maar weldra raakte ook zij op de achtergrond en dacht ik alleen nog wel eens aan haar terug als ik me niet lekker voelde. Ik stond maar weinig stil bij het château en Mauriac, en ik werd helemaal opnieuw verliefd: op Amerika. Amerika, land van melk en honing en Joy Springtoe.

In die begintijd in Jupiter werd ik snel een grote jongen. Ik sliep niet langer bij mijn moeder in bed. In ons kleine witte huis aan Beachcomber Drive had ik mijn eigen kamer. In Frankrijk had ik niet veel van mezelf gehad, alleen mijn rubberen balletje en de Citroën die ik van Joy Springtoe had gekregen, plus wat houten speelgoed van toen ik nog klein was. Mijn moeder had niet veel geld gehad, en het geld dat ze had werd meestal uitgegeven aan eten en kleding. Ik was niet aan overdaad gewend. Maar toen we in Amerika kwamen, keek ik mijn ogen uit bij de enorme hoeveelheden luxeartikelen. Hier hadden de mensen niet zo veel last van de oorlog gehad als wij. Niets was op de bon. Boter, eieren en suiker waren alom verkrijgbaar. De etalages in de hoofdstraat stonden vol schatten: speelgoed, kleding, spullen voor in huis. Als je er een wandelingetje maakte, keek je je ogen uit. Coyote wilde niets liever dan geld aan mij uitgeven. Het duurde niet lang of mijn kamer stond vol met speelgoedautootjes, een treintje, een mooie rood-blauwe quilt, een schrijfbureautje vol papier en pennen, en mijn eigen verfdoos. 's Nachts miste ik mijn moeders aanwezigheid naast me niet, maar genoot ik van mijn pasgevonden onafhankelijkheid. Ik had mijn nachtmerrie op de kade laten staan, samen met mijn oude huid. Pistou had ik daar ook achtergelaten, en ik had niet eens afscheid van hem genomen.

Coyote verwende mijn moeder alsof hij een schatrijk man was. Maar ik wist dat we niet rijk waren. Ik had hen op de *Phoenix* horen praten over onze vlucht van het château naar Amerika, waarbij ze hadden moeten lachen omdat Coyote zijn hotelrekening niet had betaald. Ze stelden zich voor hoe kwaad Madame Duval zou zijn en verkneukelden zich bij het idee. Mijn moeder had te doen met de anderen, die het vanwege ons flink zouden moeten ontgelden, maar Coyote blies alleen maar rookkringen de lucht in en grinnikte. Op de boot hadden we niet kunnen genieten van de luxe van de eerste klas – dat was een verdieping van het schip waar ik alleen maar naar omhoog kon staren – en ons huis aan Beachcomber Drive was heel bescheiden. Maar Coyote legde zichzelf geen beperkingen op als het erom ging jurken, hoeden, handschoenen, nieuwe schoenen en zijden kousen voor mijn moeder te laten aanrukken. Hij zei: 'Ik wil dat mijn meisje de bestgeklede vrouw van Jupiter is.' En dat was ze ook, daar viel niet aan te twijfelen.

In Frankrijk had mijn moeder zelf haar haar gedaan en het als het nat was verwoed drooggewreven met een handdoek. Nu ging ze eenmaal in de week naar Priscilla's Salon. Priscilla Rubie was een kleine, roodharige vrouw die altijd werd omgeven door een roze wolk van parfum en dromen, en die amper ademhaalde, zodat je het moment dat je zelf je mond opendeed nauwkeurig moest timen, ongeveer zoals wanneer je een drukke weg oversteekt. Soms lakte Margaret, de jonge schoonheidsspecialiste, mijn moeders nagels terwijl ze met een hoofd vol krulspelden onder de droogkap zat. Ze wiegde meer dan ooit met haar heupen wanneer ze door de hoofdstraat liep, terwijl ze zichzelf in de etalageruiten goedkeurend opnam en stilletjes lachte, met een blos op haar wangen van liefde en dankbaarheid.

Ik had mijn moeder nog nooit zo gelukkig meegemaakt en haar blijheid werkte aanstekelijk. Ik mocht dan misschien mijn stem terug hebben, maar ik was nog steeds een spion – en een goeie bovendien. Het was een gewoonte die ik niet had weten af te leren. Ik was nieuwsgierig naar mensen, naar hoe ze deden als ik erbij was en naar hoe ze veranderden als ze dachten dat ik was weggegaan. Mijn moeder en Coyote waren een schoolvoorbeeld van het verschil dat daartussen kon bestaan. In mijn aanwezigheid raakten ze elkaar maar af en toe aan. Ze zongen samen bij zijn gitaar, lachten om elkaars grapjes en zoenden elkaar maar heel zelden. Maar als ik achter deuren bleef staan, door kieren tuurde, of mijn oren spitste aan de andere kant van een muur, waren ze een stuk aanhaliger. Ik keek toe hoe ze langzaam dansten bij de grammofoon in de woonkamer, hoe ze elkaar kusten in de gang. Ik zag Coyote zelfs zijn hand in mijn moeders blouse steken – en op dat moment keerde ik als de weerlicht terug naar mijn kamer. Op die momenten was mijn moeder minder een vrouw en werd ze meer een meisje. Ze giechelde en wierp haar haar achterover, keek verlegen op vanonder neergeslagen wimpers, plaagde hem door hem in zijn oorlelletje te bijten. Ze waren speels, lachten om de meest dwaze dingen, en ze hielden er een speciaal eigen taaltje op na waar ik niets van begreep.

Ik was pas zeven jaar, maar ook ik wilde verliefd zijn. Ik ging inmiddels net als andere kinderen naar school en niemand wist iets van mijn verleden. Ik kon alles verzinnen wat ik maar wilde. Ik was net een blanco vel papier dat erop wachtte beschilderd te worden. Dus speldde ik de andere kinderen in de klas op de mouw dat we in het château hadden gewoond, wat bijna waar was. Ik beschreef de wijngaarden, de druivenpluk, de rivier en de oude stenen brug. Ik deed het voorkomen alsof ik in Mauriac heel wat had voorgesteld, *brioches* in cafés had zitten eten, had gekletst met de plaatselijke bewoners, die allemaal vrienden van me waren. Daphne Halifax was mijn grootmoeder, Jacques Reynard mijn opa – en over mijn vader zei ik dat hij was omgekomen in de oorlog. Meer hoefden ze niet te weten.

Al snel maakte ik vrienden. Er was geen Laurent met zijn donkere ogen en zwarte haar die me bang kon maken, maar er was ook geen Claudine. De meisjes zagen er leuk uit en lachten veel. Ze leken extraverter dan de Franse meisjes, volwassener en met meer zelfvertrouwen. Maar ik miste Claudine met haar lach-met-al-haartanden-bloot en de ondeugende twinkeling in haar ogen. Wat wilde ik graag dat ik afscheid had kunnen nemen. Ik wou dat ik de tijd had gehad om uit te leggen waarom ik ervandoor was gegaan. Soms betrapte ik mezelf erop dat ik me afvroeg of ik haar ooit nog zou terugzien.

In de Bordeaux was ik van jongs af aan gestigmatiseerd. In Jupiter namen de mensen me zoals ik was. Ik was niet het gebroed van een zondares, en ik was ook geen heilige. Ik had geen handicap en ik was geen wandelend wonder. Ik was gewoon Mischa. Voor het eerst van mijn leven reageerden mensen op mijn uiterlijk en mijn karakter. Ik was onmiddellijk populair. De tofste jongen van de school. Ik was exotisch omdat ik uit Frankrijk kwam en Engels sprak met een buitenlands accent, maar ik was ook knap. Al heel snel werd me duidelijk wat voor voordeel dat was.

De eerste zondag gingen we naar de kerk. De kerk van Jupiter was niet katholiek, maar dat deed er niet toe; Coyote zei dat het om dezelfde God ging, alleen in een ander huis. De avond tevoren had ik buikpijn gehad van angstige spanning. Ik herinnerde me maar al te goed onze wandelingen naar de mis op zondagmorgen, terwijl ik van tevoren al rekende op hatelijkheden en wegkroop achter mijn moeders rokken, mijn hand trillend in de hare. Voor mijn geestesoog rees het gezicht op van Père Abel-Louis, als de kop van een lelijke waterspuwer, terwijl hij vragen stelde over onze plotselinge verdwijning en mijn schandelijke leugens. 'Ik vind je heus wel, waar je ook bent,' zei hij met een stem zo hard als graniet. Ik trok het laken op tot mijn kin en bleef zo lang mogelijk met open ogen wakker liggen, bang dat mijn nachtmerrie zou terugkeren als ik ze sloot. Die nacht droomde ik niet, maar toen ik wakker werd zat er wel een gigantische knoop in mijn maag.

Coyote zag er razend knap uit in zijn pak en met zijn hoed op, en mijn moeder droeg een nieuwe lichtblauwe jurk die was bedrukt met kleine bloemetjes. Haar haar glansde en krulde aan de uiteinden, zoals bij een filmster, en ze was mooi opgemaakt. Toen ze zag hoe ik keek, betrok haar gezicht met die aloude, maag-samentrekkende angst die haar nooit helemaal had verlaten. 'Lieverd, gaat het wel met je?' Ze had er geen moment bij stilgestaan dat ik wel eens zenuwachtig zou kunnen zijn.

'Ik wil niet naar de mis,' zei ik.

'Er is geen mis, lieverd,' zei ze, terwijl ze zich op haar knieën liet zakken en met haar in zachte handschoenen gestoken handen mijn armen vastpakte. 'Hier gaat het er anders aan toe.' Toen ik niet overtuigd leek, vervolgde ze: 'De pastoor is een heel aardige man, Mischa. Hij lijkt helemaal niet op Père Abel-Louis, dat beloof ik je.'

'Hij kan ons hier toch niet vinden, hè?' vroeg ik. Mijn moeders gezicht ontspande zich in een glimlach.

'Nee, dat kan hij zeker niet. Je hoeft hem nooit, nooit meer te zien.'

'Ik heb niet écht de hemel gezien, of papa, of Jezus of een engel. Ik heb geen visioen gehad. God had er niets mee te maken dat ik mijn stem heb teruggekregen. Dat kwam door Coyote,' gooide ik eruit, waarmee ik mezelf ontlastte van een verschrikkelijk geheim.

Mijn moeder keek verbaasd. 'Coyote?' Ze keek naar hem op. Hij keek al net zo verrast als zij. 'Hoe heeft hij dat dan voor elkaar gekregen?'

'Doordat hij kan toveren. Hij heeft Pistou gezien...'

'Wil je daarom soms niet naar de kerk?' zei ze, zonder aandacht te besteden aan wat volgens haar kinderpraat was. 'Omdat je bang bent dat God je zal straffen omdat je hebt gelogen?'

'Ja.' Het was een opluchting om mijn zorgen met iemand te kunnen delen.

'Nou, het is natuurlijk niet zo mooi om te liegen, maar in dit geval denk ik niet dat God het erg zal vinden. Hij heeft je tenslotte je stem teruggegeven, of Coyote daar nu bij heeft geholpen of niet. In dat soort wonderen heeft God de hand, hoe je het ook wendt of keert.'

'Dus het komt allemaal goed?'

'Alles is nu anders.' Ze gaf me met een vinger een tikje op mijn neus, zoals ze altijd had gedaan toen ik nog klein was. 'Je bent mijn *chevalier*, toch? Chevaliers zijn nergens bang voor.'

Ik had verwacht dat de kerk een donker, imposant gebouw zou zijn met een toren die oprees naar de wolken. Maar het was een wit bouwsel van overnaadse planken, net als ons huis, en het stond aan zee, naast de cafeetjes en pensionnetjes waar het in de zomermaanden vol zat met mensen. Nu was het er stil; de vakantie was voorbij en de zomergasten waren naar hun eigen huis en hun gewone leven teruggekeerd. De inwoners van het plaatsje kenden elkaar allemaal. Iedereen glimlachte en had zijn zondagse kleren aan, en de predikant, dominee Cole, stond in zijn zwart-witte gewaad bij de deur om hen allemaal hartelijk te begroeten; hij schudde hun de hand en lachte hier en daar mee om een grapje.

Priscilla Rubie kwam naar ons toe om commentaar te leveren op mijn moeders nieuwe jurk en hoed, terwijl haar man er met een verontschuldigend gezicht bij stond toen ze maar doorratelde als een van Coyotes mechanische muizen. 'Wat een schitterende jurk. Heel slim dat je die hebt uitgekozen. De kleur staat prachtig bij je teint. Jij hebt die geweldige olijfbruine huid waar wij Amerikanen de Fransen zo om benijden. Naast jou voel ik me helemaal flets en grauw, terwijl het toch nog niet zo lang geleden is dat we in onze tuin zaten te zonnebaden, is het niet, Paul?' Paul pakte haar bij de arm en leidde haar met zachte dwang de kerk in voordat ze aan haar volgende zin kon beginnen.

Dominee Cole trok zijn wenkbrauwen op toen hij ons aan zag komen en lachte, waarbij hij een volmaakte rij ivoorwitte tanden ontblootte. 'Welkom in Jupiter,' zei hij tegen mijn moeder, en hij pakte haar hand en drukte die tussen de zijne. Hij had een groot gezicht met kleine blauwe oogjes die nogal dicht bij elkaar stonden, en een grote haviksneus. Zijn haar was grijs en glansde als een verenpak. Ik stelde me voor dat de regen er net als bij een eend zo van afgleed.

'Dank u,' antwoordde mijn moeder minzaam. 'We zijn erg blij dat we hier onze stek gevonden hebben.'

'Coyote heeft een goed huwelijk gesloten,' vervolgde hij. Mijn moeder was haar tong verloren. Van schrik kon ze geen woord meer uitbrengen. 'Ik hoorde dat jullie de band in Parijs hebben bezegeld.' Hij wendde zich tot Coyote. 'Romantisch, hoor.'

'Ach ja, ik hou er niet van om dingen half te doen,' antwoordde Coyote vlotjes. 'Junior, dit is dominee Cole.'

'Mijn zoon, Mischa,' zei mijn moeder op hese toon, en ik stak mijn hand uit. Ik wist dat Coyote loog. Ik schrok helemaal niet; ik had tenslotte in de Bordeaux zelf ook gelogen alsof het gedrukt stond en had daar geen enkele moeite mee gehad. Ik vond het prachtig dat Coyote het nu ook deed. Volgens mij zou hij het leuk vinden als ik liet merken dat ik achter hem stond.

'Ik vond Parijs helemaal geweldig,' zei ik enthousiast. 'Het was een grote bruiloft met een heleboel vrienden. Ze wilden eerst in Mauriac trouwen, maar daar had je Père Abel-Louis. Hij is echt een duivel, snapt u. *Maman* wilde dat God op haar bruiloft zou zijn. En God is niet in Mauriac.' Dominee Cole keek peinzend op me neer alsof ik een curiosum was uit Coyotes winkel.

Coyote grinnikte en woelde door mijn haar. 'Kinderen...' zei hij hoofdschuddend. Toen we wegliepen, boog hij zich naar me toe en zei: 'Je kletst uit je nek, Junior, maar samen staan we sterk.' Met geheven kin liep ik voor hen uit. Ik kon mijn moeder achter me nijdig tegen hem horen sissen, en haar stem klonk steeds hoger, tot het bijna gekwaak leek.

Ik genoot van de dienst van dominee Cole. Om te beginnen werd er gezongen. Een vrouw met een rond gezicht en een bril op speelde met veel flair op de piano en iedereen zong uit volle borst mee. Mijn moeder zong niet en ze negeerde Coyote. Hij zong wel, zijn stem diep en gruizig, maar zelfs dat kon de harde uitdrukking op mijn moeders gezicht niet verzachten.

Naderhand gingen we iets drinken en koek eten bij mevrouw Slade thuis. Aangezien we haar uitnodiging hadden aanvaard, konden we daar nu niet meer onderuit, ook al liet mijn moeder duidelijk merken dat ze naar huis wilde. 'Ze is een beetje moe,' zei Coyote toen we er arriveerden.

'Wat zie je bleek, liefje,' zei mevrouw Slade, die zich naar haar toe haastte met een kop koffie. 'Hier krijg je wel weer wat kleur van op je wangen.' Toen moest ze lachen, en ik vond het grappig dat ze daarbij knorde als een varken. Ik trok me niets aan van mijn moeders slechte humeur en probeerde mevrouw Slade nogmaals aan het lachen te krijgen.

'Ik heb liever wijn,' deelde ik mee.

'Ben je niet nog een beetje jong voor alcohol?' riep ze uit.

'Ik ben ermee grootgebracht,' zei ik, en ik spitste vervolgens mijn oren.

'O, kleine duivel... *Oink!*' Ik lachte met haar mee, opkijkend naar Coyote. Maar Coyote kon er helemaal niet om lachen; zorgelijk keek hij naar mijn moeder.

'Laten we onze koffiekopjes heffen op jullie tweeën,' vervolgde mevrouw Slade, 'als kersvers bruidspaar.' Ze kneep in mijn moeders arm. 'Je bent wat je noemt de blozende bruid.'

'Dat dacht ik niet,' antwoordde mijn moeder koeltjes. 'Het is niet de eerste keer.'

'Nee, natuurlijk niet,' zei mevrouw Slade met een grijns naar mij.

'Ik ben immers niet van Mischa zwanger geworden door onbevlekte ontvangenis.' Mijn moeder zei het op droge toon, maar mevrouw Slade vatte het op als een grapje.

'Onbevlekte ontvangenis. Wat ontzettend grappig... *Oink!* En voel je je inmiddels al een beetje thuis hier, liefje?' vroeg ze aan mijn moeder.

'Ja hoor, heel erg. Dank u.'

'Ik kan me zo voorstellen dat het allemaal nogal op je afkomt. Al die mensen die je moet leren kennen. Iedereen wil je natuurlijk spreken. Ik was vandaag nog bij Priscilla en ik hoorde dat Gray Thistlewaite van plan was om jullie allebei te vragen voor haar radioprogramma. Coyote heeft je misschien niet verteld dat Gray de lokale radio-uitzendingen verzorgt vanuit haar woonkamer aan de hoofdstraat. Ze brengt een programma van een uur dat aan de levensverhalen van mensen is gewijd. Niets buitenissigs, natuurlijk. In deze tijd van het jaar gebeurt hier niet zo veel. Jullie verhaal zou leuk zijn om naar te luisteren. Ik bemoeide me ermee en zei dat het mij een prima idee leek. Heel Jupiter heeft het over jullie. Zie je,' – ze boog zich dichter naar haar toe – 'zo'n knappe vrouw als jij hebben we alleen nog maar in films gezien.'

Mijn moeder was gevleid. Ze glimlachte, hoewel ik wel zag dat dat met tegenzin was.

'Nou, gaan jullie je gang maar hier en leer iedereen kennen. Je hoeft niet verlegen te zijn, want we zijn hier allemaal met vrienden onder elkaar.'

Op weg naar huis in de auto maakten mijn moeder en Coyote voor het eerst ruzie. 'Waarom heb je iedereen verteld dat we getrouwd zijn?' riep ze woedend uit. 'Iedereen vraagt naar onze bruiloft in Parijs. Wélke bruiloft in Parijs?'

'Kalm nou maar, schattebout,' begon hij.

'Ik doe helemaal niet kalm. Hoe durf je zoiets buiten mij om te doen? Ik voel me vernederd.' Haar Franse accent gaf haar woorden een scherp randje. 'Heb je dan zo weinig respect voor me? Zeg op!'

'Ik heb enorm veel respect voor je, Anouk. Ik hou van je,' zei hij. Op de achterbank probeerde ik mezelf onzichtbaar te maken.

'Hou je van me?'

'Ja, zeker.'

Ze liet haar boze toon varen en klonk als een klein meisje toen ze zei: 'Waarom trouw je dan niet echt met me?'

18

Mɪᴊɴ ᴍᴏᴇᴅᴇʀ ʙʟᴇᴇꜰ ᴅʀɪᴇ ᴅᴀɢᴇɴ ɪɴ ʜᴜɴ ꜱʟᴀᴀᴘᴋᴀᴍᴇʀ ᴇɴ ᴡᴇɪ-gerde Coyote binnen te laten. Als hij probeerde naar binnen te gaan, ging ze in het Frans tegen hem tekeer en smeet dingen tegen de deur, zodat ze met een harde klap tegen het hout terechtkwamen. Ik wist dat ze mij wel zou toelaten, maar ik wilde haar niet zien. Ik was bang dat ze zou besluiten dat we terug moesten naar Mauriac en ik begon me in Jupiter net thuis te voelen. Dus deed ik alsof er niets aan de hand was. Coyote en ik zaten samen aan het ontbijt. Ik moest naar school en nam de grote gele bus samen met de andere kinderen. Na schooltijd bleef ik eerst een poosje met mijn vriendjes spelen voordat ik onder de koperkleurige bomen naar huis wandelde. Coyote en ik zeiden niets tegen elkaar over mijn moeders zelfverkozen opsluiting. We zongen liedjes bij de gitaar en kaartten. Maar ik merkte wel dat Coyote zich ongemakkelijk voelde. Zijn gezicht zag er gespannen en moe uit. Zijn ogen waren hol en hij moest alle mogelijke moeite doen om zijn mondhoeken niet te laten neerhangen als die van een verdrietige clown.

Ik begreep hun ruzie niet. Mij kon het niet schelen dat ze niet getrouwd waren. Niemand wist hoe het werkelijk zat. Trouwens, het was vast romantisch om in Parijs getrouwd te zijn. Ik was nog nooit in Parijs geweest, maar ik had er wel plaatjes van gezien en wist er iets van. Het was het culturele hart van Europa en de prachtigste stad van de hele wereld. Waarom zou mijn moeder het in vredesnaam zo erg vinden dat mensen dachten dat ze daar was getrouwd?

Op de ochtend van de derde dag kwam ze tevoorschijn. Ze zag er mager en bleekjes uit. Haar ogen stonden dof van berusting. Coyote sprong op van de tafel, maar ze stak haar hand op om hem op afstand te houden. 'Ik doe wel mee met dat belachelijke gedoe, God sta me bij,' zei ze met kalme stem. 'Ik ben niet goed wijs, maar wat kan ik anders?' Ze bukte zich en drukte een kus op mijn slaap. 'Ik heb alleen één voorwaarde.'

'Wat je maar wilt,' zei Coyote, die een kop als een biet kreeg.
'Ik wil een ring.'
'Je kunt elke ring krijgen die je maar hebben wilt.'
'Het is een kwestie van fatsoen, Coyote. Niet voor mij, maar voor mijn zoon. Snap je dat?'
'Ik snap het.'
'Goed, laten we er dan nu maar over ophouden. Ik wil dat alles weer wordt zoals het was.' Coyote trok een stoel bij en ze ging zitten. Ze nam mijn handen in de hare.
'Hoe is het met je, lieverd?'
'Goed hoor,' antwoordde ik, kauwend op een stuk toast.
'Heb je het leuk gehad op school?'
'Ja.'
'Mooi zo.'
Coyote schonk haar een kop koffie in, die ze genietend opdronk. Ze sloot haar ogen en slaakte een tevreden zucht.

Ik was blij dat ze het weer goed hadden gemaakt, niet in de laatste plaats omdat Coyote er nu weer blij uitzag. Ik was opgelucht dat ik niet terug hoefde naar Madame Duval en Père Abel-Louis. Met veerkrachtige tred liep ik naar de bushalte, terwijl ik Coyotes liedjes neuriede en de zon in brede banen door de verdroogde bladeren scheen. Ik had het gevoel dat de hele wereld voor me openlag, vol eindeloze mogelijkheden en kansen. Ik hield van Jupiter, mijn nieuwe vrienden op school en de mensen in de kleine badplaats, maar vooral hield ik van wie ik was. Voor het eerst van mijn leven zat ik lekker in mijn vel.

Na school bracht mijn moeder me met de auto naar Kapitein Crumbles Rariteitenkabinet. Aan de ringvinger van haar linkerhand schitterde een kleine diamant, gevat in een gladde gouden zetting. Ze keek anders uit haar ogen; daar lag een harde blik in, die er eerder niet was geweest. Ondanks alles wat ze in de nasleep van de oorlog had meegemaakt, had ze haar onschuld weten te bewaren, maar die was nu verdwenen en had plaats gemaakt voor de mij onbekende blik van iemand die wist wat er in de wereld te koop was.

'Wat een mooie ring,' zei ik. We hadden er inmiddels een gewoonte van gemaakt Engels met elkaar te spreken, zelfs als we met z'n tweetjes waren. Alleen wanneer mijn moeder kwaad, gekwetst of dolenthousiast was sprak ze nog Frans.

'Ja, hè?' antwoordde ze, en ze draaide haar hand en keek ernaar met een zucht.

'Komt alles nu goed?'

'Alles komt prima in orde, Mischa.'

'Ik vind het hier fijn.'

'Dat weet ik.'

'Het Rariteitenkabinet vind ik leuk.'

'Ik ook.'

'Ik wil na school komen helpen. Mag dat?'

'Natuurlijk mag dat. Ik ga ook een handje helpen.'

'Echt waar?' Het had me niet hoeven verbazen dat mijn moeder wilde werken; ze had op het château tenslotte ook gewerkt. Maar toch leek het nu een beetje gek – in de nieuwe jurken die ze droeg zag ze er niet langer uit als een werkende vrouw. Misschien kwam het door de vastberaden blik op haar gezicht die de plaats had ingenomen van de berusting die in Frankrijk haar trekken had verzacht, alsof ze diep in haar hart besefte dat we, hoewel Coyote ons had gered van Madame Duval, toch nog steeds alleen stonden: *maman* en haar kleine *chevalier*. Alleen wij tweeën. Altijd alleen wij tweeën.

In de winkel begroette Matias ons met zijn diepe, welluidende stem. 'Extra handen! Coyote, de hulptroepen zijn gearriveerd!' Ik haalde de groene veer die hij me had gegeven uit mijn zak en stak hem achter mijn oor. Hij keek glimlachend op me neer, zijn grote gezicht stralend van enthousiasme. 'Nu zie je eruit alsof je door de indianen bent grootgebracht,' zei hij met een hartelijke lach.

'Waar is Coyote?' vroeg mijn moeder, die langs hem heen beende.

'Achter, in het kantoortje. Hij is voor de verandering eens met de papierwinkel bezig.'

Coyote had een hekel aan papierwerk. Hij had er grote moeite mee stil te zitten achter een bureau. Hij was een vrije geest en gaf er de voorkeur aan zijn vleugels uit te slaan. Papierwerk was net zoiets als wanneer er een loden gewicht aan zijn grote teen werd gehangen. Maar mijn moeder zou hem van die last komen verlossen. Ze wilde een baan in de winkel. Ze wilde deel uitmaken van zijn bezigheden. Ze moest weten hoe de dingen gedaan werden.

Terwijl mijn moeder wegliep om met Coyote te gaan praten, dribbelde ik als een jong hondje dat zijn baas aanbidt achter Matias aan door de winkel. Hij vertelde me hoe de spullen hier terecht waren gekomen. 'Ze komen van over de hele wereld, Mischa. Van Chili tot Rusland, en uit alle landen daartussenin.'

'Dan zul je wel veel reizen,' zei ik terwijl ik een grote ivoren hoorn oppakte.

'Ik reis niet meer zo veel als vroeger.' Hij legde zijn handen op zijn buik. 'Dat gaat tegenwoordig niet meer zo makkelijk. Als kind was ik een stuk dunner. Je gelooft het misschien niet, maar mijn bijnaam was *flaco* – "de magere". Coyote is degene die de wereld rondreist. Hij brengt de spullen hiernaartoe.'

'Zijn ze erg waardevol?'

'Sommige wel, andere niet.' Hij bukte zich en fluisterde in mijn oor: 'Maar ik kan je verzekeren dat voor de klanten álles kostbaar is, moeilijk om de hand op te leggen, zeldzaam. Snap je wel?' Ik knikte. 'Het eerste wat je moet leren als je in de winkel wilt werken, is dat álles van onschatbare waarde is. De klant wisselt zijn geld in voor iets unieks. Neem nou deze olifantenpoot. Enig in zijn soort. Mevrouw Slate treft die niet aan in de salon van mevrouw Gardner, of in welke salon in New Jersey dan ook. Er is er maar eentje van.'

'Hobbelt er nu ergens een olifant met drie poten rond?'

Hij grinnikte. 'Dat denk ik niet. De olifant zal heus wel eerst zijn gedood.'

'Waar dient hij voor?'

Hij haalde zijn grote schouders op. 'Als prullenbak, misschien. Of als paraplustandaard.'

'En dit?' Ik pakte de ivoren hoorn op.

Hij nam hem van me over en hield hem in de lucht. 'Deze is van een neushoorn geweest. Scherp, hè? Een siervoorwerp. Zoals ik al zei: niemand anders heeft er zo eentje. Het is een pronkstuk.'

'Hoe vindt Coyote al die spullen?' Ik stelde me hem voor terwijl hij met een geweer op jacht was in Afrika, en mijn bewondering voor hem groeide.

'Hij heeft zo zijn manieren en zijn middelen. Het punt is dat je niet te veel vragen moet stellen. Coyote is één groot raadsel. Hij doet heel geheimzinnig. Hij vindt het niet fijn als mensen te veel over hem weten.' Hij liet zijn stem dalen. 'Hij is een schim, Mischa. Ik geloof niet dat iemand de echte Coyote kent.' Behalve ik dan, dacht ik trots. Ik ken hem beter dan wie ook, zelfs beter dan mijn moeder.

Matias leidde me rond door de winkel en vertelde me over de herkomst van sommige voorwerpen. Ik was naar elk ding nieuwsgierig. Er was een 'magisch tapijt' uit Turkije waarvan Matias beweerde dat het ooit had kunnen vliegen; een set miniatuurstoeltjes uit Engeland, die de Maartse Haas zou hebben gebruikt voor zijn theevisite; en een complete wapenrusting die bijna net zo klein was als ik. 'In de middeleeuwen, Mischa, waren mannen net zo klein als jij. Moet je zien, er zitten een schild en een zwaard bij. Je mag dan een *chevalier* zijn, maar je lijkt er niet erg vertrouwd mee!' Hij lachte en klopte me op de rug, zodat ik bijna tegen een stapel spullen aan viel. Er was een prachtig wandkleed met Bacchus erop, de god van de wijn, omringd door bosnimfen en een eenhoorn in een schitterend groen bos. De kleuren waren rijk, ook al waren ze dan verschoten. Matias vouwde het trots open. 'Dit,' zei hij, 'is aan het begin van de oorlog in Frankrijk gevonden.'

'Het is prachtig,' zei ik welgemeend. In het château had in de hal ook zo'n soort kleed gehangen.

Hij rolde het weer op. 'Weet je wat dit is?' Hij hield een lange patchworkquilt omhoog. Vol ongeloof sperde ik mijn ogen wijd open.

'De patchworkjas van de Oude Man uit Virginia!' fluisterde ik ademloos.

Matias fronste zijn wenkbrauwen. 'Het is een jas die heel wat heeft meegemaakt, en ouder is dan Amerika!'

Matias werd afgeleid door een vrouw en haar zoon. 'Kan ik u helpen?' vroeg hij, terwijl hij zijn armen spreidde als een vader die zijn gezin welkom thuis heet.

'Ja, dat kunt u zeker,' antwoorde ze. 'Ik ben op zoek naar een cadeautje voor mijn schoondochter.' Ze leek niet veel zin te hebben om iets uit te zoeken.

'Wat is ze voor iemand?' informeerde Matias.

'Vraag dat maar aan hem; hij is met haar getrouwd,' antwoordde ze met een schouderophalen. De jonge man slaakte een zucht. Hij was lang, net als Matias, maar dun, en hij torende als een boom boven zijn moeder uit. 'Met Thanksgiving komen ze bij ons en vieren we haar verjaardag,' vervolgde ze. Ze had een groot hoofd, met grove, sponzige trekken, die zich voortzetten tot in haar hals. 'Toe maar, Antonio, vertel hem maar wat voor iemand ze is.'

'Ze is heel vrouwelijk,' begon hij. Zijn moeder snoof, maar hij liet zich niet van de wijs brengen. 'Ze houdt van mooie dingen. Iets voor in huis?'

'Dan heb ik precies wat u zoekt,' zei Matias, die wegliep naar het achterste gedeelte van de winkel. Moeder en zoon hadden niet in de gaten dat ik achter de olifantenpoot was blijven staan.

Ze keerde zich naar hem toe en begon te sissen: 'Je belt niet, je schrijft niet, je komt zelden of nooit op bezoek. Iedereen zou denken dat je in een ander land woont, maar je leeft verdorie in dezelfde staat. Wat zou je grootmoeder zeggen als ze nog leefde? Ik heb je grootgebracht als iemand voor wie zijn familie op de eerste plaats

komt.' Antonio probeerde haar tot bedaren te brengen, maar daar wilde ze niets van weten. 'Goed hoor, ik leg wel alleen het loodje. Geen enkel probleem.'
'Maar...'
'Je vader? Die is nooit thuis. Begin alsjeblieft niet over je vader, Antonio. Hij beweert dat het door zijn werk komt, maar waarschijnlijk heeft hij een ander. Daar kan ik mee leven. Wat moet ik anders?' Ze hief haar kin op en ademde diep door haar neus. Matias kwam terug met een antiek kistje vol prachtig bewerkte flesjes voor op een toilettafel, met zilveren dopjes erop.
'Dat zou ze prachtig vinden,' zei Antonio, en zijn ogen begonnen te schitteren.
'Dat is veel te gek voor haar!' zei zijn moeder.
'Mama...'
'Wat moet ze ermee? Heeft ze niet al lotions genoeg?'
Matias wendde zich tot mij. 'Mischa, kom eens kijken.' Ik stapte achter de olifantenpoot vandaan, met mijn handen in mijn zakken, en probeerde eruit te zien alsof ik druk bezig was geweest.
'Wat is dat?' vroeg ik, in het kistje turend.
'Dit was vroeger van een victoriaanse dame. Zie je die letter W? Die staat voor Wellington. Het is van de hertogin van Wellington geweest. Dit, mijn waarde dame, is een waardevol stuk antiek dat helemaal uit Engeland komt.'
'Het is prachtig,' vond Antonio. 'Wat moet het kosten?'
'Het is vast te duur, Antonio. Het is van een hertogin geweest,' protesteerde zijn moeder.
'Voor twaalf dollar mag u het meenemen, als u me een glimlach schenkt.' Grijnzend keek Matias de slechtgehumeurde mevrouw aan.
'Ach, wat valt er te glimlachen?' vroeg ze mistroostig. 'Ik zie mijn zoon nooit meer. Als ik van tevoren had geweten dat ik alleen mijn laatste adem moet uitblazen, zou ik die vierentwintig uur dat ik van hem heb liggen bevallen nooit hebben willen meemaken.'
'Mama...'
'Hou jij van je moeder?' vroeg ze aan mij.
'Ja,' antwoordde ik.
'Je moet haar niet, zoals Antonio, vergeten als je verliefd wordt. Zul je dat niet doen? Je mag je oude moeder niet vergeten. Zij heeft voor jou haar leven gegeven.' Antonio keek me verontschuldigend aan. 'Dus u vraagt er twaalf dollar voor?' Ze wendde zich tot Matias.
'Voor u twaalf dollar,' zei hij.

'Dan wordt het dus twaalf dollar,' zei ze, en op haar gezicht verscheen een glimlach. 'Dichter bij een hertogin dan dit zal ik niet komen.' Ze lachte geamuseerd. 'Vertel haar maar dat het van een koninklijk iemand is geweest, Antonio. Dat vindt ze vast leuk om te horen.'

'En ze zal blij zijn dat ze het van u heeft gekregen,' zei Matias. 'Als ze hier komt – een kleine vrouw met een scherp, puntig gezicht en blond haar –, moet u maar tegen haar zeggen dat de jongen me wel aanstaat.'

Matias lachte hartelijk. Ik schrok me wild. 'Als ze me een goede prijs biedt, is hij misschien wel te koop.' Hij klopte me op de rug. 'Jij bent te goed voor mij,' zei ze terwijl ze me in mijn wang kneep tot het pijn deed. 'En te duur. Je bent je gewicht in goud waard. En nog knap ook. Antonio is nooit gezegend geweest met een fraai uiterlijk. Maar wat kun je anders dan het zien te redden met wat God je gegeven heeft?' Ze liet mijn wang los. Een uur nadat ze was vertrokken deed die nog steeds zeer.

'Je eerste klanten,' zei Mischa grinnikend. 'Dat soort mensen komt hier veel.'

'Haar zoon heeft amper een woord gezegd.'

'Dat doen die lui nooit. Ze worden door hun moeder onder de duim gehouden, *pobrecitos*! Die Italiaanse matrones beschouwen hun schoondochters als concurrentie. Als zij aan het Thanksgivingdiner zitten zou ik best een vlieg op de muur willen zijn.'

'Is die kist met flesjes echt van een Engelse hertogin geweest?'

'Natuurlijk,' reageerde Matias, maar zijn ogen twinkelden.

'Waarom was hij niet duurder?'

'Alles is relatief. Wat duur is voor de een, is voor de ander een koopje.'

'Maar ze glimlachte wel toen je haar de prijs noemde.'

'*Si, señor*, dat deed ze zeker. Waarschijnlijk heeft ze onder haar matras een grote zak met geld liggen. Ik weet hoe zulke mensen zijn.'

'Denk je echt dat haar schoondochter hiernaartoe komt?' Matias moest lachen toen hij mijn angstige gezicht zag.

'Je moet leren tegen grapjes te kunnen, *Miguelito*,' zei hij. Maar hij kon niet weten dat dergelijke dreigementen op het château nooit grapjes waren geweest.

Ik liet Matias alleen om mijn moeder en Coyote te gaan opzoeken. Ik sloop door de winkel als een panter, zonder dat mijn voeten ook maar enig geluid maakten op de houten vloer. Ik kwam bij het kantoortje, maar in plaats van meteen naar binnen te gaan ging ik op mijn tenen staan en tuurde door het glas. Mijn moeder zat op Coyotes knie en ze waren aan het zoenen. Ik bleef een poosje staan toekijken. Ik kreeg een sterk gevoel van déjà vu, en moest weer denken aan de keer dat Pistou en ik Jacques Reynard en Yvette in het tuinhuisje hadden bespied. Coyotes hand lag op mijn moeders been, onder haar rok, en tussen de zoenen door moesten ze lachen. Ze hadden het kennelijk bijgelegd. Mijn moeders ring schitterde aan haar vinger, want in de schemerige kamer viel het licht erop. Haar hoedje stond nog op haar hoofd, haar groene vest was dichtgeknoopt en haar parels hingen over de voorkant. Coyotes hand speelde met het gespje van haar kous. Ze leek kleintjes op zijn knie, net een klein meisje, hoewel hun gezoen niets onschuldigs had. Ik bleef zo een hele poos staan, gefascineerd door de geheimen van de volwassen wereld, en toen trok ik me, uit angst om door Matias op gluren te worden betrapt – of erger nog: door mijn moeder – terug in de winkel om te helpen met een grote groep klanten die plotseling waren gearriveerd.

Mijn leven in Jupiter verliep voorspoedig. Ik groeide in mijn huid en voor het eerst paste die perfect. Ik was blij dat ik was wie ik was. We vierden Thanksgiving met Matias en zijn vrouw, Maria Elena, met een grote vette kalkoen waarvan Coyote beweerde dat hij hem eigenhandig de nek had omgedraaid. Ik zat aan tafel met een bord vol eten en genoot ervan deel uit te maken van een gezin, een echt gezin.

'Wil je meer weten over Thanksgiving, Junior?' vroeg Coyote, terwijl hij een slok warme rode wijn nam. Ik knikte, want ik wilde graag zo veel mogelijk leren over dit schitterende nieuwe land dat ik nu als het mijne beschouwde. 'Noordoost-Amerika was het land van de inheemse bevolking, die er duizenden jaren leefde van de opbrengsten van het land en van de visserij. Toen kwamen in de zestiende eeuw de kolonisten uit Europa en moordden de meesten van hen uit, de arme stakkers. Als ze niet in oorlogen werden gedood, kwamen ze wel om door ziekte. Veel van de eerste kolonisten waren puriteinse pelgrims, van wie sommigen naar Cape Cod zeilden aan boord van de beroemde *Mayflower*. Het waren Engelsen die veelal werden vervolgd vanwege hun geloof, en ze hadden zich vast voorgenomen in Amerika een nieuw leven te beginnen. Ze noemden het nieuw ontdekte land New England. Thanksgiving wordt door alle Amerikanen gevierd en dan herdenken ze het einde van het eerste jaar van de *Mayflower*-pelgrims en hun geslaagde oogst.' Hij zweeg even en liet zijn ogen op mijn moeder rusten. Ze straalden een warme gloed uit door de drank en zijn genegenheid voor haar. 'Ik hef het glas op degenen die als laatsten zijn aangekomen in deze heerlijke nieuwe wereld. Ik drink op hun vlucht vanuit Frankrijk en hun veilige overtocht, en wens hun een toekomst die zowel gezond als gelukkig is, maar ook vol kansen. Want dát is voor mij Amerika: het land van de onbegrensde mogelijkheden.'

19

AAN GRAY THISTLEWAITES *UIT HET LEVEN GEGREPEN*-UURTJE op de lokale radio viel met geen mogelijkheid te ontkomen. Mijn moeder weigerde eraan mee te doen. Ze vond het beneden haar waardigheid om aan een hele bups vreemden over haar leven te vertellen. Ze was erg op haar privacy gesteld en vond het juist prettig dat de mensen amper iets over haar wisten. Ze was graag anoniem, want in Mauriac had ze die luxe nooit gekend. Maar Gray Thistlewaite was niet het soort vrouw tegen wie je nee zei. Op het eerste gezicht leek ze een zachtaardige grootmoeder. Ze was klein en frêle, met grijs haar dat in haar nek tot een keurig zacht knotje was gebonden. Haar gezicht was breed en leuk om te zien, met mooie stralend blauwe ogen, in de kleur van de heldere herfstlucht boven Jupiter. Haar lippen waren vol en roze, haar huid was bleek en gepoederd, en ze rook naar lelietjes-van-dalen. Maar aan haar wilskrachtige kin kon je zien dat er met haar niet te spotten viel. Die stak iets te ver naar voren; het bot was eigenlijk iets te hoekig voor zo'n vriendelijk gezicht. Je kon maar beter zorgen dat je haar niet de voet dwars zette. Dan stak haar kin nog verder uit en verstrakte ze, en met die blauwe ogen van haar keek ze je zo kil aan dat er helemaal niets van je overbleef. Als zij eenmaal iets in haar hoofd had, was er geen ontkomen meer aan.

Het was begin december, we woonden nu bijna drie maanden in Jupiter en ze had het op ons voorzien. We konden haar verzoek niet naast ons neerleggen zonder onbeleefd te zijn.

Coyote begreep hoe mijn moeder erover dacht en was zo wijs om haar niet onder druk te zetten. Hij wist hoe ze kon zijn als je haar kwaad maakte en voelde er weinig voor dat nog eens mee te maken. Tot dusver had hij het weten te vermijden zelf in het programma op te treden, dus bleef er maar één mogelijkheid over: ik. Ik was dolblij. In Frankrijk had Yvette altijd naar de radio geluisterd. Ik vond het prachtig dat ik daarop te horen zou zijn en kon me bijna niet voorstellen dat er dan honderden mensen naar me zouden luisteren.

'Ze willen alleen maar weten hoe je het in Jupiter vindt, Mischa. Je kunt hun vertellen over het château, de druivenpluk, de wijn. Je kunt hun vertellen over Jacques Reynard en Joy Springtoe als je wilt,' zei mijn moeder, terwijl ze de vouwen uit mijn hemd streek.

'Vind je niet dat je hem moet vertellen wat hij níét moet zeggen?' vroeg Coyote.

'Nee,' antwoordde mijn moeder. 'Dat weet hij wel, hè Mischa?'

Ze had gelijk: dat wist ik. Er waren dingen waar we het nooit over hadden, zelfs niet als we onder elkaar waren. Dingen die we allebei wilden vergeten, dingen die ik nooit aan iemand zou vertellen. We hadden een stilzwijgende overeenkomst, mijn moeder en ik.

'Weet je zeker dat je het niet erg vindt?' vroeg ze met een frons; misschien voelde ze zich wel schuldig dat ik in haar plaats werd gestuurd.

'Helemaal niet,' zei ik, terwijl ik opgewonden met mijn voeten schuifelde. Ze had geen idee wat dit voor me betekende. 'Ik wil juist graag,' zei ik nadrukkelijk.

'Dan ga je,' zei Coyote. 'Maar vergeet niet dat je altijd je zwaard getrokken moet houden. Je moet het in de aanslag houden, voor het geval dat.'

Het huis van Gray Thistlewaite was klein en netjes opgeruimd, precies zoals je zou verwachten van een omaatje. Het was er warm, er brandde een vuur in de haard; op tafeltjes stonden snuisterijen en foto's van zonen in uniform en glimlachende kinderen in bewerkte zilveren lijstjes. Aan de muren hingen schilderijen van boten en honden die over het Engelse platteland een vos achternazaten. Er was geen enkel oppervlak waar niet iets op stond, iets met een sentimentele waarde, zoals een geëmailleerd doosje of een tuiltje gedroogde bloemen, een porseleinen pop of glazen beeldje. Het rook er naar houtrook en naar haar parfum. Tegen één muur waren planken aangebracht, die vol boeken stonden. Op een ronde tafel in de hoek, naast twee ramen met kanten gordijnen ervoor, zag ik de zwarte doos en microfoons van haar thuisinstallatie voor de radio.

Er was afgesproken dat Maria Elena, de vrouw van Matias, me naar haar toe zou brengen, zodat Gray Thistlewaite geen kans zou krijgen Coyote of mijn moeder alsnog over te halen mee te doen aan het programma. Maria Elena accepteerde een kopje thee in een mooie porseleinen kop-en-schotel, en nam plaats op de blauwe gebloemde bank, terwijl ik met Gray meeliep naar de tafel.

'Kom maar zitten,' zei ze terwijl ze een stoel bijtrok. 'Dit is mijn bescheiden radiostationnetje. Zo op het oog stelt het niet veel vóór, maar zo communiceer ik met de beste brave inwoners van Jupiter en schenk ik oude mensen die hun huis niet meer uit komen een hoop plezier.' Kennelijk beschouwde ze zichzelf niet als oud.

Ik keek toe hoe ze ging zitten en haar tweedrok en witte katoenen blouse gladstreek. Ze zette een zilverkleurig brilletje op, dat aan een ketting om haar hals hing, snoof gewichtig en tikte tegen de microfoon.

'Voordat we beginnen, Mischa, moet ik je één ding zeggen: wees gewoon jezelf. Je hoeft niet zenuwachtig te zijn, want er luisteren alleen maar vrienden. Die willen niets liever dan je verhaal horen, en ik ook. Jammer dat ze niet kunnen zien hoe knap je bent. Maar dat geeft niet, want dat zal ik hun wel vertellen. Nou, nu moet je deze opzetten.' Ze gaf me een grote zwarte koptelefoon, die ik over mijn oren zette, en schoof een microfoon op een standaard naar me toe, zodat die vlak voor mijn mond stond. 'Kun je me horen, Mischa?' vroeg ze. Ik knikte. 'Nee lieverd, je moet erin praten.'

'Ik kan u horen,' herhaalde ik gehoorzaam.

'Mooi zo.' Ze keek naar de grote klok die op tafel stond. 'Over een paar minuten begin ik. Ik moet voor ik je begin te interviewen eerst nog een paar mededelingen doen, dus let goed op.'

Mijn hart begon te bonzen en ik voelde mijn lichaam trillen. Maria Elena glimlachte me bemoedigend toe, want ze wilde graag dat ik het er goed van afbracht. Zo zaten we zwijgend naar de klok te kijken. De grote wijzer leek maar heel langzaam te bewegen. Toen was het eindelijk elf uur en drukte Gray op de mysterieuze zwarte doos een knop in en begon met een zachte fluisterstem te praten.

'Hallo allemaal, bovenbeste mensen in Jupiter. Welkom bij mijn programma. Voor wie het nog niet wist, dit is *Uit het leven gegrepen*, en ik ben Gray Thistlewaite – in jullie woonkamers, in jullie keukens en in jullie levens, die ik op mijn eigen bescheiden manier een beetje beter en leuker wil maken. Vandaag heb ik een heel interessante gast. Hij is even charmant als knap, maar voordat ik hem aan jullie voorstel, moet ik eerst een paar mededelingen doen: Hilary Winer geeft op donderdagavond om zes uur in haar winkel Toad Hall, in de hoofdstraat, een bescheiden kerstborrel, en iedereen is welkom. Voor de kinderen zal de kerstman aanwezig zijn, dus let goed op of je een man in het rood ziet en geef je verlanglijstje aan hem door.

Deborah en John Trichett hebben een zoontje gekregen; hij heet Huckleberry. Stuur alstublieft geen bloemen. Daar is Deborah allergisch voor en we kunnen niet hebben dat ze boven haar kindje staat te niezen, nietwaar? Kleertjes en speelgoed zijn zeer welkom, en Hilary Winer heeft laten weten dat ze beschikt over een nieuwe serie prachtige babydekentjes, mutsjes en wantjes in babyblauw. Margaret Gilligans teef Hazel is loops, dus hou alstublieft alle honden uit de buurt. Ze heeft geen zin in nog een stel van die mormels. De kerstbomen van Stanford Johnson zijn nu te koop bij Maple Farm. Wie het eerst komt, die het eerst maalt, dus zorg dat u bij hem bent voordat ze zijn uitverkocht. Het is niet gezond om in deze tijd van vreugde en feestelijkheid teleurgesteld te worden. En sla zeker niet Kapitein Crumbles Rariteitenkabinet over, want daar is voor iedereen een kerstcadeau te koop. Wat me brengt bij Coyotes nieuwe stiefzoon, Mischa Fontaine. Hij zit op dit moment naast me en wil graag zijn verhaal voor jullie doen, bovenstebeste inwoners van Jupiter. Hallo, Mischa.'

'Hallo, *madame*,' antwoordde ik, want ik wist niet goed hoe ik haar moest aanspreken.

'Zeg maar Gray, dat doet iedereen,' zei ze met een glimlach. 'En, bevalt het je een beetje in je nieuwe woonplaats?'

'Heel erg,' zei ik enthousiast.

'Daar ben ik blij om. Ons ook. Welnu, vertel alle luisteraars maar eens hoe oud je bent.'

'Ik ben net zeven.'

'Zeven. Dat schiet al aardig op. En voor een Franse jongen spreek je erg goed Engels.'

'Mijn grootvader was Iers.'

'Ik heb een Engelse voorvader. Hij was een van de allereersten die zich hier settelden. Hij was een lord.'

'Is hij hiernaartoe gekomen op de *Mayflower*?' vroeg ik. Ze trok haar wenkbrauwen op, onder de indruk van mijn kennis.

'Ja, inderdaad, Mischa. Misschien zijn we zelfs wel familie.' Ze moest even lachen en haar ogen twinkelden me vanachter haar bril toe. Ik begon haar aardig te vinden, zat lekker op mijn stoel en was helemaal niet meer zenuwachtig. 'Vertel iedereen maar wat voor soort leven je in Frankrijk hebt geleid.'

'We woonden in een château in het stadje Mauriac.'

'Even voor onze luisteraars: een château is een kasteel, toch?'

'Een groot huis,' verbeterde ik haar.

'Maar dan wel héél groot. Ik weet zeker dat we er allemaal trots op zijn dat we een echte Franse aristocraat in ons midden hebben.'
'Er hoorde een boomgaard bij en we maakten wijn.'
'Die zal vast lekker zijn geweest,' zei ze.
'Ik ben ermee grootgebracht,' antwoordde ik, terwijl ik terugdacht aan de lach die die opmerking mevrouw Slade had ontlokt. Gray Thistlewaite moest ook lachen en schudde haar hoofd. Ik voelde mijn zelfvertrouwen groeien.
'Mis je Frankrijk?'
'Ik denk er niet zo veel meer aan nu ik hier ben. Als ik eraan denk, mis ik de wijngaard en de rivier en mijn vriendinnetje Claudine. Er is een tuinhuisje dat uitkijkt over de vallei. Het is heel mooi, vooral met zonsondergang. Ik heb Jacques Reynard en Yvette daar een keer zien zoenen.'
'Wie zijn Jacques Reynard en Yvette?'
'Jacques zorgt voor de wijngaard en Yvette is de kokkin. Ze zijn verliefd op elkaar.'
'In Frankrijk is de liefde overal te vinden. Vertel me eens: hoe heeft je moeder Coyote leren kennen?'
'Hij kwam naar Mauriac met zijn gitaar en zijn magie, en zij werd verliefd op hem.' Ik bloosde, en hoopte maar dat mijn moeder dit niet erg zou vinden.
'Kan hij toveren?'
'O ja, hij kan toveren.'
'Hoe dat zo?'
'Dat weet ik gewoon,' zei ik, want ik wilde hem niet verraden.
'O, vertel het ons eens. Hij is een van de meest geliefde inwoners van Jupiter. Maar ik heb nooit geweten dat hij kon toveren.'
'Hij heeft een speciale gave.'
'Echt waar? Wat voor soort gave dan?'
'Nou...' Ik aarzelde.
'Ja?' Haar kaak verstrakte en stak naar voren. 'Dat zouden we allemaal graag willen weten.'
'Hij heeft me mijn stem teruggegeven.'
'Was je die dan kwijt?' Ze keek me ongelovig aan.
'Ik kon vroeger niet praten.'
Haar voorhoofd rimpelde zich tot een frons. 'Was je stom?'
'Ja. Maar toen kwam Coyote en keerde mijn stem terug.'
'Ongelofelijk! Hoe kreeg hij dat voor elkaar?'
'Hij zei tegen me dat hij zou terugkomen, en dat gebeurde ook.'
Ze wist niet of ze me moest geloven of niet.

'Zomaar ineens?'

'Zomaar ineens. Hij kan echt toveren.' Ik kwam in de verleiding om haar te vertellen over Pistou, maar besloot dat toch maar niet te doen. Als ze niet geloofde dat Coyote kon toveren, zou ze ook niet in Pistou geloven. Ze zou ook geen geloof hechten aan de wind, ook al was ze dan een omaatje. 'Iedereen in Mauriac dacht dat het een wonder was. Misschien was het dat ook wel, maar ik ben geen heilige. *Maman* zegt dat God me mijn stem heeft teruggegeven, maar in werkelijkheid was het Coyote. Met zijn magie.'

'Vertel ons eens over de bruiloft,' zei ze, van onderwerp veranderend.

'Die was in Parijs,' zei ik, in het besef dat dit glad ijs was. Ik herinnerde me mijn zwaard en trok het een stukje uit de schede, voor het geval dat.

'Wat romantisch. Jij was zeker *best man?*' vroeg ze, terwijl ze me met een warme glimlach aankeek.

'Ik weet het niet,' antwoordde ik. Ik wist niet wat 'best man' betekende en ik was nooit op een bruiloft geweest. 'Ik geloof dat ik de op één na beste was. Coyote was die dag de allerbeste.' Ze lachte nogmaals en om haar een plezier te doen lachte ik met haar mee.

'Vertel eens: wat is er met je vader gebeurd?'

'Die is omgekomen in de oorlog,' antwoordde ik.

'Wat akelig.' Ze reikte naar mijn hand.

'Ja, dat vind ik ook. Hij zou Coyote vast aardig hebben gevonden,' zei ik in alle onschuld.

'Vast en zeker,' zei ze grinnikend. 'Ik weet niet of je een spelletje met me speelt, Mischa, maar je bent verschrikkelijk amusant. Kom je nog eens een keer in mijn programma?'

'Ja, graag,' antwoordde ik naar waarheid.

'Tegen iedereen die nu luistert wil ik zeggen: niemand van ons is te oud of te cynisch om in magie te geloven. Het is gezond om over een rijke verbeelding te beschikken, en ook nog eens onderhoudend te zijn. Ik zal Mischa weer terugzetten op zijn tovertapijt en hem nakijken als hij wegvliegt naar zijn stiefvader die kan toveren, Coyote, bij Kapitein Crumbles Rariteitenkabinet. Wanneer iemand van jullie wel een beetje magie in zijn eigen huis kan gebruiken, weten jullie waar je wezen moet. Hier hebben jullie het voor het eerst gehoord. Van Gray Thistlewaite, in jullie woonkamers, in jullie keukens en in jullie levens, die ze op haar eigen bescheiden wijze een beetje leuker en vrolijker wil maken. Dank jullie wel voor het luisteren.'

Maria Elena nam me mee om een ijsje te gaan eten. Ik mocht Maria Elena graag; ze was hartelijk en aardig, en praatte met een accent waarin allerlei exotische plaatsen doorklonken. 'Je hebt het goed gedaan,' zei ze, en ik herkende trots in haar ogen en iets anders, bijna iets moederlijks. 'Gray gelooft niet in magie, maar jij wel. Hoewel ik denk dat de magie in jou zit. Meer dan je zelf beseft.'

'Coyote kan echt toveren,' hield ik vol.

'Alle kinderen kunnen toveren, en hij is zelf niet meer dan een grote jongen.'

'Hij heeft Pistou gezien, maar dat wil hij niet toegeven.' Dit had ik nog nooit aan iemand bekend.

'Wie is Pistou?'

Ik schrok van mezelf dat ik over hem was begonnen, maar nu kon ik het niet meer terugdraaien. 'Mijn vriendje. Niemand anders kan hem zien, alleen ik. Hij woont in het château. Maar ik ben weggegaan zonder afscheid van hem te nemen.' Ik trok een verdrietig gezicht.

'En heeft Coyote hem gezien?' Ze maakte zich er niet van af met een geamuseerde blik, maar keek me met een ernstig gezicht aan.

'Ja, Coyote heeft hem gezien. Dat weet ik zeker.'

'Je zult wel gelijk hebben. Maak je maar geen zorgen dat je geen afscheid van hem hebt genomen; hij begrijpt het vast wel.'

'Denk je?'

'Dat weet ik wel zeker.' Ze streek zachtjes met haar knokkels over mijn wang. 'Geesten hebben veel meer begrip voor de wereld dan wij.' Ik wist niet precies wat ze bedoelde. Pistou was geen geest, hij was een toverjongen.

'Ooit ga ik terug en zie ik hem weer, toch?'

'Natuurlijk, Mischa. Frankrijk is maar een klein stukje vliegen, net als Chili. Ik mis mijn vaderland, net zoals jij Frankrijk mist. Maar het loopt niet weg. Het zal er altijd zijn, zodat je ernaar terug kunt keren, en ook naar Pistou. Dat kun je van mij aannemen.'

Na het interview op de radio wilde iedereen meer weten over het wonder van mijn hervonden stem. Coyote deed het af met een schouderophalen als hem werd gevraagd naar zijn toverkrachten en weet het aan 'de fantasie van een kleine jongen', maar ik kende de waarheid: hij kon toveren, ook al hield hij bij hoog en bij laag vol van niet. Hij wist dat ook, want als hij me glimlachend aankeek, liet hij me met zijn twinkelende ogen weten dat hij met mij in het complot zat.

Mijn moeder vond dat ik het goed had gedaan, hoewel ze me op een stoel liet plaatsnemen om me te vertellen wat een *best man* was. Ze maakte zich zorgen dat ik werd aangemoedigd om te liegen. 'Ik geloof niet dat je over onze "bruiloft" zou moeten praten als dat betekent dat je erover moet gaan liegen,' zei ze. Maar na een tijdje deed het er niet meer toe, omdat niemand er meer naar vroeg. Wat de mensen betrof waren mijn moeder en Coyote in Parijs getrouwd. Daar twijfelde niemand aan. Ze waren trouwens veel meer in mij geïnteresseerd. Ik was niet van plan geweest mijn eigen leugens mee te nemen vanuit Frankrijk. Ik had opnieuw willen beginnen, met een schone lei. Maar nu was er niets meer aan te doen. In tegenstelling tot de mensen in Mauriac beschouwden de inwoners van Jupiter me niet als een heilige. Ze glimlachten me toegeeflijk toe, schudden hun hoofd en vonden de verhalen die volgens hen niet meer waren dan de verzinsels van een kleine jongen die in de oorlog zijn vader had verloren, zijn thuis had moeten achterlaten en was meegenomen naar een vreemde plek aan de andere kant van de oceaan, alleen maar amusant. Ze waren aardig, maar ze geloofden me niet. 'Hij is zo'n knappe jongen,' zeiden ze, alsof dat overal een excuus voor was. De kinderen geloofden me echter wel, en wederom stond ik op het schoolplein over mijn visioen te vertellen.

Mijn eerste jaar in Jupiter was de gelukkigste tijd van mijn leven. Of in elk geval de periode die ik me het best herinner. Coyote, mijn moeder en ik gingen naar de film als er in de winkel goed was verdiend. We dronken geïmporteerde champagne om het te vieren, gingen uit eten of brachten de dag door aan het strand. Het ene moment was Coyote rijk, het volgende had hij niets meer. 'Ik leef van de hand in de tand,' had hij een keer gezegd, woelend door mijn haar. 'Als je groter bent, snap je wel wat ik daarmee bedoel.' Hij was vaak op reis. Een groot deel van de tijd was hij er niet. Dan miste ik hem, maar ons huis was zo knus en gezellig dat het gemis vrij goed te dragen was. Ik was vaak bij Matias en Maria Elena thuis te vinden. Zij werden mijn tweede ouders en verwenden me met speelgoed, spelletjes en gelach. Ik voelde me door hen gekoesterd en begreep het wel. Maria Elena las me gedichten voor en verhalen vol magie en mysterie, waar ik verzot op was. Dan kroop ik lekker tegen haar aan, snoof de warme, kruidige geur van haar huid op en koesterde me in de genegenheid van een andere vrouw.

Ik kon goed gitaarspelen en was begonnen eigen liedjes te componeren. Ik trok op met jongens van school en we maakten samen muziek. Joe Lampton speelde saxofoon, Frank Mullet drums en Solly Halpstein piano. We kwamen bij elkaar bij Joe thuis – zijn moeder had een piano in de woonkamer staan – en speelden samen. Niet dat het nou zo goed klonk. Om eerlijk te zijn klonk het nergens naar, maar dat kon ons niets schelen. We hadden het idee dat we muziek maakten, en dat was beter dan buiten rondhangen in de kou. Mijn moeder deed de administratie van de winkel en Maria Elena werd haar beste vriendin. Matias en zij kwamen geregeld bij ons eten, of wij gingen naar hen. Soms ging ik in hun huis naar bed en dan droeg Coyote me aan het eind van de avond naar de auto om naar huis te rijden en bracht hij me thuis slapend en wel naar boven naar mijn eigen bed. Ze deden veel dingen met z'n vieren en ik hoorde er helemaal bij. Matias en Maria Elena hadden geen kinderen. Ik vroeg me af of ze net als Daphne Halifax een teleurstelling te verwerken hadden gekregen, maar ik besefte dat het onbeleefd zou zijn om daarnaar te vragen.

In de zomer kwamen er toeristen. De cafeetjes en pensions gonsden van de geluiden, op het strand wemelde het van de zonaanbidders, de winkels barstten uit hun voegen door alle klanten. Stelletjes slenterden heen en weer over de promenade, kinderen speelden in het zand, honden renden het water in en uit – iedereen was blij. Coyote kwam en ging, vervulde ons met liefde en vrolijkheid, en keerde terug met nog meer bijzondere schatten die hij op zijn reizen had opgeduikeld. Hij had altijd een heleboel verhalen te vertellen over de mensen die hij had ontmoet en de plaatsen waar hij was geweest. Maar ik hield nog het allermeest van de Oude Man uit Virginia en vroeg hem steeds weer nog eens over hem te vertellen. Nu eens kwam hij terug met een baard, andere keren was hij gladgeschoren en zag hij er keurig uit met zijn glimmende schoenen en pasgeperste pak. Dan weer had hij een baard van dagen en zat zijn gezicht onder de dikke stoppels, als de akkers na de oogst; of hij was net zo blinkend opgepoetst als het zadel van een prins. Hij nam overal vandaan cadeautjes voor me mee, kleine of grote. Hij keerde nooit met lege handen terug. Soms was er stof voor mijn moeder, die weer haar eigen kleren was gaan maken, en speelgoed voor mij; andere keren schoenen, of sieraden, een doosje of een boek – altijd iets, en ze was er altijd blij mee.

Het viel me op dat ze elkaar steeds toegenegener werden, zoals de wortels van een boom diep de grond in gaan terwijl de boom zijn takken uitspreidt naar de hemel. Dat merkte je aan de manier waarop ze elkaar aankeken, aan de glimlachjes die ze wisselden, aan hun terloopse aanrakingen of aan hoe ze teder met een hand over elkaars arm of schouder streken. Coyotes gezicht kreeg een heel andere uitdrukking wanneer mijn moeder de kamer in kwam; het lichtte op van blijheid, net als een van zijn roodzijden lantaarns uit China. Zijn ogen volgden haar liefdevol, terwijl zijn lippen plots zinnelijk zwollen. Mijn moeder flirtte met hem en nam als ze stond poses aan alsof ze zich er steeds van bewust was dat hij naar haar keek.

Als hij op reis ging, dekte ze vanaf de dag van zijn vertrek totdat hij terugkwam zijn plaats aan tafel. Hij waarschuwde ons nooit van tevoren wanneer hij eraan kwam. Ze werkte hard in de winkel om niet te hoeven kniezen, maar 's avonds zat ze bij het raam omhoog te staren naar de sterren, zoals ze in de stallen had gedaan, alsof die de kracht hadden om hem naar huis te voeren. Ze praatte voortdurend over hem, met een gezicht dat roze zag door de gloed van de liefde. Als hij dan ten slotte de drempel over stapte, vloog ze op hem af, overdekte zijn gezicht met kussen, haar armen om zijn hals, terwijl ze helemaal vergat dat ik erbij stond toe te kijken. Daarna ging hij zitten en trok mij in zijn armen. 'Zo, en hoe is het met jou, Junior?' vroeg hij dan, waarbij hij zijn gezicht begroef in mijn hals. 'Heb je me gemist?' Ze gingen op die avonden vroeg naar bed en door de muur heen hoorde ik hen lachen. O, ze maakten ook wel eens ruzie. Coyote kon mijn moeder zo kwaad maken dat ze haar stem verhief en tegen hem tekeerging, met haar haar in een wilde warreling om haar gezicht alsof ze een duivel was. Maar ze maakten het altijd weer goed. Coyote wilde niet dat ze hem ooit nog op afstand zou houden, zoals ze had gedaan toen er sprake was van hun 'bruiloft'. Ze waren erg gelukkig samen, en ik ook.

Totdat er iets onverwachts gebeurde, dat een dolk in het hart van ons gezinnetje dreef.

20

Het begon allemaal in de herfst van 1951. Ik zie er iets symbolisch in dat dat beslissende moment samenviel met de avond van mijn tiende verjaardag – in feite het einde van mijn jeugd. Als ik erop terugkijk, kan ik over dat moment zeggen: die avond heeft me voor de rest van mijn leven veranderd. De gebeurtenissen van 1944 hadden een gigantisch effect op mijn psyche, maar ik was eroverheen gekomen. Met hulp van Coyote had ik de sjabloon waarin ik gevangenzat weten te doorbreken. Maar dit keer was Coyote er niet toen ik hem het hardst nodig had.

Mijn moeder was opgetogen. Maria Elena had ons bij haar thuis te eten gevraagd en had per se de verjaardagstaart willen bakken. Mijn moeder was in de weer geweest in de winkel en had geen tijd gehad om zich bezig te houden met een verjaardagsfeestje. Het was een drukke zomer geweest. De promenade had gewemeld van de vakantiegasten, het strand had vol gelegen met zonaanbidders, en allemaal hadden ze 's middags willen winkelen. Ik had vakantie gehad van school en had in de winkel geholpen. Maar nu was het rustiger geworden. De vakantie was voorbij, de stranden waren weer leeg; alleen de plaatselijke bevolking en de oude mensen die geen baan hadden waarvoor ze terug moesten waren er nog. Inmiddels kende ik alle voorwerpen in de winkel en was ik een vaardige verkoper geworden. Ik vond het leuk om te doen. Ik maakte grapjes met Matias en we lachten achter de rug van de klanten. Ik voelde me een lid van een team en niet meer een kleine jongen die zich ophoudt aan de grens van de grotemensenwereld, en zij behandelden me ook als zodanig. Wanneer 's avonds de winkel gesloten was, pakte Coyote zijn gitaar en gingen we buiten op het gras zitten in de schaduw van een esdoorn, en zongen oude cowboyliedjes. Soms, als de zaken goed waren gegaan, trok hij een fles wijn open en mocht ik ook een glaasje. Wanneer ik geluk had, vertelde hij me nog meer verhalen over de Oude Man uit Virginia.

Ik had mijn verjaardag altijd fijn gevonden. Het was mijn speciale dag. Als ik erg mijn best doe, mijn ogen samenknijp, diep graaf in mijn vroegste herinneringen, kan ik me nog mijn derde verjaardag in het château herinneren. Ik was te klein om oog te hebben voor iets anders dan de taart die mijn moeder voor me had gebakken, in de vorm van een vliegtuig, en de verwachtingsvolle gezichten toen ik de drie kaarsjes uitblies. Maar ik herinner me nog wel goed het gevoel van belangrijkheid dat het feest me gaf, en de troostrijke geur van vanille.

De stenen muren van het château waren de muren van mijn veiligheid; mijn moeders omhelzing was het heilige der heiligen waar ik naartoe vluchtte wanneer de vijand door de buitenmuren heen drong. Maar op mijn derde verjaardag had ik, net als op mijn tiende, helemaal niet het gevoel dat er in de schaduwen een vijand op de loer lag.

Matias hield van barbecuen. Hij zei dat dat in Chili *asado* heette en beweerde dat het vlees daar veel lekkerder was. Dus nodigde hij voor mijn verjaardag vrienden uit de buurt uit en gingen we allemaal in de tuin zitten, genietend van de houtskoolgeur van de grill en het zoete aroma van de herfst. Matias had het schort van Maria Elena om zijn omvangrijke middel geknoopt, wat er lachwekkend uitzag, omdat de strikbanden elkaar op zijn rug amper raakten, en wiegde met zijn achterste op het ritme van Coyotes gitaar. Maria Elena kwam van achteren naar hem toe en sloeg zo goed als ze kon haar armen om hem heen, terwijl ze met hem meewiegde in een lome dans. Coyote zat met zijn hoed schuin op zijn hoofd tegen een boom geleund, net als op de kleine open plek bij de rivier in Frankrijk. Mijn moeder, gekleed in een witte broek, was in kleermakerszit op het gras gaan zitten; een sjaal hield haar haar uit haar gezicht, zodat je goed de punt van haar haargrens midden op haar voorhoofd kon zien. Ze glimlachte Coyote toe. Door de zon waren de sproetjes op haar neus beter zichtbaar geworden en haar gezicht zag zo bruin als een toffee.

Ze hadden een paar van mijn vriendjes van school uitgenodigd: Joe, Frank en Solly, en er kwamen een paar meisjes met hun ouders mee, die vrienden van Maria Elena en Matias waren. Pas toen ik in het gezelschap verkeerde van Maria Elena en Matias en hun uitgebreide vriendenkring, realiseerde ik me dat mijn moeder en Coyote zelf helemaal geen vrienden hadden. Iedereen was dol op Coyote, maar hij was een raadsel, als een lichtstraal die weliswaar verlokkelijk is, maar ook ongrijpbaar. Iedereen kende hem. Er werd in de winkel voortdurend naar hem gevraagd, vooral door vrouwen, die zich dan helemaal hadden opgedoft met mascara en lippenstift, maar hij liet nooit iemand te dichtbij komen. Alleen mijn moeder en ik mochten intiem met hem zijn. Maar terwijl ik nooit verder kon kijken dan zijn glimlach, zag mijn moeder veel meer. Ze hoorde de stille kreet die opklonk vanuit zijn jeugd, die een beroep deed op de moeder in haar en vroeg om begrip. Ze deed haar best, dat weet ik. Maar het was niet genoeg. Coyote bleef altijd iets houden waartoe je niet kon doordringen. Ik neem aan dat mijn moeder te druk was met haar pogingen om hem te doorgronden om naast Maria Elena nog andere vriendinnen te hebben.

Ik dwaalde wat door de tuin met mijn vriendjes; we stelden ons een beetje aan om indruk te maken op de meisjes, die giechelden achter hun hand en tegen elkaar fluisterden. Ik had niet langer het gevoel dat ik overal buiten stond. De tijd waarin ik ernaar had gehunkerd mee te doen met de kinderen op het plein was een verre herinnering, evenals Claudine. Ik had nu andere vrienden. Ik bezat niet alleen de macht van een knap uiterlijk, maar ook die van mijn kennis. Mijn moeder, die zelf goed was opgeleid, had me dingen geleerd die me nu goed van pas kwamen. Ik was goed in geschiedenis, aardrijkskunde en kennis van de wereld. Ik wist meer dan mijn leeftijdgenootjes. Bovendien was ik erg geïnteresseerd in de wereld buiten Jupiter. Ik benijdde Coyote om zijn overzeese reizen. Ik zou dolgraag met hem mee willen naar alle landen die stonden afgebeeld op de lapjesjas van de Oude Man uit Virginia. Hij zei me dat hij me op een dag, als ik groter was, mee zou nemen, zodat ik zou weten hoe ik de zaak draaiende moest houden als hij er niet meer zou zijn. Maar die kans heb ik nooit gekregen; voordat ik was opgegroeid, was hij al vertrokken.

Wij kinderen aten met een bord op onze schoot. Er waren wel tafels, keurig gedekt met geruite tafelkleden en bijpassende servetten, maar daar zaten de grote mensen, met hun wijn en hun manieren over grotemensendingen te praten, terwijl wij op het gras met de twee bullterriërs van Matias hotdogs en hamburgers naar binnen werkten. Maar toen de taart werd gebracht, door mijn moeder en Maria Elena, viel de hele tuin stil en zongen ze allemaal 'Er is er een jarig' voor me. Matias zei dat ik aan het hoofd van de tafel moest gaan zitten, waar zijn vrouw plaats voor me had gemaakt, die nu de taart met tien kaarsjes erop voor mijn gloeiende gezicht zette. 'Toe maar, blaas ze maar uit!' riep iedereen, en ik haalde diep adem en blies zo hard als ik kon.

'Jij krijgt maar één vrouw!' zei Coyote, omdat ik maar één keer had hoeven blazen om alle vlammetjes te doven. 'Dat mag ik hopen,' merkte Maria Elena op, en ze klapte in haar handen. 'Eén vrouw!' herhaalde Matias nadrukkelijk, en zijn dreunende bas overstemde het lawaai. 'Veroordeel die arme jongen nou niet tot een leven in het vagevuur!' 'Toe, gedraag je, *mi amor*,' zei Maria Elena lachend. 'Hij is nog maar tien.' 'En hij heeft nog een heel leven voor zich.' Hij hief zijn glas. 'Dat de toekomst maar een heleboel wijn, vrouwen en chocoladetaart mag brengen!' Alle aanwezigen proostten vrolijk en mijn moeder gaf me een knipoog. Ze was duidelijk trots.

In de lengende schaduwen van de wegstervende dag deden we spelletjes op het gras. Coyote zat met een sigaret te luisteren naar de gesprekken om hem heen en zijn blik was af en toe zo afwezig dat het wel leek of hij in een weemoedige droom verzonken was. Mijn moeder liet haar hoofd op zijn schouder rusten. Ik zag dat hij haar haar kuste en van tijd tot tijd zijn gezicht tegen het hare drukte. Te midden van alle vrolijkheid leken ze alleen en stil verzonken in hun eigen wereldje. Een eiland. Altijd een eiland: mijn moeder, Coyote en ik.

Toen het tijd was om te gaan, was de zon ver onder de horizon gezakt. Over slechts enkele uren zou mijn verjaardag officieel voorbij zijn. Ik had van alle gasten cadeautjes gekregen. Die had ik niet allemaal uitgepakt; sommige zaten nog steeds keurig in hun verpakking, dichtgebonden met een strik. Mijn moeder en Maria Elena borgen ze in een boodschappentas met de woorden TOAD HALL erop, de winkel van Hilary Winer aan de hoofdstraat. Bij de aanblik van al mijn nieuwe speelgoed trok er een rilling van vreugde door mijn lichaam en opgewonden hipte ik van de ene voet op de andere. 'O hemel,' zei mijn moeder, 'ik geloof niet dat Mischa vanavond nog kan slapen.'

'Maak je geen zorgen. Het is maar eens per jaar.'

'Ik ben blij dat hij blij is,' zei ze opeens met een diepe zucht, alsof ik niet luisterde. 'Na alles wat hij heeft meegemaakt hebben Matias en jij ons allebei het gevoel gegeven dat we thuis zijn en hem dat hij volkomen veilig is. Beter kon ik me niet voor hem wensen: dat hij weet dat hij een eigen plekje op de wereld heeft. Jij schenkt een mens vertrouwen en de vrijheid om zijn eigen gang te gaan.' Om de een of andere reden was mijn moeders Franse accent sterker dan anders.

Maria Elena raakte vol genegenheid haar arm aan. 'Je bent een uitstekende moeder, Anouk.'

'Ik doe mijn best.'

'Ik ben blij dat Coyote je mee hiernaartoe heeft genomen. Je hebt ons leven meer verrijkt dan je beseft en bent een fantastische vriendin voor me geweest.' Nu was het haar beurt om een zucht te slaken en emotioneel te worden. 'Matias en ik kunnen zoals je weet geen kinderen krijgen, dus is het een zegen waar we elke dag weer dankbaar voor zijn dat we Mischa zo dicht in de buurt hebben.'

'Je mag hem van me lenen wanneer je maar wilt.' Ze moesten allebei lachen en keken omlaag naar mij. Mijn moeders ogen waren glazig en vochtig. 'Kom op, Mischa, we kunnen je maar beter eens thuis in bed gaan stoppen.' Ik dacht dat als er iemand in bed gestopt moest worden, zij het wel was.

We reden in Coyotes auto naar huis. De avond was helder en stralend, de maan groot en rond als een boei in een zee van sterren. Coyote hield mijn moeders hand vast en liet die alleen los om te schakelen. 'Wat een heerlijke avond hebben we gehad,' zei ze. 'Ontzettend aardig van Maria Elena om de taart te bakken en alles.'

'Junior heeft ervan genoten, hè jongen?'

'Ik heb een heleboel cadeautjes gekregen,' antwoordde ik terwijl ik de autootjes in een rij op de achterbank zette. Ze zouden mooi passen bij de gele Citroën die ik van Joy Springtoe had gekregen. Ik moest vaak aan Joy denken; we waren tenslotte in Amerika, dus misschien zouden we haar wel een keer tegenkomen.

'De rest kun je morgen aan het ontbijt uitpakken, Mischa,' zei mijn moeder. 'Het is al ruimschoots bedtijd voor je.'

'Voor ons ook,' zei Coyote, en hij drukte mijn moeders hand.

Maar toen we thuiskwamen, gingen we geen van allen naar bed.

Toen Coyote de oprijlaan op reed, voelde hij dat er iets niet in orde was. Hij stak als een hond zijn neus in de lucht en snoof. 'Blijf in de auto,' gebood hij ons. 'Jullie moeten je muisstil houden.' Hij kroop naar buiten, deed het portier net niet helemaal dicht om geen geluid te maken en liep stilletjes naar de deur. Hij duwde ertegen en hij ging vanzelf open.

'*Mon Dieu!*' riep mijn moeder binnensmonds uit.

'Wat is er gebeurd?' vroeg ik, terwijl mijn hart hamerde tegen mijn ribbenkast.

'Volgens mij heeft er iemand ingebroken,' antwoordde ze in het Frans. Ze sprak alleen Frans tegen me als ze geagiteerd was. 'Ik hoop niet dat ze nog in huis zijn.'

Aan haar profiel kon ik zien dat ze bang was: ze had haar wenkbrauwen vlak boven haar ogen gefronst en haar mond was een dunne, strakke streep. We bleven allebei zitten wachten, zitten hopen. De lucht in de auto was opeens geladen met spanning, alsof er elektrische deeltjes als stofjes in ronddwarrelden. We wachtten en wachtten maar, terwijl we ons afvroegen wat Coyote in vredesnaam binnen aan het doen was, totdat hij ten slotte naar buiten kwam. Zijn gezicht stond ernstig. Ernstiger dan ik het ooit had gezien. Hij stapte in de auto.

'Wat is er gebeurd?' vroeg mijn moeder, en haar gezicht zag in het maanlicht griezelig bleek.

'Iemand heeft de hele boel overhoopgehaald,' antwoordde hij. Zijn stem had een onbekende klank.

'Wat hebben ze meegenomen?'

'Niets, zover ik kan zien.'

'Nou, dat is mooi,' zei ze, en ze klonk nu iets hoopvoller. 'Als er iets kapot is, kunnen we het maken.'

Hij startte de auto. 'Ik wil even bij de winkel gaan kijken.'

'Denk je dat ze daar ook heen zijn gegaan?'

'Ik weet het niet. Het zou kunnen.'

'Zijn ze in mijn kamer geweest?' vroeg ik, want ik maakte me zorgen om mijn speelgoed.

'Ze zijn overal geweest, Junior. Er is geen la die ze ongemoeid hebben gelaten.'

Toen we bij de winkel waren, haalde Coyote een wapen tevoorschijn. Mijn moeders mond viel open. 'Maak je geen zorgen, engel, ik gebruik het alleen als het niet anders kan.'

'Waarom bellen we de politie niet?'

'Ik ga de politie niet bellen. Ik ga niemand bellen, begrepen? Hier heeft niemand iets mee te maken behalve wij. Wij hebben zo onze eigen manier om dit soort akkefietjes op te lossen, zonder dat de arm der wet zich ermee bemoeit.' Zijn stem had een scherpe ondertoon gekregen.

'Doe geen domme dingen, Coyote. Denk alsjeblieft aan Mischa.' Mijn moeder was bang.

Hij gaf haar een kus. 'Als die inbreker daarbinnen is, krijgt hij nog spijt.' Na die woorden stapte hij uit de auto. Hij sloot ons in en gebood ons te gaan liggen, zodat niemand ons kon zien.

'Alles goed, Mischa?' vroeg mijn moeder zodra hij verdwenen was.

'Ja hoor,' antwoordde ik; ik genoot wel van dit drama.

'Ben je niet bang?'

'Nee.' Ze noemde me niet langer haar kleine *chevalier* – ik was te groot voor dat soort kinderpraat, maar die avond voelde ik me wel een ridder; ik had mijn hand op mijn zwaard om het als het moest te trekken tegen de vijand.

Coyote bleef een hele poos weg. We lagen in de schaduwen te luisteren naar het geluid van onze eigen ademhaling. 'Ik hoop maar dat hij dat wapen van hem niet hoeft te gebruiken,' zei mijn moeder.

'Wist je dat hij er een had?'

'Nee.'

'Denk je dat hij wel eens iemand heeft neergeschoten?'

'Doe niet zo mal, Mischa. Natuurlijk heeft hij niemand neergeschoten.'

'Dat weet je niet zeker.'

'Nee, dat weet ik niet zeker. Maar ik ken hem.'

'Hij zal in de oorlog toch wel mensen hebben gedood.'

'Dat is iets anders.'

'Waar zouden ze op uit zijn?'

'Op waardevolle spullen, denk ik. Ze hebben niets meegenomen omdat wij niets in huis hebben wat de moeite waard is.'

'Hier zijn die wel,' zei ik.

'Niet veel, Mischa. In de winkel ligt een heleboel rommel.'

'O ja? Zit er helemaal niks kostbaars tussen?'

'Ach, er zijn wel een paar originele dingen bij die iets van waarde hebben. Maar niets is echt kostbaar. Als dat wel zo was, zouden we rijk zijn.'

'Matias zegt dat ze een fortuin waard zijn. Coyote brengt ze van over de hele wereld bij elkaar.'

Ze lachte honend. 'Maar het zijn niet de kroonjuwelen van Engeland, Mischa. Het zijn spullen die hij vindt op markten en in soeks. Wat ze interessant maakt, is dat ze hier niet te koop zijn, zoals die malle olifantenpoot.'

'En het wandkleed?'

'Ik weet niet waar dat vandaan komt,' zei ze snel. 'Wat hij uitvoert als hij in het buitenland is, is mijn zaak niet.'

Het geluid van de sleutel in het portierslot maakte ons erop attent dat Coyote was teruggekomen. 'Jullie kunnen eruit komen,' zei hij. Hij klonk nu weer als zichzelf.

'Is alles in orde?' vroeg mijn moeder.

'Ze hebben de hele boel overhoopgehaald, maar er is niets belangrijks weg.'

'Goddank!'

'Wat wilden ze dan?' vroeg ik, terwijl ik uit de auto klauterde.

'Ik heb geen idee, Junior, maar wat het ook was, ze hebben het niet gevonden. Ze hebben één grote troep achtergelaten.'

We liepen naar binnen. Ik schrok ervan zoals alles kriskras door elkaar lag. Als een leger mieren waren de inbrekers overal overheen gedenderd. De grond lag vol met glasscherven, houtsplinters en kapotte meubels. Ze moesten overal overheen geklommen zijn en dingen op de grond hebben gegooid terwijl ze zich een weg baanden door stapels koopwaar.

'Het gaat weken kosten om het hier weer een beetje toonbaar te maken,' merkte mijn moeder wanhopig op. 'Ze hebben ons geruïneerd.' Opeens lag de winkel niet meer vol met rommel, maar was het hun brood geworden. Ik wilde daar iets over zeggen, maar had het idee dat het daar misschien niet het juiste moment voor was.

'Maak je maar geen zorgen, engel. Ze hebben ons heus niet geruïneerd,' zei Coyote terwijl hij peinzend over zijn kin wreef. 'Er is hier niets wat we niet kunnen repareren.'

'Maar ze hebben zo veel kapotgemaakt...'

'Kom op. Laten we naar huis gaan. Morgenochtend kijken we wel verder.'

'Het lijkt me echt beter dat we de politie bellen,' drong mijn moeder aan.

'Nee.' Coyotes stem duldde geen tegenspraak. 'Geen politie en geen woord hierover tegen wie dan ook, heb je dat begrepen?' Mijn moeder knikte langzaam, maar een frons trok over haar gezicht. 'En jij, Junior: geen woord.'

'Geen woord,' zei ik, en ik voelde me weer helemaal een spion. 'Weet je wie dit gedaan heeft, Coyote?' Ik had het idee van wel, ook al ontkende hij.

'Nee, dat weet ik niet.'

'Komen ze terug, denk je?' vroeg mijn moeder.

'Als het aan mij ligt niet.'

We kwamen thuis en troffen eenzelfde chaos aan. Alle kamers waren helemaal ondersteboven gekeerd; er waren zelfs een paar vloerplanken losgetrokken. Mijn moeder sloeg haar handen voor haar gezicht en begon te huilen. 'Ons mooie huisje,' snikte ze. 'Ze hebben ons mooie huisje kapotgemaakt.' Ik kon van schrik geen woord uitbrengen. Voor het eerst die avond werd ik bang. Voor mijn geestesoog zag ik beelden van Père Abel-Louis en opeens voelde ik me weer onveilig. Als ze Coyote op stang konden jagen en zijn huis konden plunderen, moesten ze wel heel machtig zijn. Ze hadden mijn gevoel van veiligheid op zijn grondvesten doen schudden.

We sliepen die avond bij Matias thuis. Ik lag wakker in bed, omringd door mijn nieuwe speelgoed, dat nu ineens niet meer zo aantrekkelijk was, en luisterde naar hoe ze beneden zaten te praten. Ik kon de woorden niet verstaan, maar alleen laag geroezemoes van stemmen. Mijn fantasie sloeg op hol. Misschien was het Père Abel-Louis geweest die op zoek was naar mij. Als het dieven waren en ze niet hadden gevonden wat ze zochten, zouden ze dan terugkomen? En stel dat ze achter Coyote aan zaten, zouden ze dan terugkomen voor hem? Ik wilde antwoorden op mijn vragen, maar die kreeg ik niet.

De volgende dag begonnen Maria Elena en mijn moeder aan de omvangrijke taak om ons huis weer op orde te brengen. Matias en Coyote keerden terug naar de winkel. 'Ik snap niet waarom hij de politie niet belt,' zei mijn moeder geërgerd.

'Echt iets voor Coyote. Hij denkt dat hij zijn zaakjes zelf wel kan oplossen,' antwoordde haar vriendin.

'Nou, dat mag hij dan denken, maar het gaat hem duidelijk niet goed af.'

'Maak je maar geen zorgen. Hij weet wat hij doet.' Opeens hield mijn moeder op met opruimen en ze kwam op haar knieën overeind.

'Je denkt toch niet dat hij weet wie het heeft gedaan, of wel soms?'

'Waarom zeg je dat?' wilde Maria Elena weten. Ook zij onderbrak haar bezigheden. Ik deed alsof ik niet luisterde en ging door met spullen terugleggen in de laden, zoals me was opgedragen.

'Ik weet het niet. Zomaar een gevoel.'

'Een voorgevoel.'

'Ja, een voorgevoel. Ik denk dat hij weet waar ze op uit waren.'

'Wat dan?'

'Dat weet ik niet. Dat heeft hij niet gezegd. Hij had alleen iets vrolijks over zich toen hij gisteravond de winkel uit kwam. De hele boel was op zijn kop gezet, van ons huis was niets meer over, en toch glimlachte hij.'

'Matias heeft jaren met hem samengewerkt. Hij zou het wel weten als er iets waardevols in de winkel lag.'

'Misschien is het wel helemaal niet waardevol.' Ze schudde haar hoofd. 'Ik weet niet. Ik doe dwaas. Ik snap alleen niet waarom hij de politie niet belt, dat is alles.'

'Matias zou ook de politie niet bellen,' zei Maria Elena, die weer op handen en knieën zat. 'Mannen! Ze willen nooit erkennen dat ze ergens niet tegen opgewassen zijn. Als ze de dingen niet zelf kunnen oplossen, voelen ze zich niet mannelijk. In Chili noemen we dat *machismo*.'

'Alleen wij zwakke en hulpeloze vrouwen zouden ons tot de arm der wet wenden.'

'Inderdaad!' Ze moesten allebei lachen.

Maar ik vond het helemaal zo gek nog niet wat mijn moeder had gezegd. Misschien stond de winkel dan toch niet vol rommel.

Een week later kondigde Coyote aan dat hij weer wegging. Hij vond dat er bij de inbraak zo veel kapot was gemaakt dat hij geen andere keus had dan op zoek te gaan naar nieuwe spullen. Hij gaf mijn moeder een kus, bleef een hele poos talmen en drukte zijn lippen smartelijk op de hare. Vervolgens omhelsde hij mij. 'Jij gaat in mijn plaats goed op je moeder passen, hè Junior?' zei hij vrolijk terwijl hij door mijn haar woelde. Hij glimlachte, zijn mondhoeken gingen omhoog richting zijn wangen, maar mijn moeder had zeker de onwrikbare vastberadenheid die daarachter lag gezien, want ze zei: 'Wees voorzichtig, lieverd. Doe geen domme dingen.'

We keken toe hoe hij in de auto stapte, zijn koffer en gitaar op de achterbank gestapeld. Mijn moeders gezicht stond ernstig en ze beet op een velletje naast haar nagel. Coyote zwaaide en zoals altijd zwaaiden wij terug, maar we voelden allebei dat het dit keer anders was, ook al wisten we niet waarom.

Weer waren we alleen. Alleen wij tweetjes. Mijn moeder en ik.

21

Dat was de laatste keer dat ik Coyote zag – totdat hij dertig jaar later ineens als een smerige, stinkende zwerver opdook in mijn kantoor. Ik draaide de groene veer rond tussen mijn vingers en bleef er een poosje naar zitten staren terwijl de oude gevoelens van wrok en gekwetstheid naar boven kwamen en me staken met hun scherpe punten en me weer overal bloedende wonden toebrachten. Het ging er niet om dat hij was vertrokken – hij was immers zo vaak vertrokken –, maar dat hij niet meer naar huis was gekomen.

Eerst zetten we gewoon ons leventje voort, mijn moeder en ik. Ze dekte elke avond de tafel en zette ook op zijn plek een bord neer, voor het geval dat. Ik herinner me het witte tafelkleed met rode kersen erop, met de bijpassende servetten. Dat van Coyote was schoon en gestreken; de onze waren gekreukt en gebruikt. Het lag daar maar, dat servet, in zijn zilveren servetring, dag in dag uit, totdat zijn plek een soort schrijn werd. Ik herinner me mijn moeders citroenachtige parfum, de aanblik van haar glanzende haar en verwachtingsvolle gezicht, de vreugde in haar tred, het lied op haar lippen, het licht in haar ogen, omdat Coyote van haar hield en ze er geen moment aan twijfelde dat hij zou terugkeren. Dat had hij tenslotte altijd gedaan.

Maar Coyote kwam niet terug. Het duurde maanden voordat we nieuws van hem kregen. Ik rommelde wat in de koffer tot ik zijn ansichtkaarten vond. Het verraste me niet dat mijn moeder die had bewaard – ze hadden regenbogen in ons huis gebracht, regenbogen die maar heel even zichtbaar waren gebleven voordat ze in het niets verdwenen –, want ze bewaarde alles. Ze waren samengebonden tot een dun bundeltje, met een touwtje eromheen. Ik telde ze. Het waren er acht. Ze hielden ons de eerste paar jaar gaande en toen, toen er niet meer kwamen, vulden hoop en vertrouwen de leegte en lieten ons af en toe een glimp van die vluchtige regenbogen opvangen, totdat ik afdaalde in een wereld waar geen zon, geen licht en geen regenbogen waren. Ik haatte de wereld. Ik haatte mijn moeder. Maar vooral haatte ik Coyote om wat hij me had aangedaan. Ik sta niet graag stil bij die jaren. Ze waren pijnlijk. In plaats daarvan blikte ik terug op die zomer in het château, toen Coyote naar ons toe was gekomen met al zijn mysterie en magie, en ons leven had veranderd. Hij had ons liefde geschonken en het verleden geheeld. Hij had me geleerd hoe ik vertrouwen kon hebben en ik had hem mijn hart gegeven, mijn ziel, mijn geloof – alles. De eerste drie jaar in Jupiter waren een tijd van licht. Toen had eindelijk de zon op mijn gezicht geschenen en had ik me speciaal, bemind, gekoesterd, gewaardeerd gevoeld. Vervolgens was Coyote vertrokken en was ik niet langer goed genoeg of waardevol genoeg voor hem om voor naar huis te komen. Ik beschouwde de liefde van mijn moeder als iets vanzelfsprekends, maar ik mat mezelf af tegen de zijne. Hij had me verworpen en wat volgde waren jaren van duisternis, rebellie en zelfhaat. De *chevalier* stond voor de grootste uitdaging van zijn leven, tegen de meest dodelijke vijand van allemaal: hijzelf.

Mijn stem had mijn communicatiemiddel moeten zijn. Als kleine jongen had ik daar tenslotte zo naar verlangd, omdat ik had gedacht dat die de sleutel was die alles zou oplossen. Ik was ervan uitgegaan dat als mijn stem zou terugkeren, de wereld om me heen weer op zijn plaats zou vallen en dat ik er niet langer moeite mee zou hebben. Eerst was dat ook zo geweest. In Mauriac was ik uitgeroepen tot heilige, in Jupiter was ik ieders lieveling geweest. Maar toen had Coyote me verlaten en had het verderf ingezet, dat mijn monterheid beetje bij beetje wegvrat, totdat ik mezelf amper in de spiegel kon aankijken zonder verschrikkelijk van mezelf te walgen. Snap je, de oorlog had mijn vader van me afgenomen; Coyote was uit eigen beweging weggegaan. Mijn vader had me niet verlaten; hij was omgekomen. Maar Coyote had ervoor gekozen om te gaan, omdat hij niet langer van me hield. Ik betekende niets voor hem. Hij trok verder en liet mij als ongewenste bagage liggen.

Aan mijn stem had ik echter helemaal niets, omdat ik niet wist hoe ik mijn zorgen kenbaar moest maken. Ik had er de woorden niet voor. Inmiddels ben ik gaan begrijpen dat er geen simpele woorden bestaan voor dat soort pijn. Dus aangezien ik niet kon praten, gebruikte ik in plaats daarvan maar geweld. De eerste keer dat ik een raam insloeg, was het gevoel van bevrijding zo overweldigend dat ik tijdelijk genezen was. Ik stapte trots naar huis, duizelig van genot, helemaal van mezelf overtuigd door het gevoel van controle dat ik erdoor kreeg. Het bloed dat uit mijn geschonden huid stroomde leek al het gif met zich mee te voeren dat ik in mezelf verzameld had. Mijn moeder bracht me radeloos van bezorgdheid naar het ziekenhuis, terwijl ik daar maar, zo bleek als de dood, sereen glimlachend voor me uit lag te staren. Toen ik haar blik ving, zag ik daarin iets onbekends, alsof ik een vreemde was waar je bang voor moest zijn. De eerste paar jaar ging het alleen maar om onbelangrijke vormen van geweld en niets ergers. Ik sloot me na schooltijd aan bij een paar andere jongeren die niets beters te doen hadden en we keken waar we kattenkwaad konden uithalen. We bekladden muren met verf, maakten krassen op auto's, stalen kleinigheden uit winkels. Maar we praatten er vooral over. We beraamden en planden van alles, rookten de sigaretten die we bij elkaar wisten te schooien, en deelden samen gestolen flessen drank. We giechelden om naaktfoto's van vrouwen en praatten over seks, waar niemand van ons nog enige ervaring mee had. Ik was weliswaar de lieveling van Jupiter geweest, maar nu ging er zo'n dreiging van me uit dat mensen aan de overkant van de straat gingen lopen als ze me zagen. Mijn blonde haar en mooie blauwe ogen konden niet langer verhullen dat ik een crimineel was geworden, maar wat kon mij dat schelen? Ik haatte mezelf, dus waarom zouden anderen me ook niet haten?

Pas op de middelbare school werden mijn problemen van ernstiger aard: seks, drugs en geweld. Op mijn vijftiende zag ik eruit alsof ik veel ouder was. Ik was een vrij kleine jongen geweest, maar nu was ik – misschien door het overvloedige Amerikaanse eten – erg lang voor mijn leeftijd. Ik had sterke, brede schouders, en mijn innerlijke woelingen maakten me overmoedig. Ik sloot me aan bij een groep oudere jongens die na schooltijd bij elkaar kwamen in een leegstaand appartement om daar marihuana te roken. Ze noemden zichzelf de Zwarte Haviken. Op het schoolplein waren ze gevreesd, omdat ze het voorzien hadden op de jongere, zwakkere leerlingen, wier zakgeld ze afpakten om de drugskoeriers te betalen die buiten het schoolplein stonden te wachten. Ik had daar weinig moeite mee; ik was in Mauriac zelf een zwakkeling geweest en ik wist hoe dat voelde. Ik had meer belangstelling voor seks en geweld, omdat dat voor mij uitlaatkleppen waren.

De straatgevechten waar we in verwikkeld raakten gaven me status en het gevoel dat ik belangrijk was; ik was groter en sterker dan wie ook. Ik kon een reus nog vellen. Ik kreeg een rood waas voor mijn ogen en sloeg erop los; ik was overal tegelijk, stompend, trappend, grauwend. Het gevoel van bevrijding was opwindend, alsof ik een gezwel op mijn ziel opensneed en de pus eruit voelde stromen. Ik vond het prachtig om de angst in de ogen van een jongen te zien, want als kind was ík altijd voor iedereen bang geweest. Voordat ik mijn vuist tegen de kaak van mijn tegenstander ramde, stelde ik me vaak voor dat die het gezicht had van Monsieur Cezade. Geweld gaf lucht aan mijn woede en verdoofde de pijn; seks stelde me in staat te vergeten hoe verloren ik me in wezen voelde. Als ik me als een man gedroeg, kon ik mijn getroebleerde jeugd naar het verleden schuiven en de deur achter me dichtslaan.

De eerste keer dat ik het met een vrouw deed was ik dertien. Ze heette May en was met iedereen van het mannelijk geslacht in Jupiter het bed in gedoken. Ze was best knap, met warrig bruin haar, hazelnootbruine ogen en een huid die aan te veel rook en alcohol blootgesteld was geweest om rozig genoemd te kunnen worden. Ze was zacht en had ronde welvingen, en had een heleboel parfum op. Ik weet niet hoe oud ze was en dat kon me niet schelen ook; ik wilde alleen maar zo snel mogelijk maagd-af zijn en een man worden. Trouwens, duur was ze niet. Ik kon haar betalen met een paar weken zakgeld plus een beetje spaargeld dat ik had vergaard door te helpen in de winkel. Ze gaf me korting, zei ze, omdat ik zo jong en zo knap was.

Ik was niet de schuchtere beginneling die ze had verwacht. Ik verkende haar lichaam zonder enige gêne, liet mijn handen enthousiast over de witte vlakten van haar dijen gaan, groef met mijn vingers in de plooien tussen haar benen, nam haar tepels in mijn mond totdat ze zich wriggelend wegtrok, terwijl ze protesteerde dat ze me eruit zou gooien als ik haar niet de kans gaf me te laten zien hoe het moest. 'Je bent net een smerige hond,' klaagde ze, en ze pakte mijn hand en leidde mijn vingers over haar vlees. 'Je moet me langzaam en zachtjes aanraken. Ik ben geen bot!'

Ik was een bereidwillige leerling en leerde snel. Terwijl ik me te goed deed aan haar lichaam, kon ik de knagende pijn van afwijzing in mijn binnenste negeren en me voor een uurtje of zo koesteren in de sensatie dat ik werd aanbeden.

Toen de geheimzinnigheid er eenmaal af was, wilde ik de hele tijd alleen maar seks. Nadat ik me bij de Zwarte Haviken had aangesloten, was die makkelijk te krijgen. Ik kon krijgen wie ik hebben wilde, behalve de chique meisjes die voor het huwelijk niet wilden vrijen; die kreeg niemand. Ik zag er goed uit en was een Zwarte Havik, dus dat was niet niks. Er waren een heleboel meisjes die wel interesse in me hadden.

Meisjes die in aanmerking kwamen waren in twee categorieën te verdelen: degenen die het deden zonder er moeilijk over te doen en degenen die het alleen konden binnen de veiligheid van een relatie. De eerste categorie paste beter bij me. Voor mij waren vrouwen landen die erom vroegen te worden veroverd en verkend: als ik mijn nieuwsgierigheid eenmaal had bevredigd, keek ik uit naar de volgende. Ik wilde niet terugkeren naar wat ik al had gehad, tenzij het echt niet anders kon. Dus had ik de ene relatie na de andere, wat hard werken was, hoewel ook een uitdaging. Weldra bouwde ik een reputatie op, maar daar liet ik me weinig aan gelegen liggen. Ik was humeurig en afstandelijk. Er was geen gebrek aan meisjes die mij wilden temmen – en trouwens, vrouwen voelen zich altijd door duistere kantjes aangetrokken.

Als mijn moeder al wist wat ik na schooltijd uitspookte, liet ze daar niets van blijken. Ik geloof dat ze het te druk had met haar werk voor Kapitein Crumbles Rariteitenkabinet om zich erg druk te maken over mijn slechte cijfers en gespijbel. Ze was trouwens amper thuis. Ik had niet in de gaten dat we uit elkaar groeiden, dat er steeds meer golven tussen onze bootjes in kwamen terwijl we in tegenovergestelde richtingen zeilden zonder ook maar even achterom te kijken. We hadden het allebei moeilijk. Ik dacht echter alleen aan mijn eigen pijn en aan de tijdelijke verlichting die ik vond in de armen van mooie meisjes en in het gezelschap van de Zwarte Haviken. Ik hielp 's zaterdags minder vaak in de winkel en ik was steeds minder vaak thuis en steeds vaker aan het knokken. De enige plek waar ik me altijd op mijn gemak bleef voelen was echter het huis van Maria Elena, en het is waarschijnlijk aan haar te danken dat ik nooit iemand heb vermoord, want zolang zij er was bleven de communicatielijnen open en stond ik nog altijd met één been in een gezonde en stabiele wereld.

'Je zou echt eens met je moeder moeten praten,' zei ze op een dag. 'Ze maakt zich grote zorgen om je.'

'Volgens mij laat mijn doen en laten haar volkomen koud,' antwoordde ik met een schouderophalen.

'Je weet niet wat je zegt. Het kan haar heel veel schelen.'

'Wat valt er te bespreken?' gromde ik, en ik draaide me van haar weg.

Ze kwam naast me zitten op de bank en pakte de fles spuitwater uit mijn hand. 'Je zit in de problemen, Mischa, en we willen alleen maar helpen.' Ze klonk serieus. 'Kijk me eens aan.' Met tegenzin gehoorzaamde ik. 'Denk maar niet dat we niet weten wat je na schooltijd uitspookt. We zijn niet van gisteren. Trouwens, die blauwe plek onder je oog is echt niet vannacht ineens opgekomen.' Haar gezicht verzachtte en ze keek me verdrietig aan. 'Je was altijd zo'n lieve kleine jongen. Wat is er met dat knulletje gebeurd?' Haar liefdevolle blik legde me het zwijgen op. Ik kreeg een brok in mijn keel en moest vechten tegen de tranen. 'Je moeder mist Coyote net zo erg als jij.' Toen ze zijn naam noemde, trok ik defensief mijn schouders op.

'Ik mis hem helemaal niet,' antwoordde ik scherp. Ze glimlachte om die overduidelijke leugen.

'We missen hem allemaal. Wat zou hij wel niet denken van hoe je je tegenwoordig gedraagt?'

'Kan me niet schelen.'

'Ons kan het wel schelen.' Ze klemde haar hand om de mijne. 'Wij geven om je. Voor Matias en mij ben je een soort familie. We willen niet dat je verwikkeld raakt in de wereld van drugs en misdaad. Als je het zover laat komen, Mischa, kom je daar nooit meer uit. Er bestaan bendes die veel erger zijn dan die waar jij bij hoort en ze zien er geen been in om mensen te vermoorden. Daar ben jij te goed voor. Je zou je op je schoolwerk moeten concentreren, zodat je iets van je leven kunt maken. Dat gebeurt niet zomaar vanzelf. We hebben allemaal zo onze zorgen en teleurstellingen, maar daar moeten we allemaal overheen zien te komen. We kunnen niet zelf kiezen wat ons in het leven overkomt, maar we kunnen wel zelf bepalen hoe we daarop reageren. Coyote is vertrokken. Je kunt jezelf ofwel laten gaan en eindigen in de goot, ofwel de draad weer oppakken.'

Ik dacht over haar woorden na. Ze had een zenuw geraakt, en dat deed pijn. Ik moest op de binnenkant van mijn wang bijten om mijn zelfbeheersing niet te verliezen en alles in haar keurige zitkamer uit het raam te smijten.

'Je moeder staat er helemaal alleen voor. Ze heeft niet alleen haar man verloren, maar ze dreigt ook nog eens haar zoon te verliezen. Kijk nou eens even verder dan je neus lang is en denk aan haar. Zij kan er niets aan doen dat Coyote er niet meer is. Hij heeft jullie allebei in de steek gelaten.'

Voor mijn geestesoog doemde een beeld van mijn moeder op, naakt en kaalgeschoren, trillend op de straatkeien op de Place de l'Eglise, en mijn hart verzachtte zich. We waren altijd met z'n tweetjes geweest: *maman* en haar kleine *chevalier*. Tranen prikten in mijn ogen.

'Ik moet nu weg,' zei ze terwijl ze opstond. Ik hoorde de deur dichtgaan, en daarna een galmende stilte. Ik boog me voorover, nam mijn hoofd in mijn handen en huilde. Ik had me nog nooit zo alleen gevoeld.

Die avond raakte ik in grote problemen. We hadden een nachtelijk gevecht op het programma staan met een rivaliserende bende op een parkeerplaats buiten Jupiter. Het was op een afgelegen industrieterrein, een ideale plek voor een robbertje knokken. Het was ongewoon donker, de verlichting was er slecht, de wind blies ijzig koud en scherp rond de gebouwen. Ik was net een stier in een omheind weitje die stond te snuiven en te stampen, en wilde niets liever dan mijn woede koelen met mijn vuisten.

Ik had geen moment verwacht dat mijn tegenstanders messen bij zich zouden hebben. Het ging allemaal heel snel. Ik geloof dat ze me een lesje wilden leren. Ik was arrogant, superzelfverzekerd: het dodelijke wapen van de Zwarte Haviken.

Binnen een mum van tijd werd ik door drie man tegelijk aangevallen. Ik gaf er een een dreun op zijn neus en hoorde het bot onder mijn vingers verbrijzelen, en trapte de ander keihard in zijn kruis. Hij sloeg dubbel en kokhalsde van ellende. Maar toen trok er een scherpe pijn door mijn zij en sloegen mijn benen onder me weg. Toen ik omlaagkeek, zag ik de zilveren flits van een stiletto waar het licht op viel zich terugtrekken van mijn keel. Ik bracht mijn hand omhoog en zag dat die rood kleurde van het bloed. Er welde een diepe kreun op in mijn keel en ik viel op de grond. Het geroffel van rennende voeten stierf weg, tot het helemaal in het donker verdween.

'Man, dat is niet best.' Ik voelde dat een hand de mijne van de wond af haalde, waarna hij er snel weer tegenaan werd gedrukt. 'Bloed. Shit, hij gaat eraan. Wat moeten we nou verdomme doen?'

Ze hoefden helemaal niets te doen. Een nachtwaker had het allemaal zien gebeuren en had de politie gebeld. Toen de koplampen van hun auto's het parkeerterrein op draaiden, lieten de Zwarte Haviken me in de steek. Allemaal. Opeens lag ik alleen op het natte asfalt. Ik moest aan mijn moeder denken. Zij zou me niet hebben verlaten. Nooit. Terwijl ik daar lag dood te gaan, alleen in de motregen, gingen mijn gedachten naar mijn moeder uit. Ik moest wel lang genoeg in leven zien te blijven om te kunnen zeggen dat het me speet.

Toen ik weer bijkwam, lag ik in het ziekenhuis en zat mijn moeder naast me. Ze hield mijn hand vast en sloeg me met een bezorgd gezicht gade, een frons tussen haar wenkbrauwen. Op het moment dat ze zag dat ik mijn ogen opendeed, glimlachte ze. 'Domoor!' zei ze. 'Een *chevalier* strijdt alleen voor goede zaken. Hoe kon je dat nou zijn vergeten?'

'Het spijt me,' antwoordde ik fluisterend.

'Alles komt goed.' Haar gezicht gloeide van vastberadenheid. 'We verhuizen binnenkort naar New York. Ik heb genoeg van Jupiter. We zijn wel toe aan een verandering, vind je niet?'

Opeens kreeg ik het benauwd en raakte ik in paniek. 'Hoe kan hij ons daar dan vinden?' vroeg ik schor.

Nu begonnen haar ogen te glinsteren en haar mondhoeken trokken doordat ze probeerde een glimlach te onderdrukken. 'Als hij ons echt wil vinden, zal dat hem heus wel lukken.'

'Denk jij dat hij nog terugkomt?'

'Ik weet zeker van wel. Ooit.' Ze was er heel zeker van. Ik wilde dat ik er net zo van overtuigd kon zijn als zij.

'Hoe weet je dat?'

'Dat weet ik gewoon. Noem het maar een voorgevoel. De wind heeft hem ooit naar ons toe gebracht en dat gaat hij nog een keer doen, dat geef ik je op een briefje.'

'Jij geloofde toch niet in magie?'

Ze bracht haar hand naar voren en streelde me over mijn voorhoofd. 'Je zou je moeten schamen, Mischa Fontaine. Ik heb jou alle magie geleerd die je kent.'

En zo pakten we onze spullen en verhuisden naar de Big Apple.

22

Manhattan beviel me meteen. Met het deel van het geld dat mijn moeder kreeg door de winkel en alle idiote dingen die daarin stonden te verkopen kocht ze een klein appartement boven een winkel in het centrum van New York, naast meneer Hapstein, de excentrieke klokkenmaker. Het was een eenvoudig onderkomen, maar dat deed er niet toe. We voelden ons allebei bevrijd, alsof we onze oude huid hadden afgeworpen en daar schoon en nieuw uit tevoorschijn waren gekomen. Ik hield van de anonimiteit van de grote stad. Ik kon de Zwarte Haviken en het geweld achter me laten. Ik kon ervoor kiezen van dat alles weg te lopen, naar een plek waar niemand mij of mijn geschiedenis kende. Ik kon over de trottoirs dwalen zonder dat mensen ijlings naar de overkant schoten, alsof ik een wolf in een duivenhok was.

Mijn moeder ging aan de slag om een zaak op te zetten. Ze noemde die Fontaine's en ze begon echt antiek te kopen en te verkopen, niet de troep die Coyote had verzameld in Kapitein Crumbles Rariteitenkabinet. Ze bezocht veilingen en particuliere verkopen, en beetje bij beetje zette ze een mooie handel op poten. Mijn moeder had een heel goede smaak. Ze was tenslotte Française en had een groot deel van haar leven op het château doorgebracht, in de tijd dat de eigenaren cultureel onderlegde en verfijnde mensen waren. Ze was een intelligente vrouw. Het duurde niet lang voor ze de fijne kneepjes van het vak beheerste. Als ze er haar best voor deed, kon ze zo charmant zijn dat niemand haar kon weerstaan, en algauw kreeg ze de naam een goed oog en scherp oordeel te hebben. Volgens mij schonk het haar grote voldoening om haar hersens te gebruiken. Het werk in de waskamer van het château en de administratie van Coyotes winkel waren onder haar niveau geweest. Nu had ze zelf de touwtjes in handen en ze vertrouwde op haar intuïtie.

Ze legde contacten, maar ik geloof niet dat ze vrienden maakte. Ik miste de enige vrienden die we hadden gehad: Maria Elena en Matias. Ze kwamen in de begintijd een paar keer bij ons op bezoek, maar ik keerde nooit meer terug naar Jupiter. Ik had me vast voorgenomen een andere weg in te slaan. Ik wilde niet meer herinnerd worden aan wie ik was geworden. Maar zelfs zij gaven het op het laatst op. Mijn moeder was veranderd tegenover Maria Elena. Ze was niet langer hartelijk en vertrouwelijk. Ze lachten niet meer samen zoals vroeger. Er ontbrak iets, en ik voelde wel aan dat dat onherroepelijk verloren was. Ik had gedacht dat mijn moeder en ik uit elkaar waren gegroeid, maar ik begon me in die tijd te realiseren dat mijn moeder degene was die langzaam van ons was weggedreven. Maria Elena en Matias keerden terug naar Chili. Hun vertrek was geen afwijzing, maar toch voelde ik me nog meer geïsoleerd en alleen.

Mijn moeder had me bijna alles geleerd wat ik wist. Nu betrok ze me bij haar zaak en kregen we weer een nauwe band. 'Op een goeie dag wordt dit allemaal van jou,' zei ze terwijl ik mijn best deed om Louis XV van Louis XVI te onderscheiden. Maar dat idee had ik helemaal niet. Mijn moeder was er altijd geweest en ik kon me een leven zonder haar niet voorstellen.

Door Fontaine's werd de belangstelling die ik als jongen had gehad voor Coyotes fantastische pakhuis weer aangewakkerd en ik ging van die oude stoelen en tafels houden, in plaats van van mensen. Waarom zou ik vertrouwen in menselijke wezens stellen terwijl degenen die ik had gekend nooit bij me waren gebleven? Elke keer dat ik van iemand hield, raakte ik die kwijt. En elke keer dat ik iemand verloor werd ik weer een beetje cynischer. Mensen waren mijn leven in en uit gewaaid als zaadjes in de lente. Niet eentje was neergedaald en had wortel geschoten in de rijke en ontvankelijke aarde. Mijn moeder was de enige die ik nog had, plus de meubels waar we ons hart en onze ziel in legden.

Hoewel ik niet langer lid was van de Zwarte Haviken, was ik nog wel humeurig en agressief. Maar vooral was ik verschrikkelijk eenzaam. In New York waren een heleboel bendes, van bendes die alleen voor de gezelligheid met elkaar omgingen tot vechtbendes, maar toch had ik weinig zin om me daarbij aan te sluiten. Die meswond had me twee belangrijke dingen geleerd: ten eerste dat bendeleden niet loyaal tegenover elkaar zijn, en ten tweede dat ik levend beter af was dan dood. Dus keerde ik het geweld de rug toe en concentreerde me op mijn werk. Dat was het enige wat ik nog had.

De jaren verstreken. Ik werd minder agressief. Ik hield mijn woede onder controle en in de loop der tijd kreeg ik wat kennissen. Mijn knappe gezicht trok mensen aan. Klaarblijkelijk was ik geestig. Humor was mijn manier om mijn ongelukkigheid te verbergen. Ik beschouwde het leven als een grap en ik maakte geintjes over mezelf. Mijn droge, cynische humor maakte mensen aan het lachen, en de lach schept meer een band dan wat ook. Net als mijn moeder kon ik charmant zijn als ik er mijn best voor deed, maar onder die charme was mijn leed zo groot dat ik me net een bang kind voelde. Om de hoek bij ons appartement was een club die Fat Sam's heette. Daar ging ik 's avonds heen om meisjes te ontmoeten. Met talloze vrouwen deelde ik het bed, op zoek naar iets waar ik de vinger niet op kon leggen. Ieder van hen bood een tijdelijk toevluchtsoord. Maar 's morgens begon het geknaag opnieuw. Ik had ergens pijn, maar ik wist niet precies waar en wist ook niet hoe ik die moest verlichten.

Toen wandelde ik op een middag door Central Park. Het was zomer en bijzonder warm, herinner ik me. Kinderen speelden, honden renden achter ballen aan, gezinnen lagen op het gras, terwijl hun zorgeloze lach opklonk in de klamme lucht. Ik sloeg hen met mijn handen in mijn zakken jaloers gade, zoals ze daar zaten in de zon, vanuit mijn donkere plekje in de schaduwen. Ik was nu achter in de twintig, en wat had ik van mijn leven gemaakt? Ik had geen banden met andere mensen, behalve dan met mijn moeder; ik bezat alleen een bloeiend bedrijf dat ik samen met haar runde, waarbij ik mooie dingen kocht en verkocht die mijn genegenheid niet konden beantwoorden. Ik keek naar al die mensen die iemand hadden en er kwam weer een sterk verlangen naar liefde in me op. Ik herinnerde me Joy Springtoe, Jacques Reynard en Claudine – ik stond het mezelf niet toe aan Coyote terug te denken vanwege de pijn die die herinnering veroorzaakte.

Opeens zag ik een radeloze vrouw op me afkomen. Er lag een blos op haar wangen, haar bruine haar was in een paardenstaart gebonden, en in haar grote ogen glansde angst.

'Neem me niet kwalijk dat ik je lastigval, maar heb je soms een klein wit hondje gezien?' Het viel me meteen op dat ze een sterk Frans accent had.

'Ik vrees van niet,' antwoordde ik in het Frans. Ze leek even op te schrikken en praatte toen verder in haar eigen taal.

'Ik heb overal naar hem gezocht. Ik maak me zo'n zorgen. Het is maar een klein beestje.' Ik weet niet of het door de taal of door de kwetsbare blik in haar ogen kwam dat de *chevalier* in mijn binnenste zich aangesproken voelde, maar ik bood haar aan te helpen naar hem te zoeken.

'Daar ben ik heel blij mee,' zei ze met een geforceerde glimlach. We liepen verder, roepend naar de hond.

'Ik heet Isabel.'

Ik stelde mezelf voor: 'Ik ben Mischa. Waar kom je vandaan?'

'Uit Parijs,' zei ze. 'Ik ben hier een paar jaar geleden naartoe gekomen. Ik ben fotografe. Boefje! Ik hoop niet dat iemand hem meegenomen heeft. Het is zo'n mooi hondje.'

'We vinden hem wel. Als we blijven roepen en rondlopen, komt hij wel terug.'

'Ik hoop dat je gelijk hebt.' Ze keek naar me op, haar blik getekend door wanhoop, zag ik aan de strakke huid rond haar ogen. Ik merkte op hoe leuk ze eruitzag, met een gladde bruine huid en ogen met de kleur van toffee. Ze was *petite*, zoals zo veel Franse vrouwen, en had een volmaakt figuur, met een smalle taille en volle borsten, die keurig werden bedekt door een friswit shirt.

'Ik weet zeker dat ik gelijk heb,' voegde ik er zelfverzekerd aan toe. Ze leek zich enigszins te ontspannen. Ik merkte dat ik haar gerust kon stellen. Ze stond er niet langer in haar eentje voor.

We liepen het hele park door, roepend naar Boefje. Ik wist dat we hem zouden vinden; dat voelde ik met het zesde zintuig waarmee ik in Frankrijk zo vaak dingen had gevoeld. Ook wist ik dat we minaars zouden worden. Ik kon haar huid al bij voorbaat proeven, alsof ik dat genoegen al eerder had gesmaakt. Ze was me even vertrouwd als de velden met wijnstokken waarin ik met Pistou op en neer had gedraafd. De koele rust die ik uitstraalde kalmeerde haar, zodat we in staat waren al voortlopend met elkaar te kletsen.

'Hoe lang heb je Boefje al?' vroeg ik, want ik begreep dat ze niets liever wilde dan over haar hondje praten.

'Hij is drie. Ik heb hem al vanaf dat hij een pup was. Hij betekent alles voor me.'

'Is hij wel eens eerder weggelopen?'

'Nooit. Ik snap niet wat hem bezielt. Boefje!'

'Is hij een wellusteling?'

Ze keek naar me op en zag me grijnzen. 'Zijn niet alle honden wellustelingen?' zei ze met een glimlach.

'Misschien is er ergens een loopse teef in het park. Je weet hoe ze zijn: ze vangen de geur op en móeten erachteraan.' Een beetje zoals mannen, dacht ik er bij mezelf achteraan. Haar geur sprak mij erg aan.

'Tja, wat doe ik eraan? Voor honden bestaan immers geen bordelen. Boefje!'
'Iedereen heeft iemand anders nodig, zelfs honden.' De woorden kwamen me over de lippen zonder dat ik erover had nagedacht. Mijn hele lichaam tintelde van opwinding: ik had behoefte aan iemand om van te houden, zo simpel was het. Iedereen heeft iemand nodig. Eindelijk was ik erachter waar die pijn vandaan kwam – waar zat die anders dan in mijn hart? Alleen al door inzicht in het probleem loste het zichzelf op. Ik knipperde met mijn ogen in het duizelingwekkende licht van de zomermiddag en raakte ineens in opperbeste stemming.

Ik keek er niet raar van op dat Boefje uiteindelijk naar ons toe gedrenteld kwam, helemaal onder het stof, kwispelend van vreugde. Isabel liet zich op haar knieën zakken, nam hem in haar armen en overdekte zijn snuit met kussen. 'Stouterd!' riep ze, maar je zag zo dat ze dat niet meende. Boefje had er zo te zien geen flauw benul van hoe ze in de rats had gezeten, want hij keek zo zelfingenomen alsof hij vond dat hij een prijs verdiende.

'Hoe kan ik je ooit bedanken dat je me naar hem hebt helpen zoeken?' zei ze tegen mij terwijl ze overeind kwam. Ze had het hondje nog steeds in haar armen. Haar gezicht stond niet langer zorgelijk, maar gloeide nu roze en haar ogen schitterden, hoewel niet van tranen. Ik wist precies wat ze zou kunnen doen om me te bedanken, maar besloot daar niet botweg om te vragen.

'Heb je zin om thee met me te gaan drinken?' stelde ik voor. 'Ik weet niet hoe het met jou zit, maar ik ben uitgedroogd.'

'Ik weet een leuk tentje. Een Frans cafeetje aan West Fifty-fifth Street, waar ze verse croissants en *chocolatines* maken.'

'Chocolatines?' Het duizelde me toen ik terugdacht aan de *pâtisserie* in Mauriac.

'Mijn lievelingsgebak.'

'Het mijne ook,' zei ik. 'Ik zou een moord doen voor een chocolatine!'

De smaak van gebak en chocola, de geur van sigaretten en koffie, voerden me terug naar mijn jeugd in Frankrijk. Ik kon het briesje dat eucalyptusgeur aanvoerde bijna tegen mijn gezicht voelen en de krekels in de bosjes horen. We spraken samen Frans, waardoor het ronde tafeltje waar we als oude vrienden overheen gebogen zaten een klein eilandje werd. Ik had het gevoel of ik haar al kende. Ik had haar eerder geroken, ik had haar stem gehoord, ik had met mijn handen door haar dikke bruine haar gewoeld. Ze kwam van een plek ver in het verleden en ik heette haar welkom als een man die stuurloos is geraakt op zee.

Haar wangen en neus waren overdekt met lichte sproeten en als ze glimlachte, lichtte haar hele gezicht op en begon als een zonnetje te stralen. Ze maakte me licht in het hoofd, alsof ik de wijn van Frankrijk had gedronken en doezelig was geworden van nostalgie. We lachten tot we buikpijn hadden, om niets bijzonders, maar alles wat ik zei was enorm gevat en vreselijk grappig. Boefje zat op haar knie koekjes uit haar hand te eten zoals Rex op de schoot van Daphne Halifax had gezeten, en ze aaide hem over zijn kop en kuste hem alsof hij een kind was.

Ze nodigde me uit mee te komen naar haar appartement en we bedreven de hele middag de liefde. Op die doortastende Franse manier beschouwde ze vrijen als een pleziertje dat je jezelf als je er zin in had gewoon moest gunnen. Ze bewaarde zichzelf niet voor het huwelijk, zoals zo veel Amerikaanse meisjes die ik had ontmoet. Ze had eerder minnaars gehad. Trouwens, ze was voor de liefde gemaakt. Schaamteloos en nonchalant als ze was, was er weinig wat ze niet had uitgeprobeerd, en hoe meer ik haar streelde, hoe meer ze wilde.

Onder haar kleren droeg ze een fraai zijden broekje dat was afgezet met kant, met een bijpassende beha. Haar huid was glad en rook naar tuberozen. We vielen neer op de bank en ik liet mijn handen over haar hele lichaam gaan, genietend van de lichte vochtigheid onder mijn vingers, als de ochtenddauw in de tuinen van het château. Ik likte haar van top tot teen en proefde het zilt van de zee op mijn tong. Ik vierde dat mijn zoektocht ten einde was gekomen. Ik nam Isabel in mijn armen en eiste het land dat ik had verloren opnieuw op. Daar in de welvingen van haar vlees hervond ik Frankrijk.

Die nacht droomde ik van Claudine. We waren op de brug. Het was een warme zomerdag, zonder ook maar één wolkje aan de lucht. Boven het water dansten kleine vliegjes en de vogels kwinkeleerden vrolijk in de bomen. Ik voelde me intens vredig naast haar. We hoefden niets tegen elkaar te zeggen, want we begrepen elkaar precies. We stonden daar naar de vliegjes te kijken en de rimpelingen in het water waar de vissen zwommen. Ik dacht aan Monsieur Cezade en de dode vis, en ze keek me aan alsof zij daar ook aan moest denken. Ze glimlachte zoals altijd haar tanden bloot, en haar gezicht was warm en vriendelijk. Toen pakte ze mijn hand en zeiden haar ogen tegen me: 'Ik ben hier, Mischa. Ik zal hier altijd zijn.' Ik gaf haar een kneepje en voelde dat de tranen me in de ogen sprongen.

Toen ik wakker werd, trok ik Isabel in mijn armen en kuste haar. In haar kus proefde ik Frankrijk. Mijn moeder had blij moeten zijn dat ik de liefde gevonden had. Ze had moeten genieten van mijn geluk. Maar misschien drukte mijn overvolle hart haar met haar neus op het feit dat er in haar eigen hart een gapende leegte was. Het Coyote-vormige gat waarin niemand anders paste. Ik dacht dat ze net zo veel van Isabel zou houden als ik. Niet alleen om mij, maar omdat ze Frans was. Ze maakte deel uit van het land waar we allebei zo van hadden gehouden en dat we hadden achtergelaten. Frankrijk zat ons in het bloed, en geen tien Amerika's zouden het ooit kunnen verdringen.

Maar ze hield niet van haar. Ze sloot zich als een bloem in de vrieskou, vouwde haar bloemblaadjes dicht en trok zich terug. Ze deed niet opzettelijk grof, maar haar gebrek aan bereidheid om Isabel welkom te heten was beledigend. Ze noemde nooit haar naam. Het was alsof ze niet bestond. Ik wilde mijn geluksgevoel met haar delen, maar dat stemde haar zo te merken alleen maar bitter.

Ik moedigde haar aan uit te gaan met de mannen die haar probeerden het hof te maken. Ze was een knappe vrouw. Maar ze hield vol dat op een dag Coyote terug zou komen. Ze bleef met onwrikbare vastberadenheid de tafel voor hem dekken, alsof ze hem met louter en alleen dat plekje naar zich terug kon lokken, en ik weet zeker dat ze om zijn terugkeer bad. In haar slaapkamer knielde ze neer naast het bed en begroef haar gezicht in haar handen, zoals ze had gedaan in de kerk in Mauriac. Misschien geloofde ze dat de kracht van het gebed hem bij ons terug zou brengen. Soms zat ze aan het raam alsof ze hoopte dat de wind die hem vroeger naar ons toe had gevoerd, hem ook weer naar huis zou brengen. Ze wachtte op hem en bewaarde zichzelf voor hem, maar Coyote keerde niet terug.

Mijn moeder had tweemaal liefgehad. Eerst mijn vader en toen Coyote, en beide mannen hadden haar verlaten. Was het gekte waardoor ze danste bij de grammofoon, alleen in haar slaapkamer in het holst van de nacht? Waren mijn vader en Coyote in elkaar overgevloeid? Was het die verwarring die uiteindelijk de tumor deed ontstaan die haar fataal werd?

Mijn moeder had me nodig, en terwijl ik voor haar zorgde, kwam Isabel steeds minder centraal te staan in mijn gedachten. Ik dacht dat ik van haar hield, maar misschien hield ik alleen maar van Frankrijk. Misschien was ik er niet aan toe om weer vertrouwen in iemand te hebben. Ik werd bezitterig, wantrouwig, en de opwinding uit het begin vervlakte tot geruzie en verwijten. 'Ik dring niet tot je door, Mischa,' zei ze telkens weer, tot ik die plaat wel doormidden kon breken. 'Je laat me niet dichtbij komen.' Dus nam ik haar niet in vertrouwen. Ik deelde het verleden niet. Ik dacht dat ik kon delen, maar ik kon het niet. Ik hield het allemaal voor mezelf, en weer was ik alleen. Weer waren we alleen met z'n tweetjes: *maman* en haar *chevalier*.

23

New York, 1985

MAAR DAT LAG NU ALLEMAAL IN HET VERLEDEN. IK WERKTE
mezelf overeind en rekte me uit, zwaarmoedig van verdriet. Stijfjes
liep ik naar het raam en leunde op de vensterbank. Buiten was de
sneeuw die op de grond lag nog vers en wit, behalve op straat, waar
het verkeer er al een grauwe modderboel van had gemaakt. De
stukken lucht boven New York waren bleek en winters, de bomen
kaal, kreupel van de kou. Als ik mijn ogen dichtdeed, kon ik de
warmte van Frankrijk ruiken.
Ik werd opgeschrikt uit mijn mijmeringen door de telefoon, die
hard en opdringerig overging. Ik sprong op, bang dat het toestel de
Dood zou wakker maken die daar in dat stille appartement te slapen
lag.
'Hallo?'
'Stan heeft me verteld waar je zat.' Het was Linda, de vrouw met
wie ik al negen jaar mijn leven deelde.
'Ik kan net zo goed nu maar meteen haar spullen doornemen.'
'Aha.' Haar stem klonk strak. 'Heb je hulp nodig?'
'Nee, dank je, ik kan het beter alleen doen.' Er volgde een stilte
die geladen was met teleurstelling. Ik voelde me schuldig. De laatste tijd was ik niet zulk prettig gezelschap geweest. Ik had haar amper gesproken, dus voegde ik er met tegenzin aan toe: 'Ach, als je
niets beters te doen hebt...'
'Ik kom er zo aan,' antwoordde ze, opgemonterd.
Ik hing op en slaakte een zucht. Ik wilde dit niet met haar samen
doen. Ik wilde dit met niemand samen doen. Mijn moeder had
hoofdstukken afgesloten, en ik ook. Ik vond een zak en stopte het
fotoalbum en de brieven erin om ze mee naar huis te nemen. Het
rubberen balletje deed ik in mijn zak.

Toen Linda arriveerde, was ik in de hal. Ze was komen lopen. Haar gezicht zag rood en haar blauwe ogen schitterden van de kou. Ze trok haar wollen handschoenen uit, zette haar hoed af en schudde haar blonde manen. 'Je bevriest buiten!' riep ze snuivend uit. 'Wil je iets drinken?' vroeg ik. 'Ja, wat heb je staan?' Ze liep met me mee naar de drankkast in de woonkamer. 'Wat is het hier somber. Waarom doe je de gordijnen niet open, voor een beetje licht?' Ik haalde mijn schouders op. 'In het donker word je nog somberder.' De toespeling op mijn zogenaamde 'depressie' irriteerde me. Natuurlijk was ik somber; mijn moeder was net overleden. Ik schonk haar een glas bitter lemon in. 'Het is echt bizar,' vervolgde ze. 'Er is hier niets veranderd. Ik bedoel, alles staat nog op dezelfde plek en toch voelt het heel anders aan, alsof het niet meer ademt.'

'Dat is ook zo,' antwoordde ik, terwijl ik voor mezelf nog een glas gin inschonk.

'Ik zag dat ze nog steeds post krijgt. Wil je dat ik die voor je doorneem?'

'Nee, dat doe ik straks wel.'

'Mischa, ik wil helpen.' Haar stem klonk smekend. Ik zette me schrap voor wat er komen ging. 'Trek je schouders niet zo op,' zei ze. 'Dat is onbeleefd. Net alsof ik de vijand ben.' Ze onderdrukte een snik en schoof met zo veel kracht de gordijnen open dat de ringen over de roe rammelden. Het licht tuimelde naar binnen, zodat je goed zag hoeveel stof er op de meubels lag. Ik kromp in elkaar als een vampier. 'Zo is het een stuk beter, vind je niet?' zei ze terwijl ze diep inademde.

Ik keek toe hoe ze door de kamer beende, haar leren laarzen klakkend op de houten vloer. 'We moeten dit met militaire precisie organiseren. Ik ga wel een paar vuilniszakken halen.' Ik hoorde haar rommelen in de keuken, kastdeurtjes gingen open en dicht, en ik voelde mijn ergernis groeien. Met opgerolde mouwen kwam ze in de deuropening staan. 'Ik doe de keuken wel. Ik kan me niet voorstellen dat daar veel in staat dat sentimentele waarde heeft. Dan begin jij in haar slaapkamer.'

Ik slaagde er niet in mijn woede te bedwingen. 'Hou op, Linda! Ik wil niet dat je de keuken doet. Ik wil niet dat je ook maar iets doet. Ik had je niet moeten laten komen.'

Ze keek niet gekwetst, zoals meestal wanneer ik tegen haar tekeerging, maar kwaad. Ze explodeerde als een snelkookpan.

'Nee, Mischa, jíj moet ophouden! Ik kan hier niet meer tegen. Je bent net een struisvogel. Als ik je niet help, blijft al deze troep hier maanden zo staan. Je moet je vermannen. Het allemaal uitzoeken. Bewaren wat je wilt, weggooien wat je niet wilt, en deze tent verkopen. Laat het achter je. Ga verder met je leven!' Ik keek vreemd op van haar plotselinge uitbarsting. Die was helemaal niks voor haar. 'Je bent chagrijnig en bot. Ik heb er genoeg van om steeds maar mee te gaan in jouw stemmingen, alsof ik op een rodeostier zit, om je maar niet te ontrieven en om als een slaafje over je te moederen. Jij bent de grootste egoïst aller tijden. Je denkt alleen maar aan jezelf! Zal ik je eens wat zeggen? Je zwelgt in zelfmedelijden. Je zit er zo diep in dat je niet eens meer ziet hoe je eruit kunt komen. Maar ik heb ook behoeften, Mischa! Ik heb ook iemand nodig die voor me zorgt.'

Ik staarde haar aan terwijl ze me haar verwijten voor de voeten wierp, de ene laag na de andere, als blaadjes van een artisjok, totdat ze uiteindelijk aanbelandde bij waar het werkelijk om draaide: 'Ik kan je niet bereiken, Mischa. Ik heb het geprobeerd, ik heb echt mijn best gedaan, maar ik dring niet tot je door.'

Ik ging zitten, met mijn ellebogen op mijn knieën, en wreef over mijn slapen. Ik zat hier nu helemaal niet op te wachten. Ze liet zich neerzakken op de bank en begon te huilen.

'Ik weet niet wat je van me wilt,' zei ik, maar natuurlijk wist ik dat donders goed: ze wilde dat ik zei dat ik van haar hield. Maar hoe kon ik dat doen? Ik was niet in staat om van iemand te houden. Zij wilde *commitment*. Wilden vrouwen dat niet allemaal? Zij wilde communiceren, maar ik wilde haar niet toelaten. Ik kon haar niet geven wat ze wilde, en wat erger was: ik had niet eens zin om het te proberen.

'Ik wil dat je me toestaat van je te houden. Meer niet,' zei ze met een klein stemmetje, en ze trok haar benen op tot aan haar borst. Met de rug van haar hand boende ze over haar gezicht.

· 'Waarom zou je dat willen, als ik zo'n verschrikkelijke klootzak ben?'

'Toen we elkaar negen jaar geleden leerden kennen, zag ik een lange, boze man met smeulende blauwe ogen en genoeg charisma om de hele stad in vuur en vlam te zetten. Je was nog geestig ook, als je niet kwaad was. Maar toen ik je een beetje beter leerde kennen, ging ik begrijpen hoe kwetsbaar je achter die façade was. Die kwaaie kop maskeerde alleen maar je pijn. Het slaat nu nergens meer op, maar ik dacht dat ik je kon redden. Ik was jong, amper achtentwintig, en ik wilde niets liever dan jou gelukkig maken. Ik dacht dat je me na verloop van tijd wel in je hart zou toelaten.' Ze schudde haar hoofd en op haar voorhoofd verscheen een frons. 'Maar dat heb je nooit gedaan.'

'Het spijt me...'

'Soms is liefde niet genoeg. Je kunt geven en nog eens geven, maar als je daar niks voor terugkrijgt, droogt je liefde op. Ik heb geen liefde meer in huis, Mischa. Ik heb niets meer over.'

'Je bent te goed voor me, Linda.'

'O, zeg dat niet op een toon alsof het kritiek is. Dat is niet waar. Ik ben níét te goed voor je. Ik heb mijn geduld verloren en mijn reserves zijn opgedroogd. Weet je, toen je moeder overleed, dacht ik dat het tussen ons misschien zou veranderen. Zij heeft mij nooit zien zitten. Ze wilde jou helemaal voor zichzelf. Maar er is niets veranderd. Zelfs nu ze dood is laat ze je niet los, en ik geloof niet dat jij dat erg vindt. Je klampt je nog steeds aan haar vast, toch? Ik kan niet geloven dat we al negen jaar samen zijn en dat ik je nu amper beter ken dan toen we elkaar net leerden kennen.'

'Ik ben er niet zo goed in om over vroeger te praten. Daar wil ik zelfs niet eens over nadenken.'

Haar stem kreeg een harde ondertoon. 'Nou, als je het niet onder ogen ziet, kun je niet verder. Maak mij of iemand anders er deelgenoot van en laat het dan los. Als je niet tegen mij kunt praten, ga dan naar een therapeut.'

Toen ze inzag dat ik niets over de kwestie op te merken had, ging ze over tot haar laatste aanval. Ze stond op en zette haar handen in haar zij. 'Terwijl jij zwelgt in het stilstaande water dat je leven geworden is, ga ik verder. Ik wil trouwen, kinderen krijgen, een nestje bouwen. Ik wil oud worden met mijn kleinkinderen om me heen. Ik heb jou de beste jaren van mijn leven gegeven, Mischa. Maar als ik je nog meer zou geven, zou dat zelfmoord zijn. Ik ben nog jong en er loopt vast wel iemand rond die mijn liefde verdient.' En na die woorden wandelde ze het appartement en mijn leven uit. Ik vond het niet eens erg om haar te zien vertrekken.

Ik dronk mijn glas leeg en dacht na over mijn leven. Ze had natuurlijk gelijk. Mijn leven stagneerde, het ging nergens heen. Ik wilde wel verdergaan, maar ik wist niet hoe dat moest. Het was geen kwestie van me settelen met een vrouw, een gezinnetje stichten en een nestje bouwen, want de stagnatie zat *binnen in* me. Het was een gemoedstoestand. Een emotionele houding, of in mijn geval een gebrek aan emotie. Ik was weer vervallen in het gedrag van toen ik zes was, voordat Coyote onze wereld was binnengewandeld en die met zijn liefde had doen ontdooien. Ik vertrouwde niemand. Ik had mezelf tot een eilandje gemaakt; alleen waren het nu niet *maman* en haar kleine *chevalier*, maar was ik in mijn eentje, alleen, voorgoed alleen.

Toen ik thuiskwam, had Linda haar spullen gepakt en was ze vertrokken. Negen jaar van haar leven zomaar foetsie. Ze was al eens eerder bij me weggegaan, maar ik wist dat ze dit keer niet terug zou komen. Opeens werd ik overvallen door een diepe eenzaamheid. Ik dwaalde als een hond die in de steek is gelaten van kamer naar kamer, en ik kreeg spijt van mijn uitbarsting en wilde dat ze weer bij me zou komen. Het huis leek leeg, net als het appartement van mijn moeder. Het was opgeruimd en zielloos. Weldra realiseerde ik me dat, hoewel de muren echoden van herinneringen aan ons leven samen, de jaren allemaal in elkaar overliepen tot één modderige verwassen kleur, zodat je ze amper nog van elkaar kon onderscheiden. Ik had mijn tijd in onze relatie geïnvesteerd, maar niet mijn hart. Ze was in mijn leven gekomen, maar had geen indruk achtergelaten, als regen die afgleed van een eend – omdat ik dat niet had toegestaan.

Ik legde het album en de brieven op mijn bureau. Ik had mijn moeders post ook meegenomen, maar was nog niet zover dat ik die kon gaan lezen.

Toen ging de telefoon. Het was Harvey Wyatt, de notaris.

'Hoe is het met je, Mischa?'

'Best hoor. Wat is er?'

'Ik heb eindelijk antwoord gekregen van het Metropolitan.'

'En?'

'Ze kunnen de Titiaan niet als schenking aannemen, omdat ze niet weten waar hij vandaan komt,' zei hij.

'Daar kan ik ze dan niet verder bij helpen.'

'Heeft je moeder er nooit iets over gezegd?'

'Ze heeft er nooit een woord aan vuilgemaakt.'

'Van je familie moet je het maar hebben!' Hij slaakte een zucht.

'Ik wist niet eens dat ze dat ding had, verdorie.'

'Ze heeft hem toch niet gestolen, hè?'

'Doe niet zo belachelijk, Harvey. Mijn moeder kon niet eens liegen, laat staan stelen!'

'Ik maak maar een grapje.'

'Waar zou ze hem in vredesnaam gestolen moeten hebben?'

'Jij mag het zeggen.'

'En wat gaan ze er nu mee doen?'

'Ze willen hem wel "in bruikleen" nemen, voor het geval de echte eigenaar hem komt opeisen.'

'Hebben ze er niets over weten te achterhalen? Hij kan toch niet zomaar uit het niets zijn gekomen? Iemand moet er toch iets over op schrift hebben staan?'

'Robert Champion, de hoofdcurator, vermoedt dat *De zigeunermadonna* van je moeder een vroegere versie was die ofwel verloren is gegaan, ofwel is gestolen. Het komt vrij vaak voor dat een kunstenaar een schilderij opnieuw maakt. De latere versie, het schilderij dat we allemaal kennen en dat in 1511 geschilderd werd, hangt in het Kunsthistorisch Museum in Wenen. Ze zijn niet helemaal hetzelfde, maar lijken wel veel op elkaar. Het punt is dat er nergens iets over de versie van je moeder op schrift staat, wat doet vermoeden dat hij honderden jaren in handen is geweest van particuliere verzamelaars. Maar na al die publiciteit zou de echte eigenaar zich wel eens kunnen melden en hem weer kunnen opeisen. Weet je toevallig hoe lang je moeder hem in haar bezit had?'

'Ik heb je al gezegd dat ik niet eens wist dat ze hem bezat. Jezus!'

'Kalm maar, Mischa.' Ik haalde diep adem. 'Je moet begrijpen dat dit niet niks is. Plotseling duikt er na bijna vijfhonderd jaar een schilderij van een beroemde schilder op. De kunstwereld gaat helemaal uit z'n dak.'

'Is het geen vervalsing?'

'Nee. Hij is echt.'

'Waarom hield ze dat ding in vredesnaam verstopt? Waarom verkocht ze het niet?' Ik lachte bitter. 'Dan zouden we allebei rijk zijn geweest!'

'Het is verrekte moeilijk om zo'n schilderij te verkopen; het is onbetaalbaar.'

'Ik snap er niets van. Nu ze dood is, zal ik nooit weten hoe het zat.' Maar toen bedacht ik iets: misschien dat één man er meer van zou weten. Ik begreep niet dat ik niet eerder aan hem had gedacht. 'Moet je horen, ik moet ophangen. Bel me maar als er iets is.' Ik legde de hoorn op de haak en ging vervolgens op zoek naar het nummer waarvan ik niet eens wist of ik het wel had bewaard. Matias was in 1960 met zijn vrouw naar Chili teruggekeerd om van zijn pensioen te gaan genieten. Ik wist niet eens of hij nog wel leefde.

Die avond ging ik er alleen op uit. Ik kwam geregeld in een cafeetje dat Jimmy's heette, om de hoek van mijn appartement, maar daar kende iedereen me, en iedereen kende Linda. Dus slenterde ik ergens anders heen; ik lette niet op hoe het er heette. Ik ging op een kruk zitten en staarde in mijn glas. Ik rookte niet, maar ik had er die avond best eentje willen opsteken. De geur van Coyotes Gauloises hing nog in mijn neusgaten en bracht me uit mijn evenwicht, voerde me terug naar het verleden. Er waren nog zo veel onbeantwoorde vragen. Ik was er niet klaar voor om die allemaal door te nemen, omdat ik er niet klaar voor was ze op te lossen. Ik voelde me beter als ik mijn kop in het zand stak, zoals Linda had gezegd. Ik wilde niet echt weten waarom Coyote niet was teruggekomen. Het kleine jongetje in mezelf had het nog steeds moeilijk met zijn afwijzing.

Na een poosje verlichtte de alcohol de spanning in mijn nek en schouders, en werd mijn ademhaling diep en regelmatig. Ik keek om me heen. Er zat een man gitaar te spelen terwijl een knappe vrouw droevige liederen zong. De sfeer was aangenaam, het licht was zacht, de lucht was dik van de geur van rook en parfum. Ik was hier helemaal op mezelf en ik begon me iets beter te voelen. Misschien was het wel het beste dat Linda vertrokken was. Ik zou zelf de was moeten doen, maar wat kon het schelen? Ik dacht na over mijn nieuwverworven vrijgezellenstatus en realiseerde me dat het helemaal geen slecht gevoel was. Wat ik nodig had was er even tussenuit gaan. Ik moest weg uit New York, naar het buitenland. Ik had in geen jaren gereisd. Ik had me op de routine van mijn werk gestort als een paard met oogkleppen voor dat een kar trekt. Ik zou op zoek gaan naar Matias en tegelijkertijd vakantie nemen. Die gedachte vrolijkte me wat op. Ik vroeg de waard me nog eens in te schenken.

'Hai.'

Ik draaide me om en zag op de kruk naast me een vrouw zitten.

'Hai,' antwoordde ik.

'Ben je helemaal alleen?'

Ik knikte. Ik merkte dat ik haar taxerend opnam; mijn blik ging over haar dikke rode haar dat over gladde blanke schouders viel, volle borsten die zich door het lijfje van haar zwarte jurk amper lieten beteugelen, en een zacht, vlezig gezicht.

'Ben jij ook in je eentje?' vroeg ik, en in haar hazelnootbruine ogen zag ik iets wat bijna mooi te noemen was.

'Nee, hier zitten alleen maar vrienden van me.' Ik trok mijn wenkbrauwen op. Ze lachte en legde een hand op mijn arm. 'Dit café is van mij. Ik heet Lulu.' Ze moest hebben opgemerkt hoe wezenloos ik keek, want ze zei: 'Je bent hier nog niet eerder geweest, hè?'

'Nee, inderdaad,' antwoordde ik.

'Nee, want dan was je me zeker opgevallen.' Ze liet haar ogen strelend over mijn gezicht gaan. 'Heb je ook een naam, of zal ik je maar gewoon Knapperd noemen?' Toen ik moest lachen om dat flauwe grapje, drong tot me door dat de alcohol zijn werk deed. 'Ik heet Mischa. Mischa Fontaine.' Ik stak mijn hand uit. Die schudde ze. Haar huid was zacht en vochtig.

'Nou, Mischa, welkom in mijn café. Je bent lang, hè? Ik hou wel van lange mannen. Jij komt hier niet vandaan. Je bent vast een buitenlander. Je hebt een apart accent.'

Ik schudde mijn hoofd. 'Je vergist je, vrees ik. Ik kom hier uit de buurt.' Door het gezicht dat ze trok moest ik lachen. Het was net of ze ook zichzelf niet bijster serieus nam, alsof flirten een geliefd spelletje voor haar was.

'O, nú misschien wel, maar je bent hier niet opgegroeid.'

'Waarom denk je dat?'

'Dat zie ik aan je ogen. Daar ligt een andere wereld in. Dat bevalt me wel aan je: je hebt die blik van een andere wereld in je ogen.'

Ik grinnikte en hief mijn glas. 'Dat komt vast door de drank.'

'O, drank doet andere dingen met mannen.' Ze legde haar hand in mijn kruis. 'We zouden niet graag zien dat je er te veel van kreeg, wel? Nee, jij bent een water met diepe gronden. Heel diep. Als ik mijn hengel uitwerp, vind ik misschien wel de wereld die daaronder ligt.' Ze kwam dichter naar me toe en fluisterde in mijn oor: 'Waarom kom je niet met me mee naar mijn appartement?' Ze stak een lange rode nagel door de opening tussen twee knopen van mijn shirt. 'Ik zou wel een nummertje met je willen maken, Mischa. Je zit in mijn café, je bent mijn gast, dus is het niet meer dan logisch om je álles te geven wat ik te bieden heb.'

Ik liet me door haar meenemen naar haar huis. Haar appartement was klein, maar keurig netjes, en het rook er naar bloemen en goedkoop parfum. Ik liet geen tijd verloren gaan, tilde haar op en droeg haar naar de slaapkamer, hoewel ik eerst de kast probeerde, waardoor ze het uitgierde van de lach.

In bed was ze verrukkelijk: groot, zacht en sappig. Ze kon intens genieten en spreidde haar benen zonder enige gêne, zodat ik haar daar kon aanraken. Ze wriggelde onder mijn hand als een kat, kreunde en mauwde, en draaide met haar heupen tot ik mijn gezicht in haar huidplooien begroef en mijn tong het werk liet doen. Ik had in geen jaren zo van seks genoten. Ze was een vrouw met ervaring, en eentje die er plezier in had, alsof ze een stevige maaltijd verslond. Toen we in elkaars armen lagen, onze harten nog hamerend van alle adrenaline, mompelde ze zachtjes tegen mijn borst: 'Ik wist wel dat je een goede minnaar zou zijn.'

'Hoezo dan?'

'Fransen zijn altijd goede minnaars.'

'Hoe weet je dat ik Frans ben?'

'Je accent. Daar klinkt een spoortje Frankrijk in door.'

'Lang geleden was ik inderdaad Frans,' zei ik, en mijn hart hunkerde ineens naar de wijngaarden en de warme dennengeur van het château.

'Als ik het niet dacht. In die ogen van je ligt een hele wereld verborgen.'

'Je hebt geen idee,' antwoordde ik. 'Maar het is wel een verloren wereld.'

'Niets is ooit verloren, Mischa,' zei ze wijs. 'Je kunt hem terugkrijgen als je wilt.'

'Ik geloof niet dat dat kan.'

'Dat, mijn knappe vreemdeling, is precies wat je in de weg staat.'

24

DE VOLGENDE OCHTEND GING IK MET IETS VEERKRACHTIGS IN mijn tred naar mijn werk. Stanley keek me verbaasd aan, alsof ik een tweede hoofd had gekregen of zoiets. 'Hé, is alles wel goed met je?' vroeg hij. Esther kwam stommelend achter haar bureau vandaan. 'Ik heb gehoord dat Linda bij je weg is,' zei ze, en ze sloeg haar armen over elkaar en schudde haar hoofd. 'Wat jammer nou.' Stanley wierp haar een blik toe.

Ik keek hen allebei glimlachend aan. 'Ik ga met vakantie,' verklaarde ik.

Stanley zette zijn bril af. 'Met vakantie?'

'Ja, je weet wel: wat mensen doen als ze er even tussenuit moeten,' antwoordde ik op sarcastische toon.

'Maar je gaat nooit met vakantie.'

'Natuurlijk moet je er even uit,' onderbrak Esther hem, en haar gezicht plooide zich meelevend. 'Je moeder is overleden, je vriendin is ervandoor, het is hier koud, grauw en somber. Waar ga je naartoe?'

'Ergens waar de zon schijnt.' Ik haalde mijn schouders op. 'Chili.'

'Is dat een land?' vroeg Esther voor de grap. 'Het klinkt helemaal niet alsof daar de zon schijnt.'

'Ik vertrek morgen en ik wil graag dat jullie in mijn afwezigheid samen het fort bewaken.'

'Je ziet er beter uit dan gisteren. Je gezicht straalt helemaal.' Esther grijnsde. 'Of je bent verliefd, óf je bent met iemand het bed in gedoken. Wat het ook is, ik zou graag zien dat je het vaker deed!'

Ik schudde mijn hoofd. 'Het is me ineens duidelijk geworden dat ik er even uit moet.'

'Als je terwijl je daar bent iets interessants ziet, moet je het zeker meenemen,' zei Stanley, die met zijn das zijn brillenglazen stond op te poetsen. 'Waarom ga je niet naar Europa? In Chili valt het vast niet mee om iets aan te kopen wat de moeite waard is.' 'Europa!' zei Esther. 'O, wat zou ik graag naar Europa gaan. Je wilt me zeker niet meenemen, hè? Ik ben uitstekend reisgezelschap. Ik praat dan misschien wel veel, maar saai ben ik geen moment.' 'O, daar moet ik eerst eens goed over nadenken.' Ik deed alsof ik nadacht. 'Nee, dank je voor het aanbod, maar ik ga toch liever alleen.' Ik schonk haar een brede glimlach.

Esther lachte. 'Je bent *mesjogge* – stapelgek! Ik ben blij dat de oude Mischa weer terug is. Ik had bijna geen geduld meer met die chagrijnige ouwe *schlemiel* die zijn plaats had ingenomen. Ik hoop maar dat je eens goed uitrust. Dat maakt je jaren jonger, en als iemand dat kan gebruiken, ben jij het wel! Niemand zou geloven dat je pas in de veertig bent!'

De rest van de dag was ik bezig mijn bureau op te ruimen, zodat Esther en Stanley in mijn afwezigheid de zaak konden runnen. Daarmee ging het voor de wind. Mijn moeder had de rommel die Coyote had verzameld weten te verkopen en was serieus antiek gaan verzamelen. Ze had zich er op eigen gelegenheid in verdiept, had goed geluisterd naar kenners, had goede raad ter harte genomen, en had zich dankzij haar charme een plekje in de branche weten te veroveren. Toen ik nog een jongen was, had ze me lezen en schrijven geleerd; toen ik een jongeman was, had ze me geleerd hoe de zaak reilde en zeilde, zodat ik haar als zij ziek werd zou kunnen vervangen. Ze had geduld gehad, mijn moeder, en haar toewijding aan mijn scholing deed me denken aan de kalme avonden in de stallen in Frankrijk, toen ik ijverig letters had zitten leren en zij me met zachte drang had aangespoord, haar ogen overlopend van liefde. Als getroebleerde jongeman werkte ik bij haar in de zaak omdat ik niet wist wat ik anders moest doen en omdat het wel bij me paste. Ik was een einzelgänger; dat was ik altijd al geweest. En ik doolde toch maar wat rond. Haar winkel was een toevluchtsoord waar ik me kon verstoppen tussen zielloze voorwerpen die me niet veroordeelden, of van me hielden, of me in de steek lieten. Later, toen mijn wilde jaren alleen niet meer waren dan een verre herinnering, ging ik van die spullen houden zoals ik van het bric-à-brac in Kapitein Crumbles Rariteitenkabinet had gehouden; zij stelden me niet teleur zoals mensen deden.

Ik keek uit het raam naar de besneeuwde straten beneden. Ik zag dat Zebedee op de stoep stond te kletsen met een jonge vrouw met twee kleine kinderen, het ene in een wandelwagentje en het andere aan de hand. Ze hadden roze wangen en glimmende ogen, en hun adem vormde wolkjes in de koude lucht. Ik dacht aan Linda. Zij zou een goede echtgenote en moeder zijn geweest. Ik vroeg me af of het dom van me was dat ik haar had laten gaan. Had ik me een zeer acceptabele toekomst door de vingers laten glippen, als het touwtje van een felgele ballon? Zou ik ooit nog zo'n kans krijgen? Zebedee maaide rond met zijn armen, zodat de kinderen moesten giechelen. De moeder keek toegeeflijk toe, blij omdat haar kleintjes blij waren. De liefde leek zo simpel.

Ik spoorde Matias op. Dat was niet zo moeilijk als ik had verwacht. Het nummer dat ik van hem had klopte niet meer, en dat verbaasde me ook niets, want het was meer dan twintig jaar oud. Ik herinnerde me echter dat hij had gezegd dat hij vogels zou gaan kweken als hij met pensioen was, dus toen ik dat zei tegen de vrouw die de telefoon opnam, stelde ze voor dat ik het aviarium in Valparaiso maar eens moest bellen. De man van het aviarium grinnikte toen ik zijn naam noemde. 'El gordo loco?' zei hij – de dikke gek – en hij gaf me zonder aarzelen zijn nummer en adres. Matias was onvergetelijk; ik glimlachte toen ik aan hem dacht. Meer dan levensgroot in Jupiter, onvergetelijk in Chili; hij zou overal ter wereld makkelijk op te sporen zijn.

Toen Matias de telefoon opnam, klonk hij nog precies hetzelfde als vroeger. 'Hola?' zei hij met zijn diepe, galmende stem, en ik werd opeens overvallen door het gevoel thuis te komen.

'Matias, ik ben het, Mischa.' Hij had geen stilte nodig om in zijn geheugen te graven. Hij begroette me simpelweg met hetzelfde enthousiasme alsof hij me de dag tevoren nog gesproken had.

'Mischa, je moet nu al wel een man zijn!'

Ik lachte. 'Een oude man, Matias.'

'Als jij een oude man bent, lig ik onderhand in mijn graf! Hoe is het met je moeder?'

'Die is overleden,' zei ik na een korte pauze, en ik wilde dat ik hem eerder had gebeld.

'Wat spijtig, Mischa.'

Mijn keel werd dichtgesnoerd doordat ik zo mijn best deed mijn verdriet te beheersen. Mijn moeder en ik waren altijd een bootje geweest dat ronddobberde op een zee waar het van alles kon overkomen. Coyote was de rots geweest waartegen we een poosje voor anker waren gegaan, en Matias de baai die ons beschutting had geboden toen de rots verdwenen was. Ik wilde me weer veilig voelen in zijn grote armen, mijn longen uit mijn lijf snikken van verdriet om mijn moeder en mijn afgestorven hart. Ik wilde niet langer alleen zijn. 'Ik zou je graag willen komen opzoeken,' zei ik haperend. 'Je bent altijd welkom, Mischa. Jij bent de zoon die ik nooit heb gehad, dat weet je wel.' Hij voelde zeker aan hoe treurig ik was, want zijn stem werd diep en teder. 'Kom morgen maar, dan kom ik je persoonlijk ophalen in Santiago.' Ik liet geen tijd verloren gaan. Ik pakte snel een paar spulletjes in. Opeens wilde ik niets liever dan de grote stad zo snel mogelijk achter me laten, alsof de lucht die er hing me verstikte. Ik liet mijn moeders appartement zoals het was, haar post nog ongeopend op mijn bureau, haar zak met aandenkens onder mijn bed. Alleen mijn rubberen balletje nam ik met me mee, in mijn zak, net als vroeger.

Zodra ik in het vliegtuig zat, herademde ik. De struisvogel had niet alleen zijn kop onder het tapijt gestoken, maar zich daar ook door laten wegvoeren naar een ander leven ver weg. Toen ik ontsnapte, realiseerde ik me niet dat ik aan een reis begon die me ertoe zou dwingen mijn demonen onder ogen te zien.

Ik zag de lichtjes van New York geleidelijk aan verdwijnen naarmate het vliegtuig hoger steeg in de nacht, en genoot van een groeiend optimisme. Misschien zou Matias licht kunnen werpen op Coyotes verdwijning; we hadden er nooit over gesproken en als hij het er met mijn moeder over had gehad, had ze daar nooit iets over gezegd. Hoe dan ook, ik was nog maar een kleine jongen geweest en vervolgens, toen ik een puber werd, had ik er niets van willen weten. Dat was een vorm van zelfverdediging geweest, besef ik, maar het was sterker geweest dan mijn verlangen om te weten wat er van hem was geworden. Als ik daar niets mee deed, zou ik er ook niet door gekwetst hoeven worden, zo had ik geredeneerd. Het probleem was alleen dat de wond diep zat. Ook al was er huid overheen gegroeid, toch was het vlees nog steeds rauw en bloedde het nog even hard als destijds. Ik vertrok met het vaste voornemen naar Coyote op zoek te gaan, maar eigenlijk wilde ik alleen maar naar huis.

De vlucht duurde lang, maar dat kon me niet schelen. Ik gebruikte de tijd om na te denken. Ik had het gevoel dat ik in een niemandsland verkeerde, tussen twee werelden in: het heden, dat ik in New York achter me had gelaten, en de toekomst, die in werkelijkheid een terugkeer naar mijn verleden was. Ik ging overeind zitten toen het vliegtuig laag over de bruinsuède bergen van de Andes vloog. De lucht was hemelsblauw, de zon oogverblindend wit toen hij opkwam in de ochtend. De hitte sloeg in trillende golven van de droge *sierra* af, en mijn stemming klaarde op. Pas toen we de daling inzetten naar Santiago merkte ik de beruchte smog op die in de vallei tussen de bergen hing, als bij een dampende kop soep, wachtend tot hij werd weggeblazen door de wind. Ik vergat Linda, mijn kille kantoor in het centrum van New York en het stille appartement van mijn moeder. Pas toen ik Matias zag, die in de aankomsthal stond, drong tot me door hoezeer ik van mijn ankers was geslagen. De jaren hadden weinig sporen nagelaten op zijn huid. Alleen zijn zwarte krullen waren grijs geworden. Toen hij me zag, verscheen er een roze blos op zijn wangen en spleet zijn joviale gezicht uiteen in een brede glimlach. We vielen elkaar in de armen, en hoewel ik nu langer was dan hij, voelde hij nog steeds als thuis. '*Dios*, je bent gegroeid als een bonenstaak!' riep hij hartelijk grinnikend uit, en hij klopte me zo stevig op de rug dat ik in elkaar kromp. 'Wat heb je gegeten?'

'Je hebt geen idee hoe fijn het is om je weer te zien,' zei ik terwijl ik zijn zware schouders vastpakte en wegzonk in de vertrouwde glans van zijn toffeebruine ogen.

'Jazeker wel, want ik vind het ook heel fijn.' Hij schudde zijn hoofd en haalde zijn schouders op. 'We hadden elkaar niet zo uit het oog mogen verliezen. Ik geef de schuld aan Maria Elena. Het is makkelijker om er een vrouw maar de schuld van te geven!' Hij tilde mijn koffer op, verrast hoe licht die was, en ging me voor naar de parkeerplaats.

Genietend nam ik mijn omgeving in me op. Omdat ik uit de kou kwam, voelde ik me met de warme zon op mijn huid en nu ik de bloemengeuren van hartje zomer kon inademen meteen stukken beter. Het was nog vroeg, maar de vochtigheid hing al dik als stroop in de lucht. De vogels zongen hun lied in de rubberpalmen en bloemenborders gonsden van de bijen. Matias bleef staan bij een vuile witte truck. Achterin waren een heleboel lege houten vogelkooien op elkaar gestapeld, met zakken vol zaad en andere spullen. Hij zette mijn koffer bij de kooien. In de truck rook het naar warm leer en stof. Er zat een gat in de passagiersstoel en de kapotte versnellingspook was gerepareerd met een rode sok. Hij zette een zonnebril op en stapte in.

'Waar zijn die kooien voor?' vroeg ik, schuifelend om mijn lange benen de ruimte te geven.

'Ik koop vogels van het aviarium in Valparaiso en laat ze dan vrij in mijn tuin,' zei hij met een schouderophalen.

'Vliegen ze dan weg?'

'Sommige wel, andere niet. Ik geef ze goed te eten en de meeste zijn net zo gulzig als ik, dus blijven ze.'

'Het aviarium heeft me je nummer gegeven.'

'Ik dacht dat Maria Elena je moeder ons nieuwe adres had gestuurd. We zijn vijftien jaar geleden verhuisd.'

'Je hebt altijd al gezegd dat je als je met pensioen was vogels zou gaan kweken.'

'Wat goed dat je dat nog weet.' Hij klopte me op mijn knie en het viel me op dat, hoewel zijn gezicht er nog jong uitzag, zijn handen overdekt waren met ouderdomsvlekken. 'Ik ben blij dat je de moeite hebt genomen me op te zoeken, *hijo*.' Matias had zijn zinnen altijd doorspekt met Spaanse woordjes. Ik herinner me niet precies meer wanneer hij ermee begonnen was, maar na Coyotes vertrek was hij me op een gegeven moment *hijo* gaan noemen – zoon.

'Je bent geen spat veranderd,' zei ik, terwijl ik keek hoe de gebouwen van Santiago steeds spaarzamer werden, tot we door de woestijn naar de kust reden. Het was heel heet, zelfs met de raampjes open. De warme lucht blies naar binnen, door mijn haar en over mijn huid, en ik voelde me een ander mens.

'Misschien een beetje gezetter.' Hij haalde weer zijn schouders op. 'Verder ben ik nog steeds mijn oude zelf, en dat is maar goed ook. Ik zou het vreselijk vinden om iemand anders te zijn.' Hij lachte zijn welbekende diepe lach, met geheven kin, en terwijl hij zijn adem uit zijn brede borstkas liet ontsnappen. 'Maar jij, *hijo*, bent echt een man geworden.' Hij gaf me een klapje op mijn been. 'Een man. Het knappe knulletje is eindelijk volwassen geworden!'

Na ongeveer een uur hield Matias halt voor een klein gebouw. Een groepje kleine kinderen met groezelige gezichtjes speelde in het stof onder een grote boom, waar een ezel die aan een touw was vastgebonden stond te slapen. Felgekleurde bloemen lieten hun blaadjes strelen door het briesje en een in het zwart geklede oude vrouw zat zichzelf koelte toe te wuiven met een tijdschrift. 'Laten we een sapje drinken,' zei hij terwijl hij uit de truck stapte. Hij stak zijn hand op naar de oude vrouw, die terugknikte. De kinderen staakten hun spel en staarden me aan. Ik stel me zo voor dat ik er in hun ogen vreemd uit moet hebben gezien met mijn lichte haar en bleke huid. Een jongetje trapte tegen een leeg Coca-Cola-blikje. Kletterend schoot het over de grond en vlak voor mijn voeten kwam het tot stilstand. De kinderen bleven staan wachten wat ik zou doen. Toen ik het terugschopte, slaakten ze opgewonden kreetjes. Matias zei iets in het Spaans en brulde toen van het lachen.

'Ze denken dat je een reus bent,' zei hij terwijl hij het huisje in liep. 'Ze zijn bang dat je ze gaat opeten.'
'Wat heb je gezegd?' vroeg ik, want ze waren helemaal gek van opwinding.
'Ik heb gezegd dat je alleen honden eet. Dat er waar jij vandaan komt helemaal geen honden meer over zijn. En dat je daarom hiernaartoe bent gekomen!'
Ik rolde met mijn ogen en liep achter hem aan naar binnen. Daar was het koel en het duurde even voor mijn ogen zich aan het halfduister hadden aangepast. Er was een toog waarachter een jonge man naar de radio zat te luisteren. Er waren een koelkast met koude drankjes en een grote vitrine met broodjes waarvan het water me in de mond liep. 'Ik kan die met avocado aanraden,' zei Matias. 'En de versgeperste sapjes hier zijn de beste van heel Chili.'
Vanachter een gordijn van linten kwam een jonge vrouw tevoorschijn. Ze had een bruine huid en was knap, met haar lange zwarte haar in een vlecht die bijna tot haar billen reikte. Ze keek me aan en ik zag haar even blozen. Ze glimlachte verlegen. Matias begroette haar in het Spaans en ze maakten een praatje. Hoewel ze zich tot Matias richtte, keken haar grote ogen steeds even naar mij, alsof ze haar blik niet van me af kon houden. Ik voelde me gevleid en was verrast – ik zag er vast niet uit, zo net uit het vliegtuig, en moest me nodig douchen en scheren.
Matias kwam aan met een paar glazen frambozensap en *palla*broodjes, en daarmee gingen we buiten aan een van de houten tafeltjes zitten. 'De vrouwtjes zien je nog steeds wel zitten,' merkte hij op terwijl hij me een speelse por gaf. 'Je wond ze allemaal al om je vinger toen je nog een knappe kleine jongen was. Nu ben je een ongewassen, stoppelige man die eruitziet alsof hij door de mangel is gehaald, en toch ben je nog steeds aantrekkelijk voor ze.'
'Zo veel lof verdien ik niet,' zei ik met een glimlach.
'Heb je thuis een vrouw?'
'Niet meer.'
'*Qué pena*. Een man die zo knap is als jij! Toch sta ik daar niet van te kijken.'

'Dit is een geweldig tentje,' zei hij toen we eenmaal goed en wel zaten. 'Elke keer dat ik naar Santiago rijd leg ik er even aan. Het is een prima stel. Die oude vrouw daar is de moeder van Jose.'
'Ze zal het wel warm hebben in die kleren,' zei ik.
'Ze is in de rouw,' verklaarde Matias, en hij hapte in zijn broodje.

'Wanneer is haar man dan overleden?'
'Een jaar of veertig geleden.' Toen hij mijn verraste gezicht zag, schudde hij van het lachen. 'Vraag me niet hoe hij is gestorven, want dat weet ik niet. Ze zal zwart blijven dragen tot ze zich bij hem voegt. En ik denk niet dat dat nog lang duurt.' Opeens werd hij serieus en hij legde zijn broodje neer. 'Ik heb nog niet de moed gehad om het te vragen, maar dit lijkt me het juiste moment. Waaraan is je moeder gestorven, Mischa?'
'Ze had kanker.'
Hij schudde zijn hoofd en slaakte een zucht. 'Het zijn altijd de goeien die jong sterven.'
'Ze wist dat ze geen keus had. Tegen de tijd dat ze overleed, had ze het bedrijf aan mij overgedaan en al haar zaakjes geregeld. Maar één ding verraste me. Ik dacht dat jij er misschien iets over zou weten.'
'Ga verder.'
'Ze bezat een Titiaan.'
'Een Titiaan?'
'Ja. *De zigeunermadonna*.'
'Een echte Titiaan?'
'Ja, hij is echt. Ze heeft hem aan het Metropolitan geschonken.'
'Je moeder moet wel een heel slimme zakenvrouw zijn geweest om in kunstwerken te investeren.'
'Dat is het nou net, Matias: ik heb nooit geweten dat ze hem had. Ze kon het zich in elk geval niet veroorloven hem te kopen.'
Hij ging rechtop zitten en keek me verbaasd aan. 'Heb je dan enig idee hoe ze eraan gekomen is?'
'Nee, ik weet er helemaal niets van.'
'Heb je het haar niet gevraagd?'
'Ze wilde er niet over praten. Ze zei alleen maar dat ze hem terug moest geven. Dat zei ze heel nadrukkelijk, vastberaden. Jezus, Matias, op het laatst was ze zo verdrietig. Zo ontzettend verdrietig. Alsof ze door dat schilderij weg te geven haar ziel weggaf. Het klinkt vreemd, maar ze kon zich er amper toe zetten. Ik zei tegen haar dat ze het moest houden, maar dan schudde ze alleen haar hoofd, berustend, zoals ze dat kon doen, en zei dat ze het terug moest geven, dat ze niet kon uitleggen waarom.'
'Heeft ze het van iemand gekregen? Was er een man in haar leven? Minnaars?'
Teleurgesteld schudde ik mijn hoofd. Ik had gedacht dat hij iets zou weten. 'Niemand. Ik wilde jou vragen of het misschien iets met Jupiter te maken had.'

Hij zette zijn tanden weer in zijn broodje. 'In Jupiter was dat soort spullen in geen velden of wegen te bekennen. *Dios mio*, als ik zulke handel in mijn winkel had gehad, had ik een paleis gekocht in plaats van een nederig stulpje aan zee. Het spijt me, *hijo*, ik kan je niet helpen. Maar dit raadsel intrigeert me wel. Misschien dat Maria Elena er iets van weet. Ooit waren ze immers dikke vriendinnen. Hoewel het me zou verbazen als ze zoiets belangrijks voor me verborgen zou hebben gehouden. Maria Elena kan veel, maar ze kan geen geheimen bewaren. Niet dit soort grote geheimen in elk geval.'

We reden verder door de woestijn. De weg was lang en recht. Af en toe kwamen we langs paard-en-wagens, gehuchtjes van hutjes met daken van golfplaat, waar kinderen tussen de bomen speelden. Magere honden drentelden doelloos rond op zoek naar iets te eten, hun snuiten snuffelend over de grond zonder veel te vinden. Grote reclameborden prezen luiers en waspoeder aan, terwijl de woestijn erachter kaal en meedogenloos was. Uiteindelijk konden we hoog in de bergen de Stille Oceaan onder ons zien liggen, donkerblauw en glinsterend in de zon. De weg kronkelde omlaag naar Valparaiso, een grote havenstad met hoge kantoorgebouwen en weelderig groene parken waarin palmbomen de lucht in rezen. De door verkeer verstopte smerige straten voerden ons langs afbrokkelende muren en ooit glorieuze panden met elegante oprijlanen en deuren omlijst door chique portieken. In mijn ogen had het decadente verval een enorme charme. De gebarsten trottoirs, de ongelijkmatige straten, het bladderende pleisterwerk: de gewelddadige littekens van de aardbevingen die regelmatig in Chili plaatsvonden waren alomtegenwoordig.

We reden over de kronkelende weg die langs de kust liep. Op de rotsen lagen zeehonden te zonnebaden, en vrouwen en kinderen speelden in baaitjes tussen de zwarte rotsen in op het strand. Aan zee was het koeler. En toen, nadat we een steile heuvel op waren gereden, sloeg de truck een oprit in die omzoomd was met grote groene gardeniastruiken. Matias drukte op de claxon. 'Welkom in mijn huis,' zei hij. 'Het heeft veel te lang geduurd voor je ons bent komen opzoeken!'

Toen Maria Elena in een lichtblauwe jurk tevoorschijn kwam, haar grijze haar in een losse vlecht gebonden, had de vreugde die me overspoelde een rouwrandje. Ik stapte uit de truck en haastte me naar haar toe om haar te omhelzen. Ze voelde klein en breekbaar aan in mijn armen, ook al was ze een forse vrouw. Ze begroef haar hoofd tegen mijn borst en hield me zo stijf vast dat haar knokkels er wit van zagen. Ze was te zeer overmand door emoties om een woord te kunnen uitbrengen. Haar adem kwam in stoten uit haar dichtgesnoerde keel. Ik wendde me tot Matias, maar hij zag er nu al even hulpeloos uit als zij. Hij kwam aandragen met mijn koffer en klopte me op mijn rug, waarbij hij me wederom bijna omvergooide. 'We zijn blij dat je bent gekomen,' zei hij, en Maria Elena knikte met een onzekere glimlach. 'Eindelijk dan toch!' fluisterde ze. 'Ik heb vijfentwintig jaar op dit moment gewacht. Vijfentwintig jaar. Maar dat snap je niet. Hoe zou je ook kunnen?' Toen bracht ze haar handen omhoog, omvatte mijn gezicht en trok dat naar beneden om me een zoen te kunnen geven. Ik voelde haar vochtige lippen op mijn huid. Ze had gelijk: ik snapte het niet. Maar daar maakte ik me niet druk om.

25

WE GINGEN OP DE VERANDA ZITTEN, MET UITZICHT OP DE TUIN en de zee daaronder. De lucht rook zoet naar gardenia's, vermengd met de ietwat moerassige geur van de oceaan. Vogels in allerlei kleuren en afmetingen hipten door de bomen, hun kreten zo luid alsof ze streden om aandacht met de kinderen die in de straat achter het huis speelden. Op de rugleuning van Matias' stoel zat een groene papegaai. Toen hij ging zitten nam de vogel plaats op zijn schouder en strekte zijn poten zo behendig als een danseres. Terwijl Matias praatte, voerde hij het dier noten, die hij in zijn bek nam en met zijn klauwtje rond en rond draaide, ons ondertussen met zwarte glimmende oogjes gadeslaand.

Hun huis was wit, met een rood pannendak en groene luiken. Het kon best een likje verf gebruiken en aan één kant liep een scheur in de muur zigzaggend omhoog, maar de bloemen die tegen het pleisterwerk groeiden waren kleurig en bloeiden zo uitbundig dat je aandacht van de mindere puntjes werd afgeleid. Zodra ik het zag, sprak het me meteen aan. Zoals het daar stond, omringd door donkergroene gardeniastruiken en palmen, kreeg je meteen het gevoel dat dit een veilige haven was.

Een dienstmeid op leeftijd, kort van stuk en gekleed in een lichtblauw uniform, kwam met een dienblad met drankjes naar buiten. 'Je moet echt *pisco sour* eens proberen,' zei Maria Elena. 'Dat is een traditionele Chileense cocktail met citroen. Volgens mij vind je het wel lekker.' De dienstbode liet de kan en glazen op tafel staan en trok zich weer terug in de schaduwen. 'Ik ben heel blij dat je er bent,' zei ze terwijl ze een glas volschonk en het me overhandigde. 'Allemachtig, lekker zeg!' riep ik uit toen het zure vocht brandend door mijn keelgat stroomde.

'Je was nog maar een jongen toen jullie vertrokken,' vervolgde Maria Elena. 'Lang en slungelig, met ongelofelijk lange armen en

benen. Je bent nu geworden wie je wezen moest.'
'Jullie zijn geen van tweeën veranderd,' zei ik terwijl ik nog een slokje nam. 'Jullie zijn allebei nog precies hetzelfde als ik me herinner.'
'Alleen een heel stuk ouder, vrees ik,' zei ze met een zucht.
'De tijd staat niet stil,' bromde Matias, die de papegaai nog een nootje gaf.
'Hoe heet hij?' vroeg ik.
'Alfredo. Ik heb hem gered uit een dierenwinkel.'
'Ze zullen hier wel een fijn leven hebben.'
Matias grinnikte. 'Ze zijn dik en welgedaan, net als hun baasje.'
'Maar het geeft wel veel rommel,' zei Maria Elena met een geërgerde blik. 'Tja, wat doe ik ertegen?'
'Stil nou maar, vrouw. Ik weet heus wel dat je op ze gesteld bent, want als je ze voert zie ik je hele gezicht stralen van liefde.'
Ze lachte en schudde haar hoofd. 'Mal oudje!'
We praatten en dronken, en de warmte maakte mijn tong los en deed mijn hart zwellen. Ik zat daar heel gelukkig te zijn, ver weg van New York en de sneeuw, ver weg van Linda en mijn moeders lege appartement. Na een poosje vroeg ik Maria Elena naar het schilderij.
'Een Titiaan?' riep ze verrast uit. 'Een echte Titiaan?'
'Ja.' Hulpeloos haalde ik mijn schouders op. 'Ze heeft er nooit met me over gesproken, behalve op het allerlaatst, toen ze stervende was. Ze zei dat ze hem aan de stad moest schenken.'
'De stad?' herhaalde ze met een frons.
'Nou ja, zo zei ze het niet precies. Ze zei dat ze hem "terug moest geven". Ze heeft hem aan het Metropolitan geschonken.'
Maria Elena dacht even na. 'Terug? Aan wie dan?'
'Dat weet ik niet, omdat ik niet weet van wie ze hem had gekregen. Ik had gehoopt dat Matias en jij er iets meer over zouden weten.'
'Als dat schilderij aan iemand had toebehoord, of aan een familie, zou ze het aan diegene hebben teruggegeven. Als het gestolen was... Tja, dan wordt het een ander verhaal.'
'Je denkt toch niet dat mijn moeder stal, hè?'
'Nee. Je moeder was een eerlijke vrouw, en trouwens: hoe had ze dat dan moeten aanpakken? Daar kan geen sprake van zijn. Bovendien, wat heb je eraan om zo'n beroemd schilderij te stelen? Wie zou het willen kopen?' Het viel me op dat ze Matias een tersluikse blik toewierp. 'Ik vind het heel akelig dat ze zo heeft moeten lijden,'

voegde ze eraan toe, en ze sloeg haar ogen neer. 'We waren weliswaar uit elkaar gegroeid, maar ik ben altijd erg op haar gesteld geweest.' Ik vroeg me af wat ze precies voor me verzwegen.

'Ik heb Coyote gezien,' zei ik terwijl ik mijn lege glas neerzette. Ze keken me allebei stomverbaasd aan. 'Een paar dagen geleden zat hij ineens in mijn kantoor.'

'Hoe is het met hem?' wilde Maria Elena weten.

'Ik herkende hem bijna niet,' antwoordde ik. 'Hij leek meer op een landloper dan op de zwierige man die ik me van vroeger herinner.'

'*Dios mio!*' bracht Matias uit. Alfredo klauterde naar zijn borst en begon met zijn snavel naar een van zijn hemdsknopen te pikken. Matias negeerde hem. 'Wat is er met hem gebeurd?'

'Geen idee. Dat heeft hij niet gezegd.'

'Heb je er niet naar gevraagd?'

'Ik was kwaad.'

'Natuurlijk was je kwaad,' zei Maria Elena meelevend. Ze vulde mijn glas bij. 'Trouwens, hoe lang is het al niet geleden? Toch al meer dan dertig jaar?'

'Pas toen hij alweer weg was, wilde ik hem ernaar vragen. Ik rende de straat op, maar hij was verdwenen. Ik ben hem wéér kwijtgeraakt, vrees ik.'

'Waarom denk je dat hij terugkwam?' vroeg ze.

'Hij had over de Titiaan gelezen. Hij wist niet dat mijn moeder was gestorven. Daar schrok hij erg van. Nou ja, de kranten stonden vol over het schilderij, dat kun je je wel voorstellen. Een niet-gecatalogiseerd werk van zo'n beroemde kunstenaar. Iedereen wil dan weten waar het vandaan is gekomen, zelfs hij.'

'Heeft je moeder helemaal geen enkele aanwijzing gegeven?'

'Niets.'

'Maar Coyote dook ineens op,' zei Matias met een verachtelijk hoofdknikje. 'We kunnen hem dus buiten beschouwing laten. Als hij er iets mee te maken zou hebben gehad, was hij wel eerder teruggekomen. Hoewel ik helemaal niet raar zou opkijken als bleek dat híj een Titiaan gestolen had.'

'Zó goed was hij nou ook weer niet,' schimpte Maria Elena.

'Waar is hij eigenlijk naartoe gegaan?' vroeg ik, en de pijn moest van mijn gezicht af te lezen zijn geweest, want ze wisselden weer blikken. 'Jullie weten iets, hè? Jullie kunnen het me nu wel vertellen; ik heb zelf ook de bloemetjes buitengezet.'

Matias pakte Alfredo op en zette hem zachtjes op de grond. Met een grote, worstachtige vinger streek hij over het beveerde vogel-kopje. Vervolgens ging hij zitten en schonk zichzelf nog een drank-je in. We voelden ons allemaal licht in het hoofd. De combinatie van de warmte en de drankjes maakte ons allemaal losser, alsof er olie op vastzittende scharnieren was gegoten. Er mochten geen ge-heimen meer zijn.

'Coyote was al getrouwd,' verklaarde hij eenvoudigweg.

Ik schrok ontzettend. In een flits herinnerde ik me die keer dat mijn moeder zichzelf in de slaapkamer had opgesloten. Nu begreep ik waar dat toen allemaal over was gegaan.

'Jezus, dat had ik toen helemaal niet begrepen. Ik vroeg me al af waarom ze zo woedend was omdat hij tegenover iedereen voorgaf dat ze in Parijs waren getrouwd. Parijs leek mij een heel romanti-sche plek om te trouwen! Nu blijkt dus dat hij niet met haar kón trouwen.'

'Hij had een gezin in Virginia, even buiten Richmond.'

Verbijsterd schudde ik mijn hoofd. 'Mijn moeder was er kapot van. Ze sloot zichzelf drie dagen op in de slaapkamer en weigerde naar buiten te komen. Maar op het laatst deed ze dat toch en zei ze dat ze er niet meer over wilde praten. Ik weet nog dat ze hem een ring voor haar liet kopen. Ze beweerde dat ze die droeg vanwege mij.'

'Ze wilde niet dat mensen zouden denken dat ze een relatie had-den die niet door de beugel kon. Mensen kunnen keihard zijn.'

'Praat me er niet van,' antwoordde ik. Maar ik vroeg me af of ze wel wisten wat zich in Frankrijk allemaal had afgespeeld. Mijn moe-der was altijd erg gereserveerd geweest. 'Dus elke keer dat hij op za-kenreis ging, ging hij naar zijn gezin in Richmond?'

'Vermoedelijk wel, ja,' zei Matias ernstig. 'Hoewel ik er honderd procent zeker van ben dat hij van je moeder hield zoals hij nog nooit van iemand had gehouden.'

Ik keek om me heen naar het kleine paradijs dat me omringde en vroeg me af of wel iemand echt wist wat er in Coyotes hart was om-gegaan. 'Maar als hij zo veel van haar hield, waarom liet hij haar dan in de steek?'

'Coyote was een raadsel, zelfs voor mensen zoals ik, die hem toch goed kenden. Ik weet niet veel over zijn verleden, over zijn jeugd in Virginia. Maar ik kan je wel zeggen dat hij geen makkelijke start heeft gehad in het leven. Zijn vader dronk en sloeg hem, en zijn moeder had twee banen tegelijk. Hij moest zelf maar uitzoeken hoe hij zich redde, als een wilde hond. Ik weet niet of hij broers of zussen had. Hij kreeg maar weinig scholing. Hij leefde... Hoe zeg je dat?'

Van de hand in de tand. In gedachten kon ik Coyotes stem horen: dat gruizige geluid met die ironische ondertoon. 'Van de hand in de tand.' Matias grinnikte. Hij moest die stem ook hebben gehoord.

'Hij trouwde jong, maar hij kon er niet tegen om gebonden te zijn. Hij was een vrije geest. Hij reisde het land door met zijn gitaar en zijn enorme charisma. Ik leerde hem kennen in Mexico. Hij was Jack Magellan. Jack Magellan en verder niets. Maar ze werden allemaal verliefd op hem, zelfs toen al. We waren jong, amper twintig. We konden goed met elkaar overweg en zetten een zaak op in New Jersey; hij veranderde zijn naam in Coyote, omdat die oude zwarte vluchteling hem zo had genoemd toen hij een losgeslagen kind was.'

'De Oude Man uit Virginia,' zei ik, en ik hoorde het bevredigende zachte klikje waarmee alweer een stukje van de puzzel op zijn plaats viel. 'Degene die hem gitaar heeft leren spelen. Maar waarom New Jersey?'

Matias kreeg even een wazige blik in zijn ogen toen hij terugdacht aan het verleden. 'Coyote deed niets op de manier waarop andere mensen iets zouden aanpakken. Hij nam de kaart van Amerika erbij en sloot zijn ogen. Ik draaide hem een paar keer rond. Hij prikte met zijn vinger op New Jersey, en zo is het gekomen.'

'Maar hij heeft toch gevochten in de oorlog?' vroeg ik, terugdenkend aan het gezicht in mijn droom.

'Ja, toen Amerika zich in de oorlog mengde, wilde Coyote erbij zijn. Hij was verzot op avontuur.'

'En zijn gezin?'

'God mag weten of zijn vrouw het pikte of niet. Hij had het nooit over haar en ik vroeg er niet naar.'

'Coyote was altijd ergens voor op de loop, Mischa,' zei Maria Elena vriendelijk. 'Hij rende weg voor zijn vrouw en kinderen. Hij rende weg naar de oorlog. Toen hij terugkwam, was hij zelden thuis. Hij ging op zakenreis om overal ter wereld spullen te verzamelen. Als je het mij vraagt, vluchtte hij weg van zichzelf.'

'In elk land was hij weer iemand anders, *hijo.* Ik wil wedden dat hij niet eens Jack Magellan heette. Coyote was een bijnaam die goed bij hem paste. Hij was net een wilde hond!'

'Ik geloof niet dat hij echt wist wie hij was,' voegde Maria Elena eraan toe.

'Dus hij ging er weer vandoor?' stelde ik simpel. 'Bij ons weg.'

'Dat snap ik ook niet goed, *hijo*,' zei Matias, die zijn krullen schudde. 'De zaken liepen goed. We verdienden aardig. Hij was gelukkig met je moeder en hij was dol op jou.'

'O, op jou was hij dol, Mischa, en hij was ontzettend trots op je,' zei Maria Elena.

'Waarom is hij dan niet teruggekomen?'

'Ik ging ervan uit dat hij dood was,' zei Matias ernstig.

'Dan zou het tenminste allemaal nog ergens op slaan,' stemde Maria Elena met hem in. 'Nu we weten dat hij niet dood is, wordt het alleen maar nóg raadselachtiger.'

'Het valt gewoon niet te rijmen. Jullie denken toch niet dat zijn verdwijning iets met de inbraken te maken had?' opperde ik.

'Wie weet,' zei Matias. 'Coyote was een man met geheimen, terwijl hij je de indruk gaf dat jij hem kende. Nee, hij was net een ui met een heleboel rokken; niemand wist waar de kern uit bestond. Dat moet wel een verhaal zijn waar we steil van achterover zouden slaan als we er ooit achter zouden komen. Coyote deed nooit iets op de conventionele manier.'

'Of op een eerlijke manier,' wierp Maria Elena ertussen. 'Hij was een schaduw die je nooit ergens op vast kon pinnen. Ik kan je wel vertellen dat veel van de spullen die hij in de winkel verkocht ofwel nep, ofwel gestolen waren.'

'Maar geen Titiaan,' zei ik.

'Geen Titiaan. Neem maar van mij aan dat hij nooit de benen zou hebben genomen als hij een Titiaan in de winkel had verstopt.'

Die avond aten we in een visrestaurant in Viña del Mar, met uitzicht over de zee. Het viel me op dat de vrouwen erg knap waren, met een goudkleurige huid en lang zwart haar, hun ogen glanzend donker en mysterieus in het flakkerende kaarslicht. Ik staarde hen schaamteloos aan en nam hun fraaie trekken met lome ogen waarderend op. Ze vingen mijn blik en sloegen haastig hun ogen neer, met een schuchterheid die je in Amerika niet zou tegenkomen, als timide vogels. Linda was nu niet meer dan een verre herinnering, een gevoel dat nog werd versterkt doordat we door duizenden kilometers gescheiden waren.

'Ik ben blij dat je je bestemming gevonden hebt en de zaak tot een succes hebt gemaakt,' zei Maria Elena, terwijl ze me met moederlijke genegenheid aankeek.

'Mijn moeder was degene die er een succes van heeft gemaakt. Voor mij was het niet zo moeilijk het bedrijf voort te zetten.'

'Maar je moet er wel kijk op hebben, toch?'

'Ik ben verzot op oude spullen. Ik mag me graag verdiepen in het verleden dat erin besloten ligt. Ze zijn allemaal een echo van de vibraties van de mensen die ze hebben bezeten en de plekken waar ze zijn geweest. Ik vind het altijd leuk me de Engelse kastelen en Franse *châteaux* voor te stellen, de Italiaanse *palazzi* en die geweldige Duitse *Schlösser*. De chique families die daarin hebben gewoond en honderden jaren lang schatten van over de hele wereld hebben verzameld. De Grote Reizen die ze maakten, waarna ze dan terugkeerden met hun brokjes geschiedenis. Ik strijk graag met mijn hand over het hout om de hartslag ervan te voelen, want die spullen hebben een hartslag, weet je, en als je luistert kun je die horen.' Ik was me ervan bewust dat ik nog nooit zo open was geweest tegenover wie dan ook. Ik was voorheen nooit in staat geweest over liefde te praten, op welk niveau dan ook.

'Als jongen was je al helemaal weg van een bepaald bureau van notenhout,' zei Matias.

'O ja, dat weet ik nog,' zei ik met kinderlijk enthousiasme. 'Er zaten geheime laatjes in en onder het schrijfblad zat een dubbele bodem. Het was een fantastisch meubelstuk!'

'Je wilde altijd weten waar de spullen vandaan kwamen. Je was erg gefascineerd door een wandkleed,' voegde hij eraan toe terwijl hij een grote slok wijn doorslikte.

'Ja, klopt. Bacchus en zijn dronken nimfen. Ik was er zo verzot op omdat het me deed denken aan het château waar ik was opgegroeid.'

'Je moeder vertelde nooit iets over Frankrijk,' zei Maria Elena zachtjes.

'Dat was omdat we niet ín het château woonden. Het had voor de oorlog aan een familie toebehoord en mijn moeder had er gewerkt. Toen de Duitsers kwamen, bezetten zij het en werd mijn moeder verliefd op een van de officieren.'

'Dat heeft ze ons nooit verteld,' zei Maria Elena verbaasd. 'Ik was ervan uitgegaan dat haar man een Fransman was.'

'Nee, mijn vader was een Duitser en mijn moeder werd aan het eind van de oorlog zwaar voor haar verraad gestraft. Ik raakte mijn stem kwijt doordat zij zo vernederd werd en doordat ze mij bijna vermoordden.'

'O, Mischa, dat heb ik nooit geweten!' De tranen sprongen Maria Elena in de ogen en ze legde haar hand op mijn arm. Zonder dat ik erover na hoefde te denken legde ik de mijne boven op de hare, en liet hem daar liggen.

'Weet je, ik heb hier nog nooit met iemand over gesproken, niet eens met Linda, die negen jaar mijn vriendin is geweest.'

'Heb je het dan al die tijd opgekropt?'

'Het was nooit nodig om er iets over te zeggen. Mijn moeder begreep het en zij was mijn beste vriendin.'

'Dat weet ik. Ze hield met hart en ziel van je.'

'Je zei dat Coyote je je stem had teruggegeven,' zei Matias. 'Ik weet nog dat ik je op de radio hoorde!'

'Gray Thistlewaite,' grinnikte ik. 'In jullie woonkamers, in jullie keukens en in jullie levens, die ik op mijn eigen bescheiden manier een beetje beter en leuker wil maken.' Ik deed haar stemmetje precies na en Matias brulde van de lach, als een oude leeuw. 'Ik meende het toen ik zei dat Coyote kon toveren. Want zie je, toen hij kwam veranderde alles. Ik kan jullie niet beschrijven hoe mensen ons vóór die tijd hadden behandeld. We lagen er bij iedereen helemaal uit. Ik was nog erger dan de ratten waar ze in hun kelders vallen voor zetten. Coyote speelde op zijn gitaar, zong oude cowboyliedjes en deed de harten van de mensen ontdooien. Eerst mocht ik meespelen met de kinderen, en later waren ook de volwassenen in staat om te vergeven. Hij betoverde hen allemaal, of maakte hen allemaal te schande. Ik heb nog een vage herinnering; ik weet niet of die klopt: dat Coyote degene was die ons aan het eind van de oorlog redde van de menigte. Mijn moeder was naakt en kaalgeschoren, haar gezicht zag zo hol en bleek alsof ze een geest was. Ze hieven mij op naar de mensenmassa, en ik hoorde alleen maar hun kreten en hun haat. Vervolgens lag ik in haar armen en sloeg een Amerikaan zijn shirt om ons heen. Ik zou zweren dat dat Coyote was.'

'Dat zou best hebben gekund. Misschien is dat ook wel de reden waarom hij is teruggekeerd: omdat dat de stad was die hij had helpen bevrijden,' zei Maria Elena.

'Wie weet,' zei ik met een schouderophalen. 'Ik was pas drie.'

'Vertel eens verder,' drong ze aan. 'Ik wil alles weten.'

'Nou, op een zondag ging hij met ons mee naar de kerk,' vervolgde ik. 'Ik vond de kerk vreselijk, want het was net of je daar elke week spitsroeden moest lopen. Precies dezelfde mensen die hadden geroepen om mijn bloed zaten me daar aan te staren. Ze waren met hun mestvorken en hamers op ons afgekomen om ons dood te slaan. Zelfs de priester had er gewoon bij staan toekijken en het laten gebeuren. Toch wilde mijn moeder per se elke zondag naar de mis, om in hun midden te gaan zitten en te bidden. Ik weet niet waarom ze dat deed – om hen te tarten, waarschijnlijk. Ze was niet iemand om mensen onder de neus te wrijven dat ze haar hadden geslagen. Maar ik was heel bang. Toen Coyote bij ons kwam, werd het anders. Ik zag bewondering in hun ogen, geen haat. Toen, midden onder de dienst, meende ik de stem van een engel te horen. Maar het was geen engel. Het was mijn eigen stem, die eindelijk dan toch hoorbaar werd.'

Maria Elena wreef met trillende vingers over haar ogen. 'Mischa, *mi amor*, wat heb jij veel geleden, zonder dat wij er ook maar iets van wisten.'

'Maar Coyote maakte het allemaal weer goed, snap je. Als hij er niet was geweest, zouden we ons altijd in de schaduw hebben moeten ophouden en zou ik achter een muur hebben geleefd, zonder ook maar iemand te kunnen bereiken.'

'En toen ging hij ervandoor,' zei Matias.

'En ik ontspoorde.'

'Dat is best begrijpelijk.'

'Maar je hebt meer aan jezelf te danken,' zei Maria Elena. 'Coyote mag dan je hart hebben geopend, maar de rest heb je helemaal zelf gedaan.'

Die avond wandelde ik met Maria Elena naar het strand, alleen wij tweetjes. De hemel was fris en helder, de sterren waren oogjes die een andere wereld in keken waar onze zintuigen geen toegang toe hadden: daar waar mijn moeder was met mijn vader, in vrede, mocht ik hopen, terwijl ze haar geheimen, die ik nu een voor een probeerde te ontrafelen, nog altijd bij zich droeg.

'Nu snap ik waarom je moeder je altijd zo in bescherming nam,' zei Maria Elena, en ze pakte mijn hand.

'We waren altijd samen. We waren altijd maar met z'n tweeën.'

'Omdat er geen ruimte was voor iemand anders.'

Ik fronste. Ze keek naar me op, de lijnen in haar gezicht als rivieren op een landkaart verlicht door de maan.

'Je weet best dat ik gelijk heb. Denk je niet dat Linda het gevoel heeft gehad dat ze een buitenstaander was?'

'Misschien. Ik heb haar nooit een kans gegeven.'

'Jij bent altijd net de zoon geweest die wij nooit hebben gehad, Mischa, en je moeder wist dat. Waarom denk je dat ze uit New Jersey wegtrok?'

'Ze had daar niets meer te zoeken sinds Coyote ervandoor was.'

'Nee. Omdat ze het niet kon verdragen dat je intiem was met iemand anders dan zij.'

'Dat is niet waar!' riep ik uit, maar mijn stem klonk zwakker dan mijn bedoeling was.

'Ja, dat is het wel. Ze klampte zich uit jaloezie aan je vast. Toen jullie naar New York verhuisden, probeerde ik diverse keren een afspraak met haar te maken, want ik wilde jou zien. Maar ze had het altijd druk met het een of ander. Je bent ons ontglipt.'

'Ik maakte een lastige periode door,' zei ik met een bittere grinnik.

'En ik wilde er voor je zijn. Je had zo weinig vastigheid in je leven. Nadat Coyote was vertrokken, ging het snel bergafwaarts met je. Ik wilde je helpen daardoorheen te komen, maar dat stond je moeder niet aan. Het spijt me dat ik niet meer heb aangedrongen. Jullie gingen naar de stad en wij bleven berooid achter. Op het laatst konden we alleen nog maar verder door in Chili een nieuw leven te beginnen.'

'Ik weet nog dat ik bij jullie in de tuin met de honden zat te spelen,' zei ik, terwijl er een golf van droefheid over me heen sloeg.

'Gringo en Billy.'

'Gringo en Billy. Wat is er van ze geworden?'

'Ze zijn dezelfde weg gegaan als alle levende wezens,' zei ze, haar ogen opslaand naar de hemel. 'Je moeder was een goede vrouw. Nu ik meer over jullie verleden weet, snap ik wel waarom ze je niet wilde loslaten. Jij was het enige wat ze had.'

'En zij was het enige wat ik had,' zei ik.

Toen brak er iets in me. Ik hoorde het breken, maar ik was te laat om de vloed tegen te houden. We gingen op het zand zitten en Maria Elena sloeg haar armen om me heen; ik leek wel een reus in haar breekbare omhelzing. Ik snikte als een kind, en al het verdriet dat ik al die jaren had opgekropt vond een weg naar buiten, zodat het helingsproces eindelijk kon beginnen.

26

Ik bleef twee weken bij Matias en Maria Elena. Op die lange zomerdagen namen we ruim de tijd om elkaar opnieuw te leren kennen. We dronken veel te veel pisco sour, lachten tot we er kramp van in onze kaken kregen, en haalden herinneringen op. Voor hen had ik niets te verbergen. Ik ging open als een oester, waarvan de schelp als die eenmaal is opengewrikt moeiteloos open blijft staan. We slenterden op en neer over het strand, met onze voeten in het water, terwijl het warme amberkleurige licht van de zonsondergang ons baadde in een bijna hemelse gloed, en het tij mijn verdriet meevoerde en wegspoelde. Ik sloeg Matias gade met zijn vogels, hoe hij ze streelde en voerde, ze liefdevol verzorgde en met ze speelde, en ik realiseerde me dat zij, en niet ik, de kinderen waren die hij nooit had gekregen.

We hadden elkaar weer helemaal gevonden, maar ik kon niet blijven, hoe graag ik ook wilde. Ik moest terug naar Mauriac en de lijken uit de kast laten. Matias en Maria Elena hadden me daar de moed toe geschonken.

Ik vond het afschuwelijk om afscheid te nemen. Ik vond het afschuwelijk om de pijn in hun ogen te zien. Matias sloeg me veel te hard op mijn rug en omhelsde me toen zo onstuimig dat ik naar adem moest happen. Maria Elena drukte een kus op mijn wang. Die bleef de hele reis naar Frankrijk als een fluistering op mijn huid liggen. Ze zeiden dat ze er altijd voor me zouden zijn. Maar dat was niet waar. Niets in het leven is eeuwig. De tijd zou met ons zijn, maar op een gegeven moment was de koek op. Op een kwade dag zouden ze er niet meer zijn en zou ik weer alleen zijn. Altijd alleen – een *chevalier* in zijn eentje.

Ik keek er met angst en beven naar uit naar Frankrijk terug te keren. Logisch geredeneerd zouden de oude demonen van toen inmiddels allemaal overleden moeten zijn, zoals Monsieur Cezade en

Père Abel-Louis, of zo oud zijn geworden dat ze niet langer een bedreiging vormden. Ik was in de veertig, maar toch huisde in mijn binnenste nog steeds het jongetje dat zich altijd verstopte in de gang van het château in de hoop een glimp op te vangen van Joy Springtoe of Daphne Halifax.

Ik herinnerde me alles nog en was bang voor verandering. Ik wilde dat de velden met wijnstokken nog hetzelfde zouden zijn als toen ik samen met Pistou op en neer had gerend over de smalle paadjes ertussen. Ik wilde dat Jacques Reynard in zijn werkplaats zou zijn met zijn alpinopet schuin op zijn hoofd en een ondeugende twinkeling in zijn ogen, maar als Monsieur Cezade en Père Abel-Louis oud en seniel waren, dan kon het niet anders of Jacques was dat ook. Ik vroeg me af of ik, nu ik een volwassen man was, hen allemaal met andere ogen zou bekijken, net als de oude leraar uit New Jersey die ik in New York een keer was tegengekomen en met wie ik een kop koffie had gedronken. Toen ik nog op school zat had ik hem niet zo gemogen, maar tot mijn verrassing ontdekte ik dat we meer gemeen hadden dan ik ooit voor mogelijk had gehouden. Dus zou ik een grapje gaan maken tegen Monsieur Cezade? Zou ik warme gevoelens gaan koesteren voor Père Abel-Louis?

Als ik logisch nadacht, moest ik rekening houden met de mogelijkheid dat ik misschien niemand meer zou herkennen. De gezichten uit mijn verleden waren in de loop der jaren steeds vager geworden, net als foto's die je in de zon laat liggen. De paar die figureerden in mijn nachtmerries herinnerde ik me nog al te levendig, maar de andere waren verdwenen. In de tijd dat ik weg was geweest moest er een andere generatie zijn opgegroeid. Er zouden nieuwe winkels zijn geopend aan de Place de l'Eglise; kinderen die ik niet zou herkennen zouden *cache-cache* spelen tussen de bomen, tot de schaduw van de kerk over hen heen zou vallen en ze als duiven uiteen zouden fladderen om ieder naar hun eigen huis te gaan. Mischien zou ik Claudine herkennen in het gezicht van een klein meisje, of Laurent in de trekken van een donkerharig, zwartogig jongetje. Als ik was gebleven, zouden mijn kinderen misschien tussen hen hebben gespeeld. En wat te denken van de inwoners van Mauriac? Zou de tijd hun messen bot hebben gemaakt en de scherpe kantjes van hun herinneringen af hebben gehaald? De oorlog lag al veertig jaar achter hen, maar was veertig jaar genoeg om een haat als de hunne weg te wassen?

Het verraste me helemaal niet dat Coyote zijn hotelrekening niet had betaald. Hij had eruitgezien als een man in goeden doen, maar dat was nou net zijn truc: hij kon de identiteit aannemen van wie hij maar wilde, net als een goede acteur. Ondanks alles wat Matias en Maria Elena me hadden verteld, geloofde ik dat de Coyote van wie ik had gehouden de echte was en geen verzinsel. Ik geloofde niet dat liefde te veinzen was. Ik herinnerde me dat ik die in zijn ogen had gezien, ik herinnerde me hoe die had aangevoeld: als warme siroop in mijn hart. Nee, de Coyote die ik had gekend had van me gehouden. Ik hoopte dat ik Claudine zou zien. Ik hoopte dat ze niet uit het dorp was weggetrokken. Dat deden een heleboel Fransen tegenwoordig. Ik vroeg me af of ik haar nog zou herkennen. In het vliegtuig sloot ik mijn ogen en dacht aan haar terug. Die glimlach van haar, met al haar tanden bloot, haar lange bruine haar en groene ogen. Ze had het enig gevonden om de regels te overtreden en haar moeder te trotseren. Het was heel moedig van haar geweest om vriendschap met mij te sluiten. Ik herinnerde me hoe ik met haar had gespeeld op de stenen brug, dat we steentjes in de rivier hadden gegooid, dat ik haar hoed had gestolen en ermee was weggerend, happend naar adem van het lachen. Ik wist nog goed hoe ze me op het schoolplein moed had ingesproken en hoe verkeerd het was afgelopen met die dode vis. Ook herinnerde ik me mijn confrontatie met Laurent.

Ik wilde haar terugzien, om haar te bedanken. Ze was het enige kameraadje uit mijn jeugd, op Pistou na dan. En wat zou er van Pistou geworden zijn?

Met zijn donkere haar en ondeugende gezicht, en die diepliggende bruine ogen van hem waaruit een en al begrip sprak, was hij 's nachts verschenen om me te troosten wanneer ik die verschrikkelijke nachtmerries had. Ik zag hem nog haarscherp voor me, alsof hij echt was geweest in plaats van een denkbeeldig vriendje. Ik realiseerde me natuurlijk inmiddels terdege dat ik hem had verzonnen. Ik geloofde immers niet in geesten. Omdat ik zo vaak alleen was geweest, had ik een vriendje verzonnen om gezelschap te hebben. Omgeven door zo veel vijanden had ik in Pistou een bondgenoot geschapen. Terwijl niemand me begreep, had hij me altijd volledig begrepen. Tegen hem hoefde ik niet te praten, want hij kon mijn innerlijke stem horen. Het was niet zo gek dat ik uit eenzaamheid en angst een jongetje had verzonnen net zoals ik, die alles kon wat ik niet kon, zoals Madame Duval in haar billen knijpen en haar bril verstoppen, en de sigaren van Monsieur Duval pikken. Ik had geloofd dat Coyote hem kon zien, omdat ik iets met hem had willen delen waar niemand anders in deelde. Maar in mijn herinneringen was hij echt geweest. Ik herinnerde me zijn aanraking, zijn geur, zijn stem, zijn lach. Hoewel mijn volwassen geest me zei dat dat domweg onmogelijk was. Als ik bij mijn terugkeer Pistou hoopte te zien, zou ik teleurgesteld worden.

De reis was lang, het vliegtuig vloog als een sprinkhaan van het ene land naar het andere, totdat ik uiteindelijk een vlucht van Parijs naar Bordeaux nam. Zodra ik het vliegtuig uit stapte, maakte mijn maag een sprongetje toen ik de geur van Frankrijk rook. Het was niet warm, want het was februari. De hemel was grauw en uit de zware wolken viel wat motregen, maar er hing iets in de lucht wat me aan thuis herinnerde. Ik bleef verdwaasd en tot kalmte gekomen op het asfalt staan, terwijl de jaren zich als een bol touw voor me ontrolden. Ik moet wel wit zijn weggetrokken, want er kwam een stewardess naar me toe. 'Gaat het wel, *monsieur?*' vroeg ze.

'Jawel hoor,' antwoordde ik in het Frans. 'Ik geloof alleen dat ik even moet gaan zitten.' Ze liep met me mee naar de bagageruimte, waar ik me neerliet op een stoel.

'Zal ik een glas water voor u halen?'

'Graag,' antwoordde ik, want mijn mond voelde opeens droog en plakkerig aan. Toen ze wegliep om water te gaan halen, keek ik naar de mensen om me heen. Iedereen had iemand: moeders met kinderen, mannen met hun echtgenotes, grootouders met hun kleinkinderen. Er waren een paar mannen op zakenreis, in pak en met een koffertje, maar zelfs zij hadden de tevreden gezichten van mannen die zich omringd weten door vrienden. Ik was niet zoals zij. Ik stond alleen. Ik had een muur om me heen opgetrokken, als van een fort; ik had niemand binnengelaten. Zelfs Linda niet, die het toch had geprobeerd. Niemand had door die muren heen kunnen dringen en ik had de veiligheid die ze me boden niet verlaten. Ze hadden iedereen buitengesloten, terwijl ik er als een gevangene in zat.

De stewardess kwam terug met een beker water, die ik dorstig leegdronk. 'Waar verblijft u?' vroeg ze.

'Ik ben van plan een auto te huren en naar Mauriac te rijden,' antwoordde ik, terwijl ik haar de plastic beker teruggaf.

'Dat is een mooie plaats. Ik ben er ook geweest. Er woont daar een oom van me, maar dat is een vreselijke man, dus zie ik hem zo min mogelijk. Er is een prachtig château met een wijngaard.'

'In dat château wilde ik gaan logeren. Het is toch een hotel?'

'Hebt u gereserveerd? Het is erg in trek.'

'Nee. Ik wilde er op de bonnefooi heen gaan.'

Ze schudde haar hoofd. 'Ik zal wel even voor u bellen. Het is altijd het best om te reserveren, voor het geval dat.' Ze keek me onderzoekend aan. 'U komt hier niet vandaan, hè?'

'Ik ben hier geboren, maar het grootste deel van mijn leven heb ik in Amerika gewoond.'

'Ah, vandaar dat u zo'n apart accent hebt. Ik heet Caroline Merchant. Ik woon in Bordeaux.'

'Mischa Fontaine,' zei ik, terwijl ik haar mijn hand toestak.

'Ik zal je eens wat zeggen: waarom ga je niet met mij mee naar huis, zodat ik daar kan bellen om voor je te reserveren?' Haar directheid verraste me. 'Goed,' zei ik, opstaand.

Ze keek vergenoegd. 'Bon! Mijn auto staat op de parkeerplaats.'

Caroline had een limoengroene Citroën deux-chevaux die me deed denken aan het speelgoedautootje dat ik van Joy Springtoe had gekregen. Ze maakte de kofferbak open en ik zette mijn koffer naast de hare. Er zaten geen gaten in het leer van haar auto; stof of vogelkooien waren er niet te zien. Ze zette een bril op en schoof achter het stuur. 'Ik moet deze dragen,' zei ze met een gegeneerde grinnik. 'Maar dat bevalt me helemaal niks.'

'Ik vind hem wel goed staan,' zei ik naar waarheid. Met haar haar in een streng knotje gebonden deed ze me denken aan een jonge schooljuffrouw. Ik kreeg de neiging haar haar uit het elastiek te trekken om het over haar schouders te zien vallen. Ze merkte dat ik naar haar zat te kijken en kleurde.

'Waar kom je vandaan?' vroeg ze.

'Uit Chili,' antwoordde ik.

'Je viel me al op in het vliegtuig.'

'Pik je wel vaker Amerikanen op?' vroeg ik met een glimlach. Ze bloosde weer.

'Nee, maar je zag er alleen wat verlorener uit dan de rest.'

'Dat klopt helemaal. Ik bén ook verloren. Ik ben hier al ruim dertig jaar niet meer geweest.'

'Heb je gevochten in de oorlog?' vroeg ze, en pas op dat moment realiseerde ik me hoe ik eruit moest zien. Ik wierp mijn hoofd achterover en lachte, en moest weer denken aan wat Esther had gezegd: 'Niemand zou geloven dat je pas in de veertig bent!'

De ingang van Carolines appartement zat verscholen aan de achterkant van een binnenhof. Met een sleutel opende ze een ijzeren hek en we liepen over een oude stenen trap naar boven. Onderweg hadden we melk en croissants gehaald in een winkeltje op de hoek van de straat. Terwijl zij al binnen was, liet ik mijn blik langs de achttiende-eeuwse keienstraatjes en zandstenen gebouwen gaan. De motregen hulde het tafereel in een zacht, melancholiek licht, en ik merkte dat ik me verdrietig voelde, want ik herinnerde me hier niets van, hoewel mijn hart ernaar hunkerde het beeld te herkennen.

Ze zette koffie in haar keuken en we gingen aan de tafel bij het raam zitten om de warme croissants met boter en jam op te eten.

'Ben je getrouwd?' vroeg ze.

'Nee,' antwoordde ik, genietend van de zoete smaak van Frankrijk. 'Ik ook niet. En ik geloof ook niet dat ik het zou willen. Allebei mijn ouders zijn hertrouwd. Ze waren geen erg goed voorbeeld.' Ik dacht aan de relatie tussen mijn moeder en Coyote en begreep waarom het huwelijk mij ook niet erg aansprak.

'Ooit ga je het wel willen,' zei ik cynisch. 'Zo gaat het altijd met vrouwen.'

'Nou, als het ooit gaat gebeuren, zal het nog wel even duren. Ik ben pas zesentwintig.' Allemachtig, dacht ik, ik ben oud genoeg om haar vader te kunnen zijn. Ze hief haar kin op en keek me glimlachend aan, met de glimlach van een vrouw die weet wat ze wil. 'In de tussentijd neem ik wel minnaars, totdat ik er klaar voor ben om me te settelen. Als ik de ware vind, trouw ik misschien wel en krijg ik kinderen. Maar op dit moment heb ik meer zin in een douche.' Ze liep de kamer uit.

Even later hoorde ik muziek door het appartement klinken. Toen kwam ze in de deuropening staan, met haar haar los over haar schouders. Ze zag er schitterend uit: sensueel en Frans.

We rukten onze kleren uit tot we naakt op de plankenvloer in de slaapkamer stonden – zij blank en glad, op het driehoekje zwart haar onder haar navel na, en ik met een huid die donker was gekleurd door de Chileense zon. Ik torende boven haar uit, maar ze liet zich niet van de wijs brengen.

Haar ogen gingen omhoog en omlaag over mijn lichaam en ze glimlachte goedkeurend. 'Je hebt een mooi lichaam voor een oude man,' zei ze gnuivend. 'Hoe ben je hieraan gekomen?' Ze streek met haar vingers over het litteken van het mes in mijn zij.

'Een ongeluk,' antwoordde ik werktuiglijk, want dat zei ik tegen alle vrouwen, of tegen wie dan ook die me zonder shirt zag. Wat dit deel van mijn verleden betrof had ik nog nooit iemand in vertrouwen genomen.

'Dat zal wel flink pijn hebben gedaan.'

'Ja, zeker.'

'Het staat mannelijk. Het bevalt me wel.'

'Mooi zo. Want je wast het er niet zomaar af.'

Ze lachte en ik liep achter haar aan de badkamer in. De witte tegels voelden koud aan onder mijn voetzolen. Ik zag dat ze kippenvel had en dat er op één bil een lichtbruin moedervlekje zat. Ze boog zich voorover en zette de douche aan. We klauterden in de kleine douchebak en ik tilde haar op om haar te zoenen. Het water was warm en ik draaide me om zodat het over haar haar en gezicht stroomde, en tussen onze lichamen door omlaag, als warme zomerregen. Ze kroop tegen me op en sloeg haar benen om mijn middel. Ze zoende lekker. Haar mond was zacht, haar tong ging zachtjes op onderzoek uit. Terwijl we zoenden maakte ze spinnende geluidjes, als een tevreden kat.

'Je hebt een mooie pik,' zei ze terwijl ze me inzeepte. Ze mocht dan het toonbeeld van Franse verfijning hebben geleken, maar aan het soort opmerkingen dat ze maakte merkte ik hoe jong ze was. Toen ik nog een puber was, hadden meisjes ook dat soort dingen tegen me gezegd, omdat ze dachten dat zo'n compliment mijn lust zou vergroten. Ze hadden beter helemaal niets kunnen zeggen. Ik pakte haar hand en leidde haar de douche uit. Ze giechelde toen ik haar in een handdoek wikkelde. 'Breng me naar bed, mijn knappe Amerikaan,' zei ze. Maar ik wilde niet praten; ik wilde alleen maar vrijen.

Vunzige praatjes deden mijn lust verminderen, maar seksueel zelfvertrouwen wakkerde die aan. Caroline spinde niet alleen als een kat, maar reageerde ook zo: ze rekte zich uit, kreunde zachtjes, draaide in een langzame ritmische dans met haar heupen en spreidde haar benen wijd, tot het ritme van haar kronkelingen haperde en haar ademhaling oppervlakkig werd. Toen ze haar mond hield, was Caroline een feest om volop van te genieten. Haar lichaam was vol, haar huid was als fluweel, de geheimen onder de zachte driehoek met donker haar waren roze van jeugdigheid en glinsterden van genot.

Later lagen we als geliefden in elkaars armen. Ze legde haar hoofd op mijn borst en streek met haar vingers over mijn buik. 'Je bent verrukkelijk,' zei ze met een zucht. 'Ik wou dat je niet naar Mauriac hoefde. Wil je niet hier bij mij blijven? Ik hoef pas overmorgen weer te vliegen.'

'Ik vrees dat ik moet gaan,' antwoordde ik.

'Over drie weken ben ik weer terug.'

'Dat is een verleidelijke gedachte.' Maar ik wist dat ik haar nooit meer terug zou zien.

'Ben je ooit wel eens verliefd geweest?' vroeg ze terwijl ze een nagel over mijn huid liet gaan.

'Nee, en ik denk ook niet dat dat ooit gaat gebeuren.'

'Je bent nog niet te oud voor de liefde,' zei ze. 'Dat merk ik aan je.'

'Leeftijd heeft er niets mee te maken. Ik ben er gewoon het type niet voor.'

'Je kunt toch niet je hele leven alleen blijven?'

'Ik ben niet alleen,' loog ik. 'Ik heb negen jaar van mijn leven met een vrouw gedeeld. Ik wilde alleen niet met haar trouwen.'

'Droom je er niet van dat ooit de ware op je pad zal komen?'

'Zo romantisch ben ik niet.'

'Daar hoef je niet romantisch voor te zijn. Je bent knap en sexy, en verschrikkelijk goed in bed.' Ze giechelde tegen mijn borst. 'Ik geloof niet dat ik ooit tijdens één vrijpartij zo vaak ben klaargekomen, en dat mag wel een wonder heten, want ik kom erg makkelijk klaar.'

'Ik heb niet zo'n hoge pet op van romantische liefde. Misschien heb ik wel een koud hart, ik weet niet.' Ik streek met een hand door haar haar. Ze was ontzettend jong. Het leven had nog heel wat teleurstellingen voor haar in petto, zonder dat ze daar een idee van had.

'Ik geloof niet dat je een koud hart hebt. Het is alleen nog niet verwarmd door de ware. Ze komt wel een keer je leven binnenwandelen en zet je dan in vuur en vlam. Dat heeft niets te maken met seks; het gaat erom dat je meer om die ander geeft dan om jezelf.'

'Dat klinkt goed,' zei ik. 'Ik zou niet graag alleen oud willen worden.' Dat was waar; ik zou best zo intens van iemand willen houden als mijn moeder van Coyote had gehouden, maar ik betwijfelde of dat er nog van zou komen. Hoe zou ik weten dat ik de ware was tegengekomen? Hoe zou ik weten dat ik de ophaalbrug kon laten zakken om haar binnen te laten?

'Nou, als je haar in drie weken tijd nog niet gevonden hebt, moet je me maar bellen en kunnen we het weer leuk hebben samen. Ik mag je wel, Mischa. Het is een kwestie van huid tegen huid: je mag jouw huid tegen de mijne drukken zo vaak je maar wilt.'

Ze belde naar het château en reserveerde voor me, zoals ze had beloofd. Daarna schreef ze haar telefoonnummer op en bracht me in haar keurige deux-chevaux naar het autoverhuurbedrijf. We namen als geliefden afscheid met een zoen, maar we gingen als vrienden uit elkaar.

'Kom me nog eens opzoeken voordat je teruggaat naar Amerika.'

Maar ik wist dat ik dat niet zou doen.

Deel 3

O, eenmaal in het zadel
Stoof ik ervandoor
Eenmaal in dat zadel
Reed ik er vrolijk op los
Maar eerst ging ik drinken
En kaarten daarna
'k Werd neergeschoten door een gokker
Dit is de dag dat ik sterf.

Laat iemand me alsjeblieft
Een glas koud water brengen
Een glas koud water
Sprak de arme cowboy
Maar eer we bij hem waren
Was zijn ziel al vertrokken
Was zijn ziel al vertrokken
En was de cowboy dood.

27

Ik zag de torens van het château al lang voordat ik Mauriac bereikte. De donkergrijze spitsen rezen precies zoals ik me herinnerde in dunne driehoeken boven de bomen uit, kwellend dichtbij. Een geluid verstoorde een vlucht duiven en als een kogelregen verspreidden ze zich door de waterige lucht. Mijn hart begon te hameren en het werd warm in de kleine auto. Ik draaide het raampje open en nam een teug lucht. Eindelijk dan toch keerde ik terug naar huis.

Onder aan de heuvel zette ik de auto stil. De oprijlaan liep in een sierlijke bocht omhoog; het gras aan weerskanten glinsterde in het bleke, vloeibare licht. Ik dacht terug aan al die keren dat ik als kleine jongen heen en weer gereden was, wat nu wel een ander leven leek te zijn geweest, maar toch herinnerde ik het me als de dag van gisteren. Ik mocht dan inmiddels een man zijn geworden, maar het hart dat in mijn borstkas klopte was dat van een kleine jongen.

Het was winter. De aarde was kaal. De wind die de auto in blies had een ondertoon van vrieskou. Maar mijn herinneringen golden de zomer toen Coyote ons naar het strand had gebracht in zijn auto met open dak. Ik dacht terug aan de sensatie van de wind die door mijn haar woelde, het gevoel van vrijheid, optimisme en eindeloze mogelijkheden, en mijn hart zwol van liefde en trots. Ik herinnerde me Coyotes hand op mijn moeders knie. Die had ze niet weggeduwd, maar met een zacht kneepje had ze haar eigen hand erbovenop gelegd. Ik had alles gezien, had alles gehoord, maar ik kon me niet meer herinneren hoe het was geweest om niet te kunnen praten. Ik kon de warmte ruiken, hoewel de lucht in mijn neusgaten bevroor, het aroma van naaldbomen en zoetgeurend gras, de balsempopulier en jasmijn. Ik hoorde de krekels, het gezang van vogels, het lage gegons van bijen, en voelde vlindervleugels langs mijn huid strijken, hoewel op de grond alleen maar een paar kraaien te zien waren die op zoek waren naar wormen. Het leek wel of ik weer jong was, maar de handen die het stuur omklemd hielden waren die van een man halverwege zijn leven. Ik hunkerde ernaar dat het verleden weer tot leven zou komen, maar het was net zo dood als de winter.

Ik startte de auto en het geluid van de motor verbrijzelde mijn gedachten zoals een steen het spiegelende oppervlak van een meer. Ik reed over de oprijlaan naar de plek waarvan ik altijd was blijven houden, ondanks de haat van de mensen die er hadden gewoond. Ik vroeg me af of Yvette nog leefde en wat er van Monsieur en Madame Duval geworden zou zijn. Als ze er nog woonden, zouden ze dan nog weten wie ik was, of was ik onherkenbaar veranderd? Ik ving een blik van mezelf op in het spiegeltje en realiseerde me dat ze me waarschijnlijk niet zouden herkennen; het was zo lang geleden. Alleen iemand die van me had gehouden zou in de ogen van een man die oud was voor zijn jaren het eenzame jongetje zien.

Het château zag er nog precies zo uit als in mijn herinnering. Er was niets veranderd. Ik reed naar de voorkant van het gebouw met zijn lichtstenen muren en hoge openslaande deuren, de lichtblauwe luiken open om de zon binnen te laten, het grijze pannendak, alleen onderbroken door fraaie zolderraampjes en smalle schoorstenen, en de twee elegante torens. Voor de fraaie aanblik die het bood had ik nooit aandacht gehad, alleen voor waar het voor stond. Nu stond het voor een verloren tijdperk, maar de schoonheid bleef intact. Ik zette de motor stil en stapte uit. Een jonge man in een zwart-grijs uniform kwam aanlopen vanuit de hal en bood aan mijn koffer te dragen. Ik liep achter hem aan naar binnen en meteen viel me de kalkstenen vloer op. Het blauw-gouden tapijt was weggehaald.

Een knappe man van in de dertig kwam op me toe. Hij was lang, met zijn schouders naar achteren getrokken en zijn kin geheven, zijn sluike zwarte haar uit zijn gezicht gekamd. Hij stelde zich voor als Jean-Luc Lavalle. Omdat hij ervan uitging dat ik niet Frans was, sprak hij me in het Engels aan. 'Welkom in Château Lecrusse. Bent u van ver gekomen?' Zijn suikerzoete glimlach en gewichtige manier van doen irriteerden me nu al. Hij had geen idee dat mijn vaders zwarte laarzen over de plavuizen hadden gebeend en dat ik daar mijn speelgoedautootjes had laten racen, dat zijn *grand hôtel* ooit mijn thuis was geweest.

'Uit Amerika,' antwoordde ik, zonder zin om een praatje aan te knopen.

'We ontvangen veel gasten uit Amerika,' meldde hij trots. 'Dat is

vanwege de geschiedenis. Het château is zestiende-eeuws. In Amerika hebben jullie niet veel geschiedenis.'
'Dan weet u wel bijzonder weinig van de wereld af, *monsieur.*'
Mijn antwoord bracht hem geenszins van de wijs.
'Amerikanen zijn dol op de cultuur van Europa.'
'Dat zal dan wel komen doordat ze geen cultuur van zichzelf hebben,' antwoordde ik. Hij was ongevoelig voor het sarcasme in mijn stem.
'*Exactement.* U zult nog wel merken dat Mauriac bol staat van de cultuur.'
'Ongetwijfeld. Maar nu zou ik graag naar mijn kamer gaan.'
'Heel goed, *monsieur.* Ik heb hier een formulier voor u, als u dat wilt invullen, alstublieft. Uw bagage is al naar boven gebracht.'
'Zeg eens,' zei ik, terwijl ik plaatsnam op de stoel die hij me aanbood. 'Wie is de eigenaar van het hotel?'
'Het was vroeger in het bezit van het echtpaar Duval. Zo'n tien jaar geleden hebben ze het verkocht aan de keten Stellar Châteaux, die diverse châteaux in Frankrijk bezit.'
'En u bent...?'
'De manager. Als er iets is of als u iets wilt vragen, sta ik tot uw beschikking.'
'Dat is dan een troostrijke gedachte,' antwoordde ik. 'Wie zorgt er voor de wijngaard?' Hij zette een ongemakkelijk gezicht bij mijn gevraag.
'Alcxandre Dambrine.'
'En de kerk – wie is de priester?'
'Père Robert Denous.'
'Ah, is Père Abel-Louis vertrokken?'
'Hij is met pensioen. Hij woont in de stad, op de Place de l'Eglise.' Hij sloeg me gade terwijl ik het formulier invulde. 'Neemt u me niet kwalijk dat ik het vraag, *monsieur*, maar bent u hier al eerder geweest?'
Ik sloeg mijn ogen naar hem op en verklaarde eenvoudigweg: 'Ik heb hier vroeger gewoond.' Toen voegde ik er enigszins geamuseerd aan toe: 'Voordat u werd geboren.'
Jean-Lucs ogen lichtten op. Ik kon aan hem zien dat hij tientallen vragen had, maar hij voelde aan dat ik een onneembare muur om me heen had opgetrokken en trok zich terug. Ik vulde de laatste dingen in op het formulier en hij bracht me naar mijn kamer. Toen we de gang door liepen, zag ik de beklede stoel staan waarachter ik me als kind zo vaak had verstopt. Hij stond nog op dezelf-

de plek. Zelfs de zijde was hetzelfde, hoewel die was verschoten door het zonlicht dat door het raam er vlakbij naar binnen viel. Hij leek nu zo klein dat ik me niet kon voorstellen dat ik me er ooit achter schuil had kunnen houden. Terwijl Jean-Luc de sleutel in het slot stak, keek ik nog verder de gang door naar de kamer waar Joy Springtoe had gelogeerd. Die herinnerde ik me nog goed. Ik stak mijn hand in mijn zak en haalde er het rubberen balletje uit dat ik bijna voorgoed kwijt was geweest doordat het onder haar ladekast was gerold, en dacht vol nostalgie terug aan het moment dat ze het me had teruggegeven. Ik kon nog steeds de geur van haar huid proeven van toen ze me voor de laatste keer had omhelsd en voelde een lichte steek in mijn hart terwijl ik terugdacht aan de pijnlijke dagen die op haar vertrek waren gevolgd. Toen ik klein was, hadden maar weinig mensen me liefde betoond; ik zou hen nooit vergeten.

'Deze kamer biedt een charmant uitzicht op de wijngaard,' zei Jean-Luc. 'In de zomer is het veel mooier, maar dat weet u natuurlijk ook wel.'

'Dank u,' zei ik, op een toon waaruit duidelijk bleek dat hij kon gaan. De vragen die hij had brandden op zijn lippen, maar ik wilde alleen zijn.

'Heel goed. Als u iets nodig hebt, draait u gewoon een nul voor de roomservice. Dan zal ik u nu verder alleen laten.' Met enige tegenzin deed hij de deur achter zich dicht.

Ik liep naar het raam en keek uit over de velden die vroeger mijn speelterrein hadden gevormd.

Ik pakte mijn kleren uit, wat niet zo lang duurde, aangezien ik maar weinig had meegenomen, en besloot toen een wandelingetje te maken over het terrein. Ik kon niet wachten om de stallen en de rest van het château te zien. Het stelde me teleur dat de Duvals waren vertrokken. Ik had ze best een beetje willen kwellen, want ze zouden toch niet hebben geweten wie ik was. Ik had me voorgenomen de allerlastigste gast te zijn, alleen maar om hun het leven zuur te maken en hen te zien lijden. Het was een fijn gevoel om aan de andere kant van het hek te staan. Ik dacht terug aan die keer dat Madame Duval me betrapte terwijl ik stond te kijken naar de gasten die via de oprijlaan arriveerden en me aan mijn oor naar de keuken sleepte, waar ze me ten overstaan van Yvette en haar weerzinwekkende hulpjes een pak slaag gaf. Nu was ik zelf een gast en was het moment om wraak te nemen voorbij. Ik hoopte maar dat God rechtvaardig zou zijn. Ik hoopte dat hun genadeloze harten hen zo ongelukkig hadden gemaakt dat ze gedoemd waren om hun jaren in duisternis te slijten.

Ik beende naar beneden en dwaalde door de zalen. Alles kwam me een stuk kleiner voor. Op de plekjes waar ik me vroeger had verstopt zou ik nu nooit meer passen, en de eetzaal, die zo gigantisch en lawaaiig had geleken, was in werkelijkheid een knusse kamer met een slechte akoestiek. De geur die overal hing was nog dezelfde en voerde me terug naar het verleden: een mengeling van boenwas, oude houtrook van de haard in de hal, en vierhonderd jaar leven. Hij dreef mijn neusgaten binnen en drong tot in mijn merg, zodat ik het gevoel kreeg dat ik terugging in de tijd. Het duizelde me van bitterzoete melancholie. Vanuit de serre keek ik naar buiten. Het terras was nat en mossig. Over de stenen waar de Fazanten in de schaduw over Coyote hadden zitten babbelen, waar ik me met Rex onder de tafel had verstopt, had de wind nu bruine bladeren geblazen. Er stonden op dat moment geen tafeltjes, want het was hartje winter, en de tuin die zich uitstrekte tot aan de velden was gegeseld door de wind en lag vol met herfstige rommel. Ik herinnerde me nog goed dat ik met Pistou in de struiken was gekropen om toe te kijken hoe de gasten theedronken. Ik keek niet om me heen naar de velden in de hoop een glimp van hem op te vangen, want ik wist toch wel dat hij daar niet te vinden was. Ik kon de leegte van zijn afwezigheid voelen. Ik was niet langer in staat hem in het leven te roepen zoals ik destijds had gedaan. Ik was volwassen geworden en had hem achter me gelaten.

Ik dwaalde naar de keuken. Een chef-kok met een witte muts op en een schort voor boog zich over een grote koperen pan met soep, een lepel in de hand, terwijl een van zijn personeelsleden stond te wachten wat hij ervan zou zeggen. Hij sprak met een lage stem, het tegenovergestelde van Yvettes schrille gekrijs. Toen hij mij zag, sloeg hij zijn ogen op en knikte even, waarna hij verderging met zijn werk. Er hing een sfeer van nijverheid en efficiëntie, maar vooral een gelukkige sfeer. Ik liet mijn blik over de pannen dwalen die op de kasten opgestapeld stonden, naar het rek aan het plafond waar keukengerei en nog meer potten en pannen aan hingen, en ik besefte dat ik ze nu allemaal makkelijk zou kunnen pakken door alleen maar mijn hand uit te steken. Maar toen was ik Yvettes 'pakjongen' geweest en mijn leven in het château was daardoor dramatisch veranderd, want opeens was ik van een nutteloos wezen een belangrijk iemand geworden. Ik glimlachte bij mezelf en verliet het vertrek.

De stallen waren wel veranderd. Machines hadden de taak overgenomen van paarden en ploegen. Het appartement boven aan de trap werd nu gebruikt als kantoorruimte, en in de stallen stonden tractoren en andere benodigdheden. De werkplaats van Jacques Reynard was er weliswaar nog, maar zijn geest was gevloden. Een golf van droefheid spoelde over me heen. Ik besefte ineens dat ik in al die jaren sinds Coyotes vertrek niemand had toegelaten tot de plekjes in mijn hart die Jacques Reynard, Daphne Halifax en Joy Springtoe hadden veroverd. Met een gevoel van verlies liep ik de stallen weer uit.

Ik wandelde rond door het château, verloren in herinneringen, raakte dingen aan, luisterde naar de echo van stemmen die weerklonken over een barrière van jaren. Ik wilde heel graag met iemand praten die dit alles met me had gedeeld. Mijn moeder was er niet meer, Pistou had alleen in mijn verbeelding bestaan. De Duvals en Yvette waren vertrokken, en ik had er trouwens toch geen zin in hen nu te zien. Maar een deel van me dorstte naar wraak. Ik wilde mijn demonen verslaan. De *chevalier* wilde niets liever dan zijn zwaard trekken ten overstaan van al degenen die hem hadden gekweld, om genoegen te scheppen in hun pijn, alsof hun pijn op de een of andere verwrongen manier zijn eigen pijn zou kunnen wegnemen. Dus toog ik naar de stad, in de hoop Père Abel-Louis op te sporen.

De zon stond inmiddels hoog aan de hemel. Ik had honger, hoewel ik met Caroline croissants en een kop koffie had gebruikt. Het was koud. De zon gaf maar weinig warmte en die richtte niets uit, maar toch wilde ik per se gaan lopen. Ik trok een jas aan en zette een hoed op, stak mijn handen in mijn zakken en liep de weg af, want het pad door de velden was te nat en te modderig, en ik had geen laarzen bij me. Genietend keek ik om me heen, luisterde naar het gezang van een enkele vogel die de kou trotseerde en verzonk in herinneringen. Op de een of andere manier was het in het open veld aangenamer. De herinneringen vlogen me daar minder aan. De kou was verfrissend. De aanblik van de velden, de wijde horizon en het gevoel van ruimte schonken me kracht. Ik was er klaar voor om mijn grootste vijand tegemoet te treden.

In de afgelopen veertig jaar was de stad maar weinig veranderd. Aan de rand ervan stonden een paar nieuwe huizen. Er reden nu auto's, terwijl het vroeger vooral paard-en-wagens waren geweest, en ik herkende niemand. Echt helemaal niemand. Ik slenterde de weg af, keek naar binnen in etalages en cafeetjes. Ik genoot er niet van om anoniem te zijn; daar had ik lang geleden al aan moeten wennen, en ik was nu trouwens iemand anders geworden, althans aan de buitenkant. Ik was een volwassene die een wandeling maakte door zijn jeugd, en alles wat ooit heel groot had geleken leek nu erg klein en nietig.

Toen ik op de Place de l'Eglise kwam, ging ik op de rand van de fontein zitten. Er stroomde nu geen water uit de bek van de vis die aan de voet van de heilige stond; het was net als de bomen bevroren. Op het plein waren een heleboel kinderen. Moeders stonden in de zon te kletsen, duiven pikten naar kruimels op de grond. Het was moeilijk voorstelbaar dat daar, in de schaduw van de kerk die nog steeds het plein domineerde, mijn moeder de kleren van het lijf waren gerukt, dat ze daar was kaalgeschoren en vernederd ten overstaan van een ziedende menigte. Dat ik omhoog was gehouden zodat iedereen me kon zien, als een offerlam. Natuurlijk waren wij destijds niet de enigen, mijn moeder en ik. Ook anderen waren op dezelfde manier afgestraft en naakt als dieren over straat gejaagd, maar ik kende hen niet; ik herinnerde me alleen mijn eigen diepe afgrijzen. Maar nu was het op het plein vol leven en vrolijkheid. Mauriac had het leven weer opgepakt. Er stond geen standbeeld van de kleine Mischa Fontaine, de jongen die een visioen had gekregen en een wonder had meegemaakt. Er stroomden geen pelgrims toe in de hoop hetzelfde mee te maken. Er was geen schrijn van gemaakt. Niemand kon het zich nog herinneren. Of dat dacht ik althans.

28

De kerk van St.-Vincent-de-Paul joeg me niet langer angst aan. Hij mocht dan een donkere schaduw over mijn jeugd hebben geworpen, nu straalde hij een serene rust in plaats van dreiging uit. De heiligenbeelden keken vanaf hun voetstukken niet meer ongenadig op me neer, maar beschouwend; ze waren tenslotte van steen gemaakt en niet van vlees en bloed. Het zonlicht viel in banen over de banken en verlichtte de plaatsen waar mijn moeder en ik elke zondag hadden gezeten. Ik nam plaats, alleen in het stille gebouw. Ik verwachtte er Gods aanwezigheid te voelen nu Père Abel-Louis was vertrokken, maar dat gebeurde niet. Als ik Hem al voelde, was het in de velden, in de openlucht, onder de blote hemel. Als ik zo ver zag als ik kon kijken, dacht ik de oneindigheid te voelen, een hogere macht waar te nemen daar buiten in de mist. Maar hier niet, niet binnen deze kille stenen muren.

Ik bleef een poosje zitten. Ik vergat mijn rammelende maag en verloor me in de stille rust van mijn eenzaamheid. Mijn benen waren echter te lang voor de banken en het duurde niet lang of ik werd stijf. De bank was oncomfortabel, het hout hard, de lucht bedompt van ouderdom, als een muf ruikende oude man. Ik wist dat er onder mijn voeten botten begraven lagen en die meende ik te ruiken. De bloemen die het altaar sierden waren best mooi, alleen was er hier te veel ellende geweest. Onder de sereniteit was nog iets voelbaar van alles wat zich hier had afgespeeld. De geschiedenis viel niet uit te wissen. Ik stond op en liep het middenpad door. Père Abel-Louis had God uit Zijn eigen huis gejaagd en God was nooit meer teruggekomen.

Ik at iets in een restaurant dat uitkeek op het plein. De plaatselijke bevolking was gewend aan toeristen, en hoewel ze me opnamen met de waakzame blik van mensen die nooit verder waren geweest dan hun eigen woonplaats, lieten ze me rustig in mijn eentje mijn maaltijd gebruiken. Het eten smaakte me. Ik had hier met Coyote gegeten, maar die oude bistro was er allang niet meer; dit trendy restaurant dat foie gras en champagne serveerde was ervoor in de plaats gekomen. Ik wilde net aan mijn dessert beginnen, toen mijn aandacht naar de deur werd getrokken omdat er een stel wegging. Ik zag haar alleen en profil. Het ene moment stond ze bij de ingang en het volgende buiten op het plein, maar ze was het onmiskenbaar: Claudine. Ik verstarde en keek uit het raam, in de hoop dat ze zich zou omdraaien zodat ik haar beter zou kunnen zien. Zodat ik het zeker zou weten. Haar haar was korter, op schouderlengte, en in haar zware jas liep ze een beetje gebogen. Ik herkende de neus, de korte bovenlip, haar mond. Ze was niet langer een en al tand, maar ik wist zeker dat zij het was. Ik kon niets doen; tegen de tijd dat ik bij de deur was, was zij alweer verdwenen.

Met hernieuwde energie dronk ik mijn koffie op. Mijn bloed ging sneller stromen en mijn hart begon te hameren. Opeens kreeg ik het warm. Ik deed mijn trui uit en trok de boord van mijn shirt losser. Claudine was dus nog steeds in Mauriac. Het kon niet moeilijk zijn haar op te sporen. Dat was een fluitje van een cent. Mauriac was maar klein. Ik zou tot de volgende zondag wachten en haar in de kerk onderscheppen. Ze had als kind nooit een mis overgeslagen. Net als ik werd ze er elke zondagochtend aan haar haren naartoe gesleept. We hadden allebei een hekel gehad aan *le curéton*. Op het bruggetje hadden we om hem staan lachen. Ik verlangde ernaar met haar over vroeger te praten. Zij was een van de weinigen die me hadden begrepen. Ze had er de tijd voor genomen, net als Coyote en Jacques Reynard.

Toen ik de rekening betaalde, vroeg ik naar het adres van Père Abel-Louis. De ober keek me wantrouwend aan en vroeg waarom ik dat wilde hebben. 'Ik ben een oude vriend,' antwoordde ik. Hij aarzelde even, maar gaf het me toen.

'Ik moet u waarschuwen: hij is erg ziek,' zei hij. Hij kneep zijn ogen tot spleetjes. 'Hij is niet van bezoek gediend.'

'O, ik denk dat hij mij wel wil ontvangen,' zei ik met een glimlach. De ober haalde zijn schouders op en vertelde me met tegenzin welke kant ik op moest. Ik gaf hem een fooi en liep het plein op.

De voordeur van Père Abel-Louis viel niet op, alsof de eenvoud ervan zijn anonimiteit moest verzekeren. Het was niet het opzichtige onderkomen van een voormalig priester, de belangrijkste man van de stad. Ik bleef even staan om mezelf te vermannen. Ik wist niet precies wat ik tegen hem zou gaan zeggen. Ik wist alleen dat ik hem wilde zien, en hoe ouder en versletener hij was, hoe beter het zou zijn. Ik bracht mijn hand omhoog en klopte aan. Toen er geen reactie kwam, klopte ik nogmaals. Binnen hoorde ik beweging, en vervolgens het metalige geklik van sleutels en grendels. Het klonk als een gevangenis. Ik vroeg me af waarom hij zijn deuren zo afsloot en voor wie hij zich verstopte.

Een afgeleefde oude man keek me argwanend aan. Ik herkende hem onmiddellijk. Zijn haar was dunner en witter, zijn hoofdhuid scheen er rood doorheen. Zijn gezicht was grauw en uitgemergeld, met ingevallen wangen, en zijn lippen waren weinig meer dan een dunne lijn die afkeuring uitdrukte. Maar zijn ogen waren nog steeds dezelfde ongevoelige glazen bollen die ooit gaten in mijn verzet hadden gebrand. Hij likte met een droge tong langs zijn lippen en staarde me uitdrukkingsloos aan. Het was duidelijk dat hij mij niet herkende. 'Père Abel-Louis?' zei ik, en hij bromde iets.

'Wie bent u?'

'Mischa Fontaine,' antwoordde ik. Zijn tong schoot terug in zijn mond en hij knipperde met zijn ogen.

'Ik ken niemand van die naam,' zei hij snel, en hij probeerde de deur dicht te doen. Maar ik zette mijn voet ertussen.

'Volgens mij wel.'

'Ik ben ziek.'

'En ik kom u opzoeken,' zei ik, de deur openduwend. Hij was een broze man; ik hoefde niet eens mijn zwaard te trekken.

'Ik wil niemand zien. Wie heeft je mijn adres gegeven? Waarom heb je niet eerst gebeld? Heb je geen manieren?'

Ik wurmde me naar binnen en deed de deur achter me dicht. Zwaar leunend op een stok hobbelde hij de gang door. Hij was vroeger zo lang geweest, maar nu torende ik boven hem uit. De lucht rook muf; het stonk naar incontinentie en de dood. Ik trok aan een koord, zodat de jaloezieën verder opengingen. Hij kromp in elkaar toen het zonlicht de kamer binnenviel en sloeg met een kreet een hand voor zijn gezicht.

'Wat moet je?'

'Ik wilde u zien, Père Abel-Louis. Ik wilde wraak nemen omdat u mij een ellendig leven hebt bezorgd. Maar ik zie dat u niet lang meer te leven hebt.'

'Ik ben oud en zwak. Laat me rustig sterven.' Ik kon zijn botten bijna horen rammelen, maar ik voelde alleen maar haat in plaats van medeleven.

'U bent toch een man van God?' Zijn lippen trilden en hij draai-

de zijn gezicht af. 'Hoe denkt u dat God over u zal oordelen?'
'God heeft een wonder bewerkstelligd in mijn kerk.'
'Dat had niets met u te maken, Père Abel-Louis, en dat weet u heel goed. Maar u hebt het u toegeëigend, nietwaar?'
'Ik heb je vergeven, wat moet je verder nog van me?'
'Vergeving?' schamperde ik. 'U hebt míj vergeven?' Mijn lach maakte hem bang. Zijn ogen schoten heen en weer als die van een dier dat in de val zit en zijn mond vertrok. In zijn mondhoeken verzamelde zich wittig schuim en zijn ademhaling zwoegde. 'U hebt de mensen ertoe aangezet mijn moeder te straffen en u hebt hen mij laten martelen. Hoe kunt u dat, als man van God, verklaren?'
Toen hij me aankeek, waren zijn ogen niet langer glazig, maar bloeddoorlopen en woest. 'En jij komt een zwakke oude man te grazen nemen, die zichzelf niet kan verdedigen?'
'U hebt een kleine jongen te grazen genomen die zich niet kon verdedigen.'
'Dat is allemaal verleden tijd.'
'Dacht u soms dat het voor mij het verleden blijft?'
'Ik heb alleen maar gedaan wat volgens mij juist was.'
'Hoeveel onschuldige mensen hebben de dood gevonden omdat u een oogje dichtkneep? Vertel me dat eens, Père Abel-Louis? Hoeveel vergeldingsacties hebben er plaatsgevonden in de schaduw van uw kerk?'
'Ik weet niet waar je het over hebt.' Ik besefte dat ik een gevoelige snaar had geraakt, hoewel ik niet wist waarom.
Hij zat daar maar, als een trillend skelet. 'Moge de duivel uw ziel komen halen,' zei ik bedaard. 'Want die hebt u aan hem beloofd, nietwaar Père Abel-Louis?'
'Moge God me vergeven,' zei hij opeens, terwijl de doodsschrik in zijn ogen stond en zijn gezicht rood aanliep. 'Vergeef me, Mischa.' Hij sloot zijn ogen en bleef roerloos zitten. Plotseling was het warm in de kamer. De lucht werd eruit weggezogen, alsof de muren op me afkwamen. Ik trok mijn jas uit en ging op de bank zitten. Het huis was al een hele tijd niet schoongemaakt; hij woonde in een zwijnenstal. 'Ik heb spijt van wat er vroeger is gebeurd,' zei hij, zijn stem een fluistering. 'Ik heb me er het grootste deel van mijn leven voor verstopt. Ik heb de grendel voor de deur geschoven en ben amper nog naar buiten geweest. Ik verwelkom de dood, omdat ik niet kan leven met mezelf en de dingen die ik heb gedaan.'
'Er is nog steeds tijd om de lei weer schoon te vegen. Zondaren die berouw tonen vinden toch bij Jezus een warm onthaal?'

Zijn ogen vulden zich met tranen. 'Maar ik heb onbeschrijflijke dingen gedaan, Mischa. Uit verlangen naar wereldse goederen. Nu ik de dood in de ogen zie, ben ik tot het inzicht gekomen dat ze niets voorstellen. Naakt en alleen zal ik God tegemoet treden. Ik sta met lege handen. Heb niets te bieden. Jij kunt dat niet begrijpen. Je was nog maar een jongen.'

'Nu ben ik een man en begrijp ik het wel.'

'Nee, dat doe je niet. Maar ik zal je vertellen hoe het zit. Daarna wil ik dat je weggaat en ik wil je nooit meer zien. Ik wist wel dat het verleden me op een dag zou inhalen. Nu het zover is, ben ik er niet bang voor.'

'Ik beloof het,' zei ik. Mijn hart begon te hameren en mijn handpalmen werden vochtig. Anders dan Père Abel-Louis was ik wél bang voor het verleden, bang voor wat hij op het punt stond me te gaan vertellen.

'Toen de Duitsers kwamen, had ik geen andere keus dan hen te verwelkomen. We wisten niet hoe lang ze zouden blijven en of de geallieerden hen zouden verslaan. Ik dacht dat de Duitsers voorgoed hier zouden blijven; ik wedde op het verkeerde paard. Ze waren niet onvriendelijk. Ze behandelden ons met respect. Niemand werd iets aangedaan. Ze kwamen gewoon binnenmarcheren en annexeerden het château. Je moeder werkte daar voor de Rosenfelds. Toen die weggingen, bleef ze met Jacques Reynard om voor het landgoed te zorgen. Ze ging ervan uit dat de familie aan het eind van de oorlog wel zou terugkeren.

De Duitsers waren slimme jongens. Ze beseften dat de sleutel tot vrede bij mij te vinden was. Ik was de hoeder van de kudde. Als ze mij aan hun kant hadden, zou de rest van de gemeenschap vanzelf volgen. Dus nodigden ze me te eten uit. Ze kwamen naar de mis. Ze waren gulhartig. De Fransen maakten zware tijden mee, maar ze zorgden ervoor dat ik een makkelijk leventje had.

Zodra je moeder je vader zag, werd ze verliefd op hem. Dat merkte je meteen. Maar ze hielden het geheim. Alleen ik wist ervan, omdat ik er met eigen ogen getuige van was. Toen werd ze zwanger van jou en je vader vroeg me of ik hen wilde trouwen. Ze wilden niet dat je een buitenechtelijk kind zou zijn. Ik leidde de dienst in de kleine kapel van het château. Daar woonden jullie toen als een doodgewoon gezin en niemand had er iets op tegen. Je vader was een krachtig man. Hij was dol op je moeder. Ze was heel charmant en geestig, en natuurlijk ook heel mooi.' Hij zweeg even, terwijl hij zijn keel schraapte. Hij vroeg om een glas water. Ik zocht de keuken

op en kwam terug met een glas dat ik bij de kraan had gevuld.
'Zie je, Anouk en ik waren met elkaar bevriend. Jij kunt je dat on-
mogelijk voorstellen.'
'Wat ging er mis?' vroeg ik.
'De geallieerden kwamen en de Duitsers vertrokken. Je moeder
wist te veel.'
'Hebt u haar gestraft?'
'Ik heb haar verraden. Ik zei tegen de mensen dat ze getrouwd
was met Dieter Schulz en dat haar kind een moffenjong was, dui-
velsgebroed.'
Toen hij de naam van mijn vader noemde, voelde ik een scherpe
pijn.
'En u liet hen haar vernederen?'
'Ik stond erbij te kijken en liet hen haar afstraffen.'
'En ik? Ik was drie.'
'Jij was nog een peuter.' Hij slaakte een lange, diepe zucht. De
lucht reutelde door zijn luchtpijp. Hij schraapte weer zijn keel om
de weg vrij te maken. 'Ik heb het gedaan om mezelf te redden. Ik
hoopte dat ze zou vertrekken. Maar ze bleef, om mij te kwellen. Ze
wist wat voor overeenkomsten ik allemaal had gesloten met de
Duitsers, ze wist welke mensen ik had verraden. Ze wist dat er onschuldig bloed aan mijn handen kleefde, maar ze kon er niets over
zeggen.'
'Waarom niet?'
'Omdat niemand haar zou geloven. Ik was een man van God.
Wie zou een gevallen vrouw wel geloven en een man van God niet?'
Met mijn ellebogen op mijn knieën boog ik me naar voren en ik
wreef over mijn voorhoofd. Dus Père Abel-Louis had mij en mijn
moeder opgeofferd om zijn eigen huid te redden. Nu wist ik waarom mijn moeder er zo op had aangedrongen elke zondag naar de
kerk te gaan: haar aanwezigheid herinnerde hem aan zijn zonden en
zij wist dat die zonden hem zouden kwellen. Ze weigerde te vertrekken; ze liet zich niet door hem verslaan. Ik was verrast dat ze mij
daar nooit iets over had verteld. Niet eens op latere leeftijd, toen het
verleden niet meer was dan een herinnering. Ze had nooit iets los-
gelaten over de oorlog, over mijn vader, over Père Abel-Louis. Misschien was dat het gif dat de kanker had gevoed waaraan ze uiteindelijk was bezweken. Als ze met mij over dit alles gepraat zou
hebben, zou ze zichzelf misschien hebben kunnen redden.
'Ik was er mijn stem door kwijtgeraakt, Père Abel-Louis. We waren verschoppelingen.'

'Ik had geen keus,' fluisterde hij, en hij wendde zijn blik af zodat hij me niet hoefde aan te kijken.

'U had met mijn moeder kunnen praten. Als jullie zulke goede vrienden waren, dan hadden jullie toch samen jullie geheimen kunnen bewaren?'

'Zo'n soort vrouw was Anouk niet. Ze was opstandig, eigenzinnig...'

'Maar ze hield van de Duitsers.'

'Nee!' Zijn stem schoot ineens uit. 'Ze hield van één Duitser: je vader. Ze hield van Frankrijk en de Fransen. Zodra de geallieerden kwamen, danste ze met hen mee. Ik wist dat het alleen maar een kwestie van tijd zou zijn voordat ze mij zou verraden. Ik moest mijn hachje zien te redden. Mauriac had behoefte aan een zielenherder, ik kon de mensen niet in de steek laten.'

'U was het niet waard hen te dienen.'

'Ze hadden leiding nodig.'

'U leidde hen naar de weg van haat en wraak.'

'Ik was in verwarring. Ik was bang. Jij kunt dat niet begrijpen.' Ik wist intuïtief dat hij iets voor me verzweeg. Zijn ogen schoten de kamer door en keken naar van alles en nog wat, behalve naar mij. Ik kreeg er koude rillingen van dat hij zo ontwijkend deed.

'Helpt u me dan het te begrijpen, zodat ik u kan vergeven.'

Weer sloot hij zijn ogen. Hij trok wit weg en leek helemaal te verschrompelen. Zijn witte handen lagen in zijn schoot. Ze bewogen niet. Hij zat daar maar met een kromme rug en weerloos alsof de dood al gekomen was en hem langzaam verzwolg. Ik besefte dat hij niet van zins was me nog meer te vertellen.

Ik vertrok, zoals ik had beloofd. Ik voelde er weinig voor ooit nog terug te keren naar die luchtloze kamer. Het zou niet lang duren voor hij zich zou voegen bij degenen die hij had verraden en met hún oordeel te maken kreeg. Ik wilde dolgraag geloven in de hemel en in God, alleen maar omdat ik wilde dat er recht zou geschieden. Ik leunde tegen de muur en zoog de frisse, koele lucht met diepe teugen in mijn longen. Hij brandde in mijn luchtpijp, maar het was een lekker gevoel.

Toen ik terugliep naar de weg, verlangde ik ernaar mijn ervaringen met iemand te delen. Ik wilde op zoek gaan naar Jacques Reynard, maar was bang dat hij al niet meer leefde. Dergelijk nieuws zou ik vandaag na mijn confrontatie met Père Abel-Louis niet meer aankunnen. Zolang ik niet precies wist hoe het zat, kon ik blijven hopen dat hij nog leefde en dat ik hem in Mauriac zou kunnen vinden. Ik kon de gedachte niet verdragen dat die valse priester nog de enige zou zijn die over was van mijn verleden. Ik twijfelde nu of mijn ogen me niet bedrogen hadden. Ik berustte erin dat de vrouw van wie ik had gedacht dat ze Claudine was, misschien alleen iemand was die veel op haar leek. Het was wensdenken, meer niet. Ik trok mijn schouders op en liet mijn hand in mijn broekzak glijden. Ik haalde er het rubberen balletje uit dat mijn vader me had gegeven en liet het over mijn handpalm rollen. Misschien was het wel verkeerd geweest om hiernaartoe te komen. Ik haalde alleen maar pijnlijke herinneringen naar boven. Père Abel-Louis had zijn geweten ontlast, maar hoe moest het nu met mij? Zijn onthullingen hadden helemaal niets veranderd, behalve dan de manier waarop ik mijn moeder nu zag. Maar wat had ik daaraan? Zij was dood.

Opeens hoorde ik een bekende stem. Ik herkende hem van lang geleden, toen ik me ongelukkig en eenzaam voelde. De jaren trokken op als mist en ik was weer een kleine jongen, met een hart dat sprongetjes maakte door de opwinding van een eerste liefde. Langzaam draaide ik me om, zonder dat ik wist of haar kreet alleen maar een echo was van mijn eigen verlangen.

'Mischa?' riep ze uit.

'Claudine, je bent het wél!'

Ze stond voor het postkantoor, haar ogen glinsterden in de kou en haar gezicht straalde een en al ongeloof uit.

'Wat doe jij nou hier?'

Ik haalde mijn schouders op. 'Ik moest terugkomen,' zei ik, en toen ik haar aankeek, was ik diep onder de indruk van de vrouw die terugkeek.

'Wat ben je groot geworden,' zei ze, en toen glimlachte ze. Haar voortanden staken nog steeds een beetje uit, wat me deed denken aan het kleine meisje met wie ik vriendschap had gesloten op de brug.

'Jij ook.'

'Je bent nog steeds Mischa.'

'Jij bent nog steeds Claudine.'

Ze schudde haar hoofd en er verscheen een frons tussen haar wenkbrauwen. 'Nee, dat ben ik niet.' Ze slaakte een zucht en wendde haar blik af. 'Ik ben niet meer dezelfde als toen. Was dat maar waar.'

Op dat moment kwam er een man het postkantoor uit. Hij had donker haar en een olijfkleurige huid, en hij was lang, met brede schouders en een ongeschoren kin. '*Bonjour*,' zei hij. Zijn hooghartigheid wekte al meteen irritatie. Hij herkende me niet, maar ik herkende hem wel. Hij was nog precies dezelfde, maar dan ouder.

'Je kent Laurent toch nog wel, hè Mischa?' zei ze. 'Laurent is mijn man.'

29

Ik keek hen na toen ze wegliepen. Zij aan zij, man en vrouw, lieten ze me alleen en verbijsterd op het trottoir achter. De blik die ze me ten afscheid toewierp kon mijn woede niet verzachten, ondanks de tederheid die erin had gelegen, waarvan mijn hart een sprongetje maakte. Ik had geen recht om woedend te zijn. We waren toen tenslotte nog maar kinderen. Zij was echter mijn speciale vriendinnetje geweest, en Laurent mijn vijand. Het verbaasde me hoe weinig vat de tijd op oude grieven had, zelfs op die van een klein kind. Ik wist nu zeker dat ik vóór dit moment nooit verliefd was geweest. Ik had nooit eerder last gehad van de duizeligheid, de plotselinge toestroom van bloed naar het hart, het suizende gevoel in mijn maag, de sensatie om je tegen alle zwaartekracht in aan iemand vast te houden, en de angst om diegene te verliezen. Dat alles voelde ik nu. Zij had mij nooit toebehoord, maar ik voelde een overweldigende behoefte om haar vast te houden.

Ik trok mijn schouders op tegen de kou en stak mijn handen in mijn zakken. Met een steek van spijt zag ik hen om de hoek verdwijnen. Ze keek niet achterom. Ik was een oude kennis, meer niet. Misschien zouden we elkaar nog een keer tegenkomen op het plein, maar daarna zou ik terugkeren naar mijn leven in Amerika en zou zij hier blijven, te midden van de herinneringen die ik zo koesterde. Gebeurtenissen die we samen hadden gedeeld, maar die zij ongetwijfeld vergeten was. Ik draaide me om en liep met een hart dat zwaar was van verdriet de weg af naar het château.

Toen ik bij het hotel kwam, negeerde ik de opgewekte begroetingen van het personeel. Jean-Luc was er niet, godzijdank. Ik was niet in de stemming om te praten of naar zijn hersenloze gebabbel te luisteren. Ik verschanste me in mijn kamer en maakte met mijn manier van doen duidelijk dat niemand dichterbij moest komen. Ik vergat mijn ontmoeting met Père Abel-Louis. Deze verbleekte in de stralende gloed van mijn toevallige treffen met Claudine. In gedachten liet ik de gebeurtenissen keer op keer de revue passeren. Ik had me omgedraaid en daar had ze gestaan, het kind met de uitstekende tanden was opgegroeid tot een aantrekkelijke vrouw. Ze had geglimlacht, haar haar met een gehandschoende hand uit haar gezicht gestreken, en me schuchter aangekeken, terwijl haar zachte groene ogen ongelovig en blij hadden gestaan. Ik had het op dat moment gevoeld, als het ochtendgloren na een lange, donkere nacht: het plotselinge besef dat er voor mij op de hele wereld maar één vrouw was en dat zij daar voor me stond, terwijl ze me aankeek alsof zij dat ook wist. En vervolgens de gruwel om Laurent te zien. De sensatie te vallen en wanhopig te worstelen om niet uit evenwicht te raken. Ik had hem de hand geschud, maar ik had niet geglimlacht. Ik kon niet doen alsof ik blij was hem te zien. Ik kon mijn jaloezie dat hij de vrouw had die ik wilde hebben niet verhullen. Mijn wellevendheid liet me in de steek, evenals mijn vermogen om te doen alsof. Claudine had me ondersteboven gegooid en niets stond nog op zijn plek.

Ik móést haar zien. Maar hoe moest ik dat aanpakken zonder dat Laurent erbij was? Hij was niet achterlijk. Hij zou weten wat mijn bedoeling was. Ik kon wat rondhangen bij de Place de l'Eglise in de hoop dat ik haar in haar eentje zou tegenkomen. Ik kon haar volgen naar huis en wachten tot Laurent wegging. Ik kon slinks zijn; ik was tenslotte ooit een vaardig spion geweest. Maar hoe moest het dan verder? Ze was getrouwd. Ze had een eigen leven. Ik zou terugkeren naar het mijne, naar alle leegte daarvan, en ik zou haar uit mijn hoofd moeten zetten.

Het was inmiddels donker. De wind was aangetrokken. Ik stond over het grasveld uit te kijken waarachter de wijngaard in duister was gehuld. Ik herinnerde me hoe mijn grootmoeder in de wind had geloofd. Nou, vanavond stond er een flinke storm. Ik was chagrijnig en ongelukkig, en begon te wensen dat ik hier niet was gekomen. Het enige wat ik had bereikt was dat ik Père Abel-Louis de duimschroeven had aangedraaid. Een loze overwinning. Ik kreeg er geen beter gevoel van. Ik werd juist nog sterker dan tevoren achtervolgd door het verleden. De demonen waren er nog; ik had er geen eentje weten te verslaan. Ik was alleen verliefd geworden op iemand die ik niet kon krijgen.

Ik nam een bad en verkleedde me voor het diner. Voor de zoveelste keer zou ik in mijn eentje eten. Ik was mijn eigen gezelschap zat, en toch had ik me vast voorgenomen te voorkomen dat mijn eenzaamheid bij anderen medelijden opriep, want op medelijden volgden invitaties. Ik besloot zo'n chagrijnig mogelijk gezicht te zetten. Ik liep de trappen af en stak de hal door naar de bibliotheek, waar ik voor het eten een drankje wilde nemen. Toen ik over de vloer liep waar ik als kind mijn autootjes overheen had laten rijden, werd ik staande gehouden door een receptionist. 'Neem me niet kwalijk, *monsieur*.' Ik draaide me om en liet mijn ogen op hem rusten. Hij leek te verschrompelen onder mijn blik. Met een trillende hand stak hij me een envelop toe. Ik pakte hem aan en fronste. Het handschrift was keurig en krullerig, zoals alle Franse handschriften lijken te zijn. Pas toen ik de bibliotheek in liep, besefte ik dat ik niet de moeite had genomen hem te bedanken.

In de haard knapperde een vuurtje. Ik bestelde een martini en liet me in een leren fauteuil zakken. Er zaten een paar mensen de krant te lezen. Niemand zei iets. In de kamer heerste een aangename rust. Ik scheurde de envelop open en las het briefje dat erin zat: *Mischa, tref me alsjeblieft morgen om halftien op de brug. Je oude vriendin, Claudine.* Ik bleef er ongelovig naar zitten staren. Had ook zij de roep van het lot gehoord? Ik las nogmaals wat ze had geschreven, genietend van haar handschrift, alsof de kern van haar wezen was gevangen in inkt. De ober bracht me mijn martini en ik leunde starend naar het vuur achterover in mijn stoel, en opeens voelde ik me een stuk lichter.

'*Bonsoir, monsieur.*' Toen ik opkeek, zag ik Jean-Luc, de manager. Als ik Claudines briefje niet had gekregen, zou ik iets hebben gebromd en een krant hebben opgeslagen om hem af te schudden. Maar ik verkeerde in een roes van opwinding, en tot mijn eigen verrassing bood ik hem de stoel tegenover me aan. 'Ik hoop dat alles naar wens is,' zei hij terwijl hij plaatsnam.

'Jazeker,' antwoordde ik, en ik vouwde het briefje op en stak het in mijn borstzakje. 'Alles is helemaal zoals het moet zijn.'

'Ik wilde u graag nog wat vragen over uw jeugd hier op het château.'

'Ik ben hier geboren,' zei ik terwijl ik een slokje martini nam.

'Dan bent u misschien wel geïnteresseerd in oude foto's van het complex voordat het een hotel werd. Toen het nog als woonhuis werd gebruikt.'

'Die zou ik graag willen zien,' antwoordde ik, niet in staat aan iets anders te denken dan Claudine.

'De Duvals hebben alles bewaard, en dat komt heel mooi uit, want de archieven zitten vol met paperassen, fotoalbums, gastenboeken, spelletjesboeken, inventarislijsten, en zelfs boodschappen-lijstjes. Omdat u hier destijds hebt gewoond, dacht ik dat u mis-schien wel foto's van oude familieleden zou kunnen aantreffen.' Aan zijn toespeling op mijn gevorderde leeftijd nam ik geen aanstoot. Ik schepte er juist genoegen in. 'Ik ben geboren in 1941, Jean-Luc. Ik ben geen fossiel. En ik ben hier ook niet voor de oorlog geweest. Mijn moeder heeft hier ge-werkt, dat is alles. Ik herinner me weinig van het château voordat het een hotel werd.' Ik had geen zin hem iets te vertellen over mijn vader en de andere Duitsers die hier tijdens de bezetting hadden verbleven.

'Neemt u me niet kwalijk.'

'Ik ben blij dat jullie dat afgrijselijke tapijt in de hal eruit hebben gegooid.'

'De schoonheid van oude châteaux als deze ligt in hun oorspron-kelijke inrichting. Hoe minder je daaraan verandert, hoe beter het is, vindt u niet?'

'Toen ik nog een kleine jongen was, beheerde Jacques Reynard de wijngaard. Is hij…?' Ik huiverde. De drank en het briefje van Claudine hadden me roekeloos gemaakt.

Jean-Luc glimlachte. 'Hij woont even buiten Mauriac. Op zo'n veertig minuten rijden.'

Ik wist niet wat ik hoorde. 'Leeft hij nog?'

'Jazeker. Hij heeft een boerderijtje gekocht. Hij is inmiddels met pensioen, maar zorgt nog steeds voor zijn boerenbedrijfje.'

'Waarom is hij weggegaan?'

Hij haalde zijn schouders op. 'Dat weet ik niet. Hij was oud.'

'Maar hij vond het hier heerlijk. Ik zou verwachten dat hij in een van de kleine huisjes op het terrein zou zijn gaan wonen, of toch minstens in Mauriac.'

'Daar zult u hem zelf naar moeten vragen.'

'Dat zal ik ook zeker doen. Is hij getrouwd?'

'Zijn vrouw is een jaar of acht geleden overleden.'

'Weet u nog hoe ze heette?'

'Yvette, ze was…'

'De kokkin. Ja, ik weet wie ze is. Wel heb je ooit…' Ik zag hen voor me in het oude tuinhuis. Wat een aanblik hadden ze geboden voor een jonge jongen. Hij had een grappig naampje voor haar ge-had; ik probeerde het me te herinneren, maar kon er niet op komen.

'Ik heb haar een paar keer ontmoet – een charmante vrouw,' ver-volgde Jean-Luc. Daar gaf ik geen antwoord op, want ook al had ze

266

me dan tot 'pakjongen' bevorderd, ik had haar altijd gevreesd en gehaat.

Die avond kon ik de slaap niet vatten. Ik lag naar het plafond te staren, en mijn jeugd trok aan mijn geestesoog voorbij als een denkbeeldige film die ik naar believen versneld vooruit en achteruit kon spoelen. Ik was verbaasd dat, hoewel het allemaal wel in een ander leven leek te hebben plaatsgevonden, het tegelijkertijd merkwaardig concreet was. Ik had de bekende schittering in Claudines ogen herkend, maar ook was me een warme rijpheid opgevallen, en als ik me niet vergiste tevens een schaduw van pijn. Onder al die lagen ervaring die ze in de loop der jaren had opgedaan was ze nog steeds dezelfde, maar dan ouder en wijzer, en meer dan een klein beetje gerafeld aan de randen. Ik keek uit naar de volgende ochtend. Ik wilde haar verschrikkelijk graag zien. Ik wist niet wat ervan zou komen, als er al iets van zou komen. Maar die nacht, terwijl mijn hart bonkte tegen mijn ribben en ik niet kon wachten tot de uren waren verstreken, wilde ik alleen maar met haar praten.

Ik moet toch in slaap zijn gevallen, want om acht uur werd ik wakker. Het was al licht. Ik trok de gordijnen open en zag dat de grond was overdekt met een dun laagje rijp. Er hing mist, zodat het grasveld en de velden erachter in een toverachtige gloed waren gehuld. De dag was vol beloften. Ik kleedde me aan en schoor me, en probeerde mijn lange en warrige haar in fatsoen te krijgen; het werd al grijs bij de slapen, de kleur van nat zand. Er viel niet aan te ontkomen: het prachtige blonde jongetje van vroeger had niet aan de verwachtingen voldaan. Ik ontbeet in de eetzaal en las de kranten, hoewel alleen mijn ogen de woorden opnamen. Met mijn gedachten was ik al bij de brug.

Ik trok mijn jas aan, zette mijn hoed op en beende de serre uit en het grasveld op. De grond was zo hard dat het niet uitmaakte dat de schoenen die ik droeg niet geschikt waren voor een tochtje door de velden. Mijn adem steeg wolkend op in de vrieskoude lucht en mijn wangen prikten. Ik stak mijn handen in mijn zakken en sloeg het paadje in dat naar de rivier voerde. Hoe vaak had ik hier niet gelopen met Pistou. We hadden konijnen en vogels achternagezeten, hadden mijn balletje overgegooid, of hadden gewoon maar wat geslenterd, steentjes voor ons uit schoppend. In al die jaren dat ik weg was geweest was het landschap niet veranderd. De heuvel vertoonde nog steeds dezelfde lichte welving, in het bos rook het nog steeds naar naaldbomen. De rivier slingerde zich nog steeds omlaag naar de vallei, en toen ik bij het bruggetje kwam, zag dat er nog hetzelfde uit als altijd. Alleen onze levens waren vergankelijk als de bladeren die kwamen en gingen, rondgeblazen door de wind van het lot, gegeseld door de regen, verwarmd door de zon.

Terwijl ik op die stenen verbinding tussen het ene land en het andere stond, raakte ik meer dan ooit doordrongen van mijn eigen sterfelijkheid. Als mijn verleden een stipje was op de eeuwigheid, dan gold dat ook voor mijn toekomst. Op een dag zou ik er niet meer zijn, terwijl dit alles zou blijven. Waar zou ik dan zijn? In een eeuwige slaap, of in de een of andere geestenwereld met diegenen die me waren voorgegaan? Ik had al zo veel tijd verspild. Ik had ervoor gekozen jaren en jaren te verdoen met woede en bitterheid. Ik gruwde ervan en nam me voor geen tijd meer verloren te laten gaan.

Ik keek op mijn horloge. Het was halftien. Ik tuurde ingespannen of ze er al aan kwam. De mist hing laag, als een lijkwade, zodat ik amper verder dan twintig meter voor me uit kon kijken. Ik stelde me voor dat ze erdoorheen kwam rennen, roepend om haar hoed. Een paar keer meende ik haar voetstappen te horen, maar het moest een dier zijn geweest dat op een takje trapte, een hert of een haas. Een vlucht vogels vloog op, opgeschrikt door de krakende geluiden op de grond, maar Claudine was het niet. Ik vroeg me opeens af of ik de tijd verkeerd had onthouden en groef in mijn zakken naar haar briefje, tot me te binnen schoot dat ik de vorige avond een smokingjasje had gedragen en het in het borstzakje daarvan had gestopt, waar ik het in had laten zitten. Misschien had ze wel 's avonds bedoeld en niet 's ochtends. Of misschien had ze ineens niet meer gedurfd. Mogelijk had Laurent haar tegengehouden. Ik begon over de brug te ijsberen, heen en weer, heen en weer, stampend met mijn voeten om warm te blijven. De minuten tikten langzaam voorbij, waarbij de kans dat Claudine nog zou komen opdagen steeds kleiner werd.

Om tien uur klaarde de mist op en piepte de zon erdoorheen. Ik stond versteld van de schoonheid van de ochtend. De dauw sprankelde op de bladeren, de deeltjes mist die nog waren blijven hangen glinsterden en twinkelden in de lucht, en de rijp die was achtergebleven op het gras fonkelde als edelstenen. Mijn teleurstelling zou makkelijker te verdragen zijn geweest als de dag niet zo betoverend mooi was geweest. Het viel niet mee om je ellendig te voelen te midden van zo veel schoonheid. Ik besefte dat het geen zin had om in de kou te blijven wachten. Mijn dromen losten tegelijk met de mist op en ik moest onder ogen zien dat ik misschien zonder Claudine nog te hebben gesproken uit Mauriac zou moeten vertrekken.

Ik wilde dat ik haar niet was tegengekomen; dan had ik tenminste niet zo'n teleurstelling te verwerken gekregen. Onze vluchtige ontmoeting van de dag daarvoor had een belofte ingehouden van iets geweldigs. Mijn leven leek nu saaier en monotoner dan tevoren, en in elk geval stukken eenzamer. Ik keerde me om en liep weg.

30

'MISCHA!' IK HOORDE HAAR STEM EN KEERDE ME OM. ZE REN-de over het pad naast de rivier. 'Mischa! Wacht!' Ik haastte me het weggetje over naar haar toe. Ik was zo blij dat er niets overbleef van eventuele beleefdheden waar onze ontmoeting van vergezeld had kunnen gaan en zwaaide haar rond in mijn armen, zodat haar voeten boven de grond bungelden.

'Claudine!' hijgde ik in haar nek. 'Wat ben ik blij je te zien.'

'Het spijt me dat ik zo laat ben. Ik kon niet eerder wegkomen.'

'Het geeft niet. Je bent er nu, en je hebt geen idee hoe gelukkig dat me maakt.'

Ze lachte en mijn maag maakte een sprongetje van nostalgie. Haar lach had geborreld en geklaterd als die van een kind. Ik merkte dat ik zelf ook lachte. Ik zette haar neer, maar we bleven elkaar vasthouden. Een hele poos keken we elkaar alleen maar aan, elkaars gezicht opnemend dat getekend was door tijd en jaren, om te constateren dat we uiteindelijk niet eens zo heel veel waren veranderd.

'Je bent nog steeds Mischa,' zei ze ten slotte met een ongelovige glimlach.

'En jij bent niet meer een en al tand,' antwoordde ik, en ze moest weer lachen.

'Godzijdank niet. Ik leek wel een ezel.'

'Helemaal niet. Ik vond je tanden juist leuk.'

'Ze staan nog steeds scheef, maar in de loop der jaren zijn ze geloof ik wat rechter gegroeid, of misschien dat ik er nu gewoon aan gewend ben. Maar waarom heb ik het over mijn tanden?' Ze schudde haar hoofd en glimlachte. 'God, Mischa, het is bijna veertig jaar geleden. Waar heb je al die tijd gezeten? Wat heb je gedaan?' Ze nam me aandachtig op en haar blik was een streling die mijn bloed in honing veranderde. Ik realiseerde me op dat ogenblik dat ik de helderziendheid waar ik als kind op had vertrouwd niet verloren was, maar alleen niet meer nodig had gehad. Als kind dat niet kon praten had ik me altijd in de mimische wereld bewogen; een deel van me vertoefde daar nog en las in de ogen van anderen de woorden die onuitgesproken bleven.

We wandelden langs de rivieroever naar een oude ijzeren bank waar ik met Pistou ooit een keer een piratenschip van had gemaakt.

'Nou, dat is een lang verhaal.' Ik pakte de hand die ze door mijn arm had gestoken. 'We hebben ongeveer zeven jaar in New Jersey gewoond en toen zijn mijn moeder en ik naar New York verhuisd.'

'Hoe is het met je moeder?'

'Ze is overleden aan kanker.'

'O, wat erg. Dat moet wel een verschrikkelijke klap voor je zijn geweest. Pas toen ik ouder werd begon ik de waarheid over je verleden te begrijpen. O, ik wist wel wie je vader was en waarom je moeder als een verschoppeling werd behandeld, maar ik begreep toen nooit goed waar dat allemaal mee te maken had. Je moeder en jij moeten wel een heel sterke band hebben gekregen, na wat jullie allemaal samen hebben meegemaakt. Ik vind het jammer dat ze er niet meer is. Ben je getrouwd?' Ik merkte een verandering op in haar toon, alsof ze haar best deed om opgewekt te klinken, maar in werkelijkheid bang was voor mijn antwoord.

'Ik ben nooit getrouwd,' antwoordde ik.

'O nee? Een knappe man zoals jij?' Ze lachte, en de helderheid keerde weer terug in haar stem.

'Ik ben nogal lastig in de omgang.'

'Je bent nog steeds Mischa. Het lijkt zo kort geleden, vind je niet?' Ze slaakte een zucht en liet zich neervallen op de bank.

'We waren kinderen, maar toch heb ik tegenover jou niet het gevoel dat ik zo sterk ben veranderd,' vervolgde ze. 'Ik bedoel, toen ik je gisteren zag, was het net alsof we altijd contact waren blijven houden. Je was geen vreemde voor me. Je was mijn oude vriend.' Ze draaide zich naar me toe en glimlachte verlegen. 'Je bent nog steeds mijn oude vriend, Mischa. Weet je, ik hield meer van jou dan van wie ook.'

'Hoe kwam dat dan? Dat heb ik je altijd willen vragen. Waarom bekommerde je je om mij? Ik kon tenslotte niet eens praten.'

'Ik weet het niet. Ik geloof dat ik je gewoon als een ander menselijk wezen beschouwde, en niet als iemand die afwijkend was. Iedereen had het over je moeder en dat jij duivelsbloed in je aderen zou hebben. Maar ik wist dat dat niet waar was; jouw bloed was hetzelfde als het mijne. Ik vond de grote mensen maar dom en bijgelovig, en de kinderen zielige schapen die niet zelf konden nadenken. Ik was kwaad op ze. Ik wilde hun laten zien, door zelf het goede voorbeeld te geven, hoe dwaas ze allemaal waren. Eerst was mijn glimlach een klein teken van verzet, maar toen, toen je naar me keek, stond er zo veel angst in je ogen te lezen, als bij een wild dier, dat ik ontzettend met je te doen kreeg. Het deed er niet toe dat je niet kon praten; daardoor was ik des te doller op je. Ik had medelijden met je, maar tegelijkertijd bewonderde ik je omdat je anders was. Je had een ongelofelijk charisma en je was nog knap ook, met die lichtblauwe ogen en dat blonde haar. Er werd over je gefluisterd. Je was net een verboden vrucht. Ik heb me altijd aangetrokken gevoeld tot dingen die ik niet mocht hebben.'

'Zoals Laurent?' Ik kon er niks aan doen dat de jaloezie als een brok in mijn keel zat. Ik wenste maar dat ik niet zo bitter had geklonken.

Ze schudde haar hoofd. 'Ik was nog heel jong toen ik met Laurent trouwde. We waren jarenlang vrienden geweest; het was het meest logische vervolg.'

'Hebben jullie kinderen?'

'Twee. Mijn zoon, Joël, is nu vijfentwintig. Hij werkt in Londen bij Moët & Chandon. Mijn dochter, Delphine, is drieëntwintig en heeft in Parijs een baan bij een tijdschrift. Ze zijn allebei al volwassen.' Ze slaakte een zucht en sloeg haar ogen neer.

'En jijzelf?'

'O, ik doe niets bijzonders. Ik zorg voor Laurent.'

'Heeft hij veel zorg nodig?'

'Hij is in zijn eentje veeleisender dan mijn twee kinderen bij elkaar. We moeten Laurent allemaal ontzien.' Ik merkte die schaduw rond haar ogen weer op en hoorde mezelf vragen: 'Ben je gelukkig, Claudine?'

Ze wendde zich naar me toe en haar gezicht kleurde doordat ze zich ongemakkelijk voelde. 'Die vraag mag je niet stellen.' Ze was verontwaardigd. 'Dat kun je me niet vragen, Mischa! Dat is wreed!'

'Hoezo dat? Ik ben zelf niet gelukkig. Tot gisteren, toen ik jou zag, dacht ik dat het allemaal wel prima ging. Nu realiseer ik me dat ik me jarenlang ellendig heb gevoeld, maar het alleen niet in de gaten had. Ongelukkig zijn hoorde zo bij mijn leven dat ik me er niet langer bewust van was. Maar jij, Claudine, hebt alles veranderd. Ik zal nooit meer dezelfde zijn.'

'Wat bedoel je nou, Mischa? Je kent me niet eens.'

'Je weet best dat dat niet waar is.' Weer draaide ze zich af. 'Zou je me dat briefje hebben laten bezorgen als jij niet ook ongelukkig was? Als jij niet ook wat gevoeld had?'

'Ik wilde je zien, meer niet.' Hulpeloos haalde ze haar schouders op. 'Laurent vindt het niet prettig als ik met mannelijke vrienden omga. Hij zegt dat dat geen pas geeft. Ik was bang dat je weer zou vertrekken zonder dat we elkaar gesproken hadden.'

'Nee, je hebt me dat briefje gestuurd omdat jij het ook hebt gevoeld.' Toen ze zich terugdraaide, glinsterden haar ogen. 'Zeg me dat jij het ook hebt gevoeld.' Ze zoog de ijzige lucht diep in haar longen. Haar lippen zagen bleek en trilden. Haar wangen waren wit, op twee rode plekken na, alsof ze door een bij was gestoken. Het moment kreeg iets onwerkelijks, alsof ik op een wolk zweefde. 'Ik weet wel dat het dwaasheid is,' ging ik verder. 'Ik heb je tientallen jaren niet gezien. Maar zo voelt het niet. Ik heb het idee dat ik je al mijn hele leven ken. Zeg me, Claudine, dat jij dat ook zo voelt.'

'Je hebt gelijk.' Haar stem was amper meer dan een fluistering. 'Ik heb het ook gevoeld.'

Ik nam haar in mijn armen en kuste haar warme mond. Haar gezicht voelde koud aan en haar neus zag rood, maar haar lippen waren zacht en teder, en weken uitnodigend een stukje vaneen. Ze bood geen weerstand, maar ging erin mee alsof ook zij dit moment had zien aankomen. Alsof haar hele leven, net als het mijne, naar deze ontmoeting toe had geleid. Ze had een dikke jas en laarzen aan, een poloshirt en een sjaal, handschoenen en een hoed. Ik kwam niet verder dan haar gezicht. In een poging dichter bij haar te komen trok ik haar hoed af en woelde door haar haar met mijn vingers. Het was dik en warm, en een beetje bezweet op haar voorhoofd. We zeiden niets, deden daar niet eens een poging toe. We hielden elkaar alleen maar vast. Ik genoot van de sensatie van haar huid onder mijn lippen. Het werd me duidelijk dat ik mijn hele leven naar haar op zoek was geweest.

'Kan dit zomaar?' vroeg ze na een poosje, terwijl ze zich losmaakte. Haar ogen speurden mijn gezicht af, en geloofden niet wat ze zagen.

'Als je het me een week geleden zou hebben gevraagd, zou ik hebben gezegd van niet. Het kan gewoon niet dat je ter plekke verliefd wordt. Ik dacht altijd dat dat alleen in een fout soort boeken en films gebeurde. Ik had nooit kunnen bedenken dat het mij zou overkomen.'

'Het lijkt wel alsof ik je altijd al heb gekend. Alsof je voor mij bestemd bent. Ik heb vaak aan je gedacht, weet je. Ik heb je gemist.

Vooral toen je er ineens vandoor was, zonder iets te zeggen. Opeens leek mijn wereld leeg. Ik voelde me in de kou staan. Overal werd ik aan je herinnerd. Iedereen had het over je. De hele stad hield zich met jou bezig, en toch was je weggegaan zonder afscheid te nemen.' 'Ik werd midden in de nacht stilletjes weggevoerd. Ik kreeg er de tijd niet voor. Onderweg naar Amerika was ik de hele tijd in tranen.' 'En ik was ook in tranen. Je was mijn vriend. Ik had al wel geweten hoeveel je voor me betekende, maar toen je was vertrokken besefte ik dat nog sterker, want het is heel lang pijn blijven doen en ik ben je nooit vergeten.' 'Ik heb ook aan jou gedacht. In het begin was Amerika heel kleurig en fleurig, en liet ik Mauriac echt achter me. Maar later, in de jaren nadat Coyote ervandoor was gegaan, toen ik een hekel had gekregen aan mezelf en aan iedereen om me heen, ging ik naar jou op zoek zonder dat ik het zelf in de gaten had. Onbewust voelde ik me aangetrokken tot Franse vrouwen, maar telkens werd ik alleen maar teleurgesteld. Ik heb nooit mijn hart aan iemand verpand. Dat liet ik niet gebeuren. Ik wist gewoon dat het niet goed voelde. O, Claudine, waar zijn al die jaren gebleven? Opeens lijken ze wel in een vloek en een zucht voorbij te zijn gegaan. Het is net of we nooit uit elkaar zijn geweest. En moet je ons nu zien: we zijn van middelbare leeftijd.' 'Dat doet er allemaal niet toe. Je bent hier, in Mauriac, en het voelt goed. Je had moeten blijven. Het was niet de bedoeling dat je bij me weg zou gaan.' 'Dat weet ik. Ik wou dat ik eerder de moed had gehad om terug te komen. Ik heb tot nu toe maar wat rondgezwommen. Ik heb het gevoel dat ik op jou heb gewacht. Nu heb ik je gevonden.' Geen van tweeën durfden we de onvermijdelijke vraag te stellen: en hoe moet het nu verder? 'Waarom ben je teruggekomen naar Mauriac?' vroeg ze in plaats daarvan. 'Dat is een lang verhaal.' 'Ik heb de hele dag de tijd. Laurent werkt in Bordeaux, hij is advocaat. Hij komt niet voor vanavond terug.' 'Dan hou ik je tot zonsondergang bij me.' 'Waarom heb je het zo lang laten duren?' 'Ik was bang om terug te gaan.' 'Bang? Maar je was een wonder. De stad lag aan je voeten.' 'Ik was een kermisattractie. Ik was anders dan alle anderen. Ik was het moffenjong wiens moeder had geheuld met de vijand. Geen

wonder kon die smet wegpoetsen, ook al hechtte Père Abel-Louis er zijn goedkeuring aan. Weet je, ik droom nog steeds van deze plek. Soms word ik wakker en ruikt de hele kamer naar de zomer.'
Ik wist het antwoord zelf niet goed. 'Ach, het was een samenloop van omstandigheden, denk ik. Mijn moeder overleed, waardoor de enige band met mijn verleden werd doorgesneden. Er zijn zo veel vragen waar ik een antwoord op moet zien te vinden. Zo veel schaduwen waar ik licht op moet werpen. Ik kwam tot het inzicht dat het verleden me voorgoed zou blijven kwellen als ik het niet onder ogen zag.'
'Heb je *le curéton* gezien?'
'Hij was mijn grootste vijand. Nu is hij een treurige, afgeleefde oude man die al met één been in het graf staat. Ik vraag me af waarom ik altijd zo bang voor hem was.'
'Heb je hem gesproken?' Ze keek me ongelovig aan.
'Ik ben bij hem op bezoek geweest.'
'En wat zei hij? Herkende hij je nog? Was hij verrast om je te zien?'
'Nee, hij herkende me niet voordat ik had gezegd wie ik was, en toen deed hij nog alsof hij me nooit had gekend. Hij was doodsbang.'
'Ik had ook een vreselijke hekel aan hem. Hij was een boosaardig mens.'
'Boosaardiger dan je je kunt voorstellen. Hij heeft met de Duitsers gecollaboreerd. Hij heeft mijn ouders in het geheim getrouwd, maar toen de geallieerden Mauriac bevrijdden, keerde hij zich tegen mijn moeder omdat ze te veel wist.'
'Trok hij zich terug en liet hij de mensen jullie allebei te grazen nemen om zijn eigen huid te redden?'
Ik knikte ernstig. 'Hij wist dat toen ze eenmaal als collaborateur was uitgestoten, niemand nog de verhalen zou geloven die zij over hem zou rondvertellen. Hij heeft bloed aan zijn handen, dat kan ik je wel vertellen. Hoewel er volgens mij meer speelt. Hij wilde me de rest niet vertellen en ik hoef het ook niet te weten. Wat mij betreft is hij dood en begraven. Voor mij bestaat hij niet langer.'
'Ik wil wedden dat hij mensen uit het verzet heeft verraden om er zelf beter van te worden. Iedereen stelde vertrouwen in hem. De mensen vertrouwden hem hun diepste gedachten toe. Hij was van ieders geheimen op de hoogte. Ik mag hopen dat hij wegrot in de hel.'
'Maak je geen zorgen, Claudine. Daar is hij al,' zei ik, terugden-

kend aan de sloten en grendels op zijn deur en aan de zure stank van angst. 'Daar zit hij al jaren in.'

'Ik schaam me ervoor om deel uit te maken van deze stad. Ik schaam me dat mijn eigen familie deel uitmaakt van de geschiedenis ervan. Ik begrijp heel goed waarom je niet de moed had om terug te komen, en die moed bewonder ik nu.'

'Er is nog iets anders,' zei ik, haar deelgenoot makend van gedachten die zwaar op me drukten.

'Wat dan?'

'Vlak voordat mijn moeder overleed, gaf ze een heel waardevol schilderij weg. Ze schonk het aan het Metropolitan.'

'Wat een gul gebaar van haar.'

'Ik heb nooit geweten dat ze zo'n schilderij bezat. Het is een Titiaan. *De zigeunermadonna.* Waarschijnlijk is het de voorganger van het schilderij dat in Wenen hangt. Kennelijk werd Titiaans eerste schilderij gestolen, dus maakte hij er nog een. Het is heel kostbaar.'

'Waar had ze dat vandaan?'

'Dat is nou precies wat ik ook wil weten.'

'Denk je dat ze het hier heeft gevonden?'

Ik haalde mijn schouders op, maar wat Claudine zei leek goed mogelijk. 'Ik geloof niet dat ze het heeft gestolen.' Maar zeker was ik daar niet van. Het duizelde me even toen de mogelijkheid van diefstal vastere vorm aannam.

'Wie heeft het haar dan gegeven?'

Weer haalde ik mijn schouders op. 'Ik heb geen idee.'

'Ging ze om met mensen uit de kunstwereld?'

'Jawel. In haar werk kwam ze allerlei soorten mensen tegen.'

'Wat deed ze dan voor werk?'

'Ze handelde in antiek.'

'Verkocht ze ook schilderijen?'

'Nee.'

'Dan moet ze het in bewaring hebben gehad voor iemand anders. Waarom zou ze een *gestolen* schilderij aan het Metropolitan schenken? Daar zou jij alleen maar een hele hoop ellende mee krijgen, en dat zou ze vast niet hebben gewild, denk je wel?' Peinzend wreef ze over haar kin. 'En hoe is het Coyote vergaan?' Coyote – alleen al bij het noemen van zijn naam voelde ik een steek, alsof er citroensap in een wond werd gedruppeld.

'De ongrijpbare Coyote!' Ik schudde mijn hoofd en grinnikte bitter. 'Coyote is ervandoor gegaan toen ik tien was. Zomaar ineens. De ene dag was hij er nog en de volgende was hij verdwenen, en hij is nooit meer teruggekomen. Ik weet inmiddels dat hij een dubbelleven leidde. Hij had een vrouw en kinderen in Virginia. Hij was helemaal niet wat hij leek. Maar als het schilderij van hem was geweest, zou hij het vast niet hebben achtergelaten, of anders zou hij wel zijn teruggekomen om het op te halen.'

'Hoop je hier antwoorden te vinden?'

'Mijn gevoel zegt me dat hier iets te vinden is. Ik heb vage herinneringen, als losse beelden die komen en gaan. Ik weet zeker dat ik, als ik het hele plaatje zou kunnen zien, iets belangrijks zou ontdekken.'

'Ik kan niet geloven dat je moeder je er nooit iets over heeft verteld. Ook niet toen ze stervende was.'

'Ze wilde er niet over praten.' Ik keek haar bezorgd aan. 'Dat doet vermoeden dat ze zich schuldig voelde, denk je niet?'

Ze pakte mijn hand en gaf er een kneepje in. 'Als ze het op een legale manier in haar bezit had gekregen, zou ze jou daar toch zeker wel iets over hebben gezegd? Een schilderij dat zo veel waard is, is iets om blij mee te zijn en aan iedereen te laten zien. Zoiets verstop je niet. Misschien was het haar gegeven om het veilig te bewaren en is de eigenaar overleden. Wie weet wat er in de oorlog allemaal is gebeurd? Of ze heeft het gevonden en realiseerde zich niet hoeveel het waard was. Er zijn mogelijkheden te over, maar je moet er niet zo mee zitten. Het is niet jouw probleem. Als zij had gewild dat jij ervan wist, had ze je er wel over verteld.'

'Nou, het verhaal heeft nog een staartje.'

'Vertel.'

'Een paar weken geleden dook Coyote opeens op in mijn kantoor. Na ruim dertig jaar stond hij plotseling voor mijn neus.'

'Zei hij waar hij was geweest?'

'Nee. Maar hij zag eruit als een landloper. Hij had zich in geen weken gewassen en had alleen maar vodden aan zijn lijf.'

'Ik zie hem nog zo voor me, met zijn hoed en zijn gitaar. In die tijd was hij een heel aantrekkelijke man, net een filmster. Hij zette de hele stad op stelten. Nog jaren na zijn vertrek had iedereen de mond vol van hem. Er werd vooral over gepraat dat hij zijn rekening bij het château niet had betaald. En dat terwijl hij toch rijk had geleken.'

'Rijk was hij niet. Hij blufte zich gewoon een weg door het leven.'

'En bracht je moeder in zijn ban.'

'Ik ben ervan overtuigd dat hij van mijn moeder hield, en ook van mij.'

'Hij heeft je je stem teruggegeven.'

'Dus dat weet je nog. Het wás dus uiteindelijk helemaal geen wonder.'

Ze glimlachte en mijn hart sloeg over. 'Ik weet nog alles van je, Mischa.' Ze bloosde. Ik pakte haar hand en liet mijn blik op haar gezicht rusten. 'Wat wilde hij van je?'

'Hij vroeg naar mijn moeder. Hij wist niet dat ze was overleden. Hij wist niet dat ze tot het allerlaatst aan toe van hem had gehouden. En dat heb ik hem ook niet verteld. Wat had dat voor zin? Zie je, hij kwam niet terug voor haar, maar voor het schilderij. Er had veel over in de kranten gestaan, zoals je je wel kunt voorstellen, en hij had erover gelezen. Dat was de reden waarom hij naar me toe kwam.'

'Maar hij zei niet dat het zijn schilderij was?'

'Nee. Hij dacht dat we rijk waren. Hij kwam er als een aasgier op af.'

'Hij heeft je toch wel een verklaring gegeven?'

'Hij beweerde dat hij niets van me wilde. Hij zei dat hij "dromen najoeg".'

'Wat bedoelde hij daarmee?'

'Ik heb geen idee.' Ik schudde mijn hoofd en kuste haar voorhoofd. 'Maar ik weet wel waarom ík ben teruggekomen. Het lot heeft me naar je teruggevoerd, Claudine. En jij bent de reden dat ik blijf.'

We slenterden de heuvel op naar het oude tuinhuisje, onze vingers verstrengeld als jonge geliefden tijdens een zorgeloze wandeling, en helemaal niet als een paar oude vrienden die op het punt staan overspel te plegen. We haalden herinneringen op aan vroeger tijden. Ze vertelde het een en ander over haar leven, waarvan elk detail me fascineerde. Ik wilde meer weten over Laurent, maar over hem wilde ze niet veel loslaten. Ik wilde weten of ze van hem hield, of hij goed voor haar was. Ik wist dat ze niet gelukkig was, maar was dat iets waar ze mee kon leven of was het genoeg om haar weg te drijven? Ik wilde dat ze met me meeging naar Amerika, maar ik durfde het niet te vragen. Het was te snel, en trouwens: ik zou het niet kunnen verdragen als het antwoord nee luidde.

We kwamen bij het ronde huisje waar ik Jacques Reynard en Yvette had bespied. Het stond als een klein winterpaleis boven op de heuvel, trots en discreet, maar overgeleverd aan de tand des tijds. De lichte stenen pasten goed bij de berijpte bomen en het gras, omhuld door een sluier van mist waarin het licht gevangen werd en toverachtig schitterde. Het bos was verder opgerukt, de klimop slingerde zich nu om de pilaren, en het was overwoekerd door braamstruiken. Als het niet had gevroren, zou het tuinhuisje een bedroevende aanblik hebben geboden. Maar nu bezat het een mysterieuze schoonheid, die nog versterkt werd door de vergankelijkheid van de ochtend: de zon zou de rijp doen smelten, het ijs zou weer veranderen in water, en de magie zou uiteindelijk tegelijk met de mist verdwijnen.

'Het ziet er zo mooi uit dat ik er melancholiek van word,' zei Claudine. 'We worden oud, en wat heb ik gedaan met mijn leven?'

'Je hebt twee kinderen grootgebracht. Dat is op zich al een prestatie,' antwoordde ik terwijl ik haar naar me toe draaide. Ik legde mijn handen om haar gezicht en wreef met mijn duimen over haar rode wangen. Heel even was ze te verlegen om me aan te kijken.

'Ik zou dit niet moeten doen,' mompelde ze. 'Ik ben getrouwd.'

'Kijk me aan, Claudine.' Ze hief haar hoofd op en keek me hulpeloos met haar ogen knipperend aan. 'Als ik niet zulke sterke gevoelens had, zou ik je nooit op deze manier compromitteren. Moet je horen, ik heb met een groot gat in mijn hart over de hele aardbol gezworven. Ik heb geprobeerd dat te vullen met mensen in allerlei soorten en maten, maar niemand heeft de juiste vorm. En weet je waarom? Omdat jij degene bent die dat gat heeft gemaakt en jij de enige bent die erin past. Ik wist al toen ik nog maar een kleine jongen was dat je speciaal was. Je had lef. Je was niet bang om het gezag uit te dagen, om jezelf ongeliefd te maken, om uitgejouwd te worden, en jij sloot vriendschap met me terwijl niemand dat wilde. Je past er nog steeds in, Claudine, omdat het gat met je is meegegroeid. Het is alleen wat groter geworden. Ik kan er niets aan doen, maar ik hou van je.'

Ze pakte mijn polsen en glimlachte zenuwachtig. 'Ik heb er geen spijt van, Mischa. Ik heb geen spijt van dat ik naar je toe ben gekomen, en ik heb er geen spijt van dat ik je heb gezoend. Ik vind het heel jammer dat het lot je naar Amerika heeft gevoerd. Ik ben met de verkeerde man getrouwd.'

'Maar je hoeft niet met hem getrouwd te blijven.'

'Ik heb je nog maar net weer ontmoet.'

'Vertrouw mij maar.'

'Dat durf ik niet goed. Als Laurent erachter komt, wordt hij woedend. Ik ben bang, Mischa.' Ik kuste haar bleke lippen, in de hoop haar ervan te overtuigen dat ik niet van gedachten zou veranderen. Hoe kon ik uitleggen dat ik, tot aan onze ontmoeting van de vorige dag, nog nooit mijn hart aan iemand had verpand? Als kleine jongen had ik van mensen gehouden die van mij hielden: Joy Springtoe, Jacques Reynard, Daphne Halifax en, natuurlijk, mijn moeder. Ik had nooit van een vrouw gehouden zoals een man betaamt. Isabel had me Frankrijk laten proeven, maar meer ook niet. Linda was niet in staat geweest tot me door te dringen. Ze had me de beste jaren van haar leven geschonken en op het laatst kende ze me nog steeds geen haar beter dan op de dag dat we elkaar hadden ontmoet. Eén glimp van Claudine was alles wat ervoor nodig was geweest om het beschermende schild dat ik om me heen had opgetrokken te verbrijzelen. Eén glimp, en ze was dieper tot me doorgedrongen dan welke vrouw ook. Ik had haar in mijn hart toegelaten. Als ze me beter had gekend, zou ze hebben begrepen dat ik haar er nooit meer uit zou laten.

'Laat me niet alleen,' zei ik, mijn stem een fluistering. 'Ik heb je nodig, Claudine.' Ze gaf geen antwoord. Ze sloeg alleen haar armen om mijn hals en hield me dicht tegen zich aan.

Mijn reis naar Chili had mijn band met Matias en Maria Elena weer aangetrokken. Mijn komst naar het château had me duidelijk gemaakt dat het verleden niet meer terug te halen is, bij hoeveel vallende sterren je ook een wens doet. Claudine was de liefde die ik met me mee terug wilde nemen. Claudine was het thuis waar ik altijd naar had gezocht.

31

DE PAAR DAGEN DAAROP BRACHTEN WE ZO VEEL MOGELIJK TIJD samen door. 's Nachts verlangde ik ernaar haar naast me te voelen en mijn hunkering bezorgde me overal in mijn lichaam pijn. Ik wilde haar vasthouden, haar van top tot teen met kussen overdekken, haar geheel en al bezitten. Ik wilde dat ze de mijne zou worden. Als ik niet kon slapen, ijsbeerde ik als een gekooid dier door de kamer, terwijl ik me voorstelde dat ze een bed deelde met Laurent. Ik kwelde mezelf met de vraag of ze de liefde zouden bedrijven. Of ze naast elkaar lagen of met elkaar verstrengeld, of Laurent zich aan haar opdrong of niet. En als hij van haar eiste dat ze haar echtelijke plichten vervulde, bood ze dan weerstand of zou ze dat niet durven? Zou ze bang zijn om hem te kwetsen? Of dat híj háár kwetste? Ik moest het weten.

Als hij haar ook maar met een vinger aanraakte, zou ik mijn zwaard trekken, bezwoer ik mezelf. Ik stelde me voor dat ik mijn vuist in zijn gezicht zou rammen, dat ik met één enkele klap zijn arrogantie aan gruzelementen zou slaan. Ik was forser dan hij, langer en breder, en ik had meer ervaring op dat gebied dan hij zich in de verste verte maar kon voorstellen. Laurent maakte tegen mij geen kans. Ik zag voor me hoe ik Claudine in mijn armen trok en over zijn verslagen lichaam heen stapte. Ik zou haar redden van haar ongeluk en in Amerika zouden we samen een nieuw leven beginnen.

Omdat ik verschrikkelijk graag mijn vijand wilde leren kennen en gefrustreerd was dat ik mijn dagdromen niet kon waarmaken, ging ik naar de mis. Ik was geen vroom man en ik was altijd bang geweest voor de Kerk. Die had iets duisters, dat me tegelijkertijd fascineerde en angst aanjoeg. Ik was ervan overtuigd dat het binnen het instituut van het georganiseerde geloof wemelde van de meesters die alleen zichzelf dienden en absolute heerschappij over zwakkere mensen nastreefden. Ik wilde geen deel uitmaken van hun kudde.

Maar mijn verlangen om Claudine te zien en meer te weten te komen over Laurent was sterker dan mijn angst en ik woonde de dienst bij. In mijn jas en met mijn hoed op ging ik achter in de kerk zitten toekijken hoe de mensen binnendruppelden. Sommige gezichten herkende ik, maar de meesten waren vreemden. Ik hoorde de echo van hun stemmen – 'Hunnenkop, nazi-jong, moffengebroed' –, maar niemand keurde me meer dan een vluchtige blik waardig, zelfs niet degenen die ik herkende. Ze waren nu allemaal oud en zagen niet meer zo scherp. Net als Père Abel-Louis waren ze gericht op het leven dat nog moest komen, niet op het verleden. Ze keken niet eens naar me om. De jongen die ooit anders was geweest dan alle anderen ging nu naadloos in de menigte op.

Ik wachtte op Claudine en Laurent. Ik wist zeker dat ze zouden komen. In de korte tijd die we samen hadden doorgebracht hadden we gelachen om Père Abel-Louis, en ze had me verteld dat de priester die er nu was precies zo was als hij moest zijn: een respectabele dienaar Gods. Ze vertrouwde hem als priester en was op hem als mens gesteld. Ondanks haar rebelse jonge jaren was ze een goed katholiek. Ik vroeg me af wat ze zou zeggen als ze te biecht ging en hoeveel invloed Père Robert op haar had.

Uiteindelijk kwamen ze binnen, achter een moeder met vijf kleine kinderen. Ik zat zo aandachtig naar de kinderen te kijken dat ik heel even spijt had dat ik er zelf geen had en ze bijna miste. Laurent beende naar binnen met zijn schouders naar achteren getrokken, zijn kin geheven. Claudine liep naast hem, een tikje gebogen, haar ogen op het groepje voor haar gericht. Haar gezicht was in rust, haar uitdrukking plechtig. Ze raakten elkaar niet aan. Ze vonden een zitplaats aan de andere kant van het middenpad, zo'n acht rijen voor me. Ik was niet bang dat ze me zouden zien. En trouwens, waarom zou ik niet naar de kerk gaan? Ik overwoog hen na de dienst staande te houden en een praatje te beginnen, maar toen kreeg de spion in mij de overhand: ik zou hen volgen naar hun huis en hen gadeslaan. Ik wilde zien hoe hij haar behandelde. Ik wilde mijn vijand leren kennen, zodat ik een strategie zou kunnen uitstippelen. Ik wilde niet zonder haar vertrekken. Ik dacht niet dat ik dat zou kunnen opbrengen.

Père Robert Denous was jong en kwiek. Zijn aanwezigheid zorgde in de kerk voor een levendige sfeer, als de lente na een barre winter. Weg was de omineuze grauwe uitstraling die Père Abel-Louis had omgeven. Père Robert sprak met zachte stem en had diepliggende, vriendelijke ogen. Hij bezigde het grootste deel van de dienst Frans, en geen Latijn, en zijn preek was bemoedigend en positief. Ik merkte dat ik me er helemaal door liet meevoeren, hoewel ik in het begin alleen op Claudine en Laurent had gelet. Ik begreep wel waarom deze mensen hier elke zondag naartoe gestroomd kwamen: als Père Robert de poort naar de hemel was, verwelkomde hij hen daar; hij was een poort die iedereen, wie dan ook, toeliet. Onwillekeurig vroeg ik me af hoe anders de dingen zouden zijn gelopen als Père Abel-Louis meer op hem had geleken.

Na de dienst liep ik met de eerste paar kerkgangers mee naar buiten, schudde de priester de hand en bleef een stukje opzij staan, waar Claudine en Laurent me niet zouden kunnen zien. Het duurde niet lang of zij kwamen ook naar buiten. Laurent glimlachte niet; zijn mond was vertrokken tot een strakke grijns, maar op Claudines gezicht lag wel een glimlach. Ze sprak een paar woorden, terwijl ze de hand van Père Robert tussen haar twee handen nam, en keek eerbiedig naar hem op. De priester glimlachte haar hartelijk toe en ik kreeg de indruk dat zij hem veel beter kende dan voor haar man gold. Misschien had ze wel troost gezocht bij de Kerk om zich staande te kunnen houden in haar ongelukkige huwelijk. Claudine en Père Robert maakten een grapje tegen elkaar, maar Laurent glimlachte niet. Hij hield zich enigszins afzijdig, alsof hij, net als ik, niet veel op had met het instituut dat voor zijn vrouw zo veel betekende. Hij pakte haar arm en ze liepen verder, het plein op.

Toen ze naar huis wandelden, volgde ik hen op gepaste afstand. Laurent had zijn hand losgemaakt en ze liepen een stukje uit elkaar. Ze zeiden weinig. Claudine was degene die telkens een gesprek begon. Hij antwoordde met enkele lettergrepen en deed er dan weer het zwijgen toe, totdat zij, uit het veld geslagen, over iets anders begon. Ik liep achter hen aan door de stad, door de achterafstraatjes, en vroeg me af wat er van hun vriendschap was geworden, want de stiltes die tussen hen vielen waren niet de welgemoede stiltes tussen oude vrienden, maar de ongemakkelijke pauzes van echtelieden die niet meer met elkaar overweg kunnen.

Op het laatst bleven ze staan voor een leuk huis dat was opgetrokken uit dezelfde lichte steensoort als de rest van de stad, met een rood pannendak en witte luiken. Het straalde echter niets knus uit, maar leek even leeg als de bloembakken die aan de ijzeren balkonnetjes op de eerste verdieping hingen. Ik hield me schuil om de hoek, achter een treurig uitziende kapsalon, en keek toe hoe Laurent de deur openmaakte en naar binnen stapte. Claudine keek links en rechts de straat af, met een frons op haar voorhoofd, waarna ze achter hem aan naar binnen ging. Ik vroeg me af of ze had gevoeld dat ik haar gadesloeg. Het was een saaie, grauwe ochtend, dus toen ze het licht aandeden, kon ik goed naar binnen kijken in de zitkamer. Ze verdwenen allebei een tijdje uit het zicht. Ik wachtte als een leeuw die op een wildebeest loert, waakzaam en geduldig. Ten slotte kwamen ze terug. Laurent stak de haard aan en Claudine liep naar het raam om met haar armen over elkaar gevouwen voor haar borst nagelbijtend naar buiten te gaan staren. Ik wist dat ze aan mij dacht. Haar gezicht stond afwezig, een melancholieke uitdrukking van verlangen die ik herkende, omdat ik die op mijn eigen gezicht ook had gezien. Laurent kwam als een schaduw achter haar staan. Hij boog zich over haar heen en legde zijn hand op haar schouder. Ze schudde die van zich af. Dat maakte hem kwaad. Hij hief zijn handen op naar het plafond en liet een stroom woorden ontsnappen die ik niet kon verstaan. Claudine schudde haar hoofd en liep weg. Een paar minuten later ging boven het licht aan. Weer keek ze uit over de straat, waarna ze de gordijnen dichtdeed. Laurent bleef even met zijn handen in zijn zij bij het raam beneden staan, waarna hij wegliep. Ik wist niet wat er daarna gebeurde. Ik bleef zo lang mogelijk staan waar ik stond. Toen het te koud werd en mijn maag begon te rommelen, liet ik met tegenzin mijn post in de steek en wandelde terug naar het château.

Ik gebruikte de maaltijd in mijn eentje. Claudine beheerste mijn gedachten en benam me de eetlust. Ik at omdat ik wist dat ik moest eten en omdat ik de lange, lege uren van wachten tot ik haar weer zou zien niet anders door wist te brengen. Ik probeerde een manier te bedenken om haar het hotel binnen te smokkelen, maar dat was te riskant; iemand zou haar kunnen herkennen en dan zou ons geheim open en bloot op straat liggen. Ik vroeg me af of er een andere plek was waar we heen zouden kunnen gaan. Ergens waar we naakt bij elkaar zouden kunnen liggen. Ik had het gevoel dat als we de liefde zouden bedrijven, dat op de een of andere manier onze band zou bezegelen. Dan zou ze onmogelijk hier kunnen blijven. Ik wilde haar ontzettend graag met me meenemen naar Amerika.

Na de lunch ging ik in de bibliotheek wat boeken zitten doorbladeren zonder dat ik zin had om ze te lezen. Ik werd geheel en al in beslag genomen door zorgen en jaloezie. Laurent groeide in mijn verbeelding uit tot een machtige demon, het soort demon dat Père Abel-Louis was geweest in mijn jeugd. Zonder dat ik er iets tegen kon doen kwam ik in een neerwaartse spiraal terecht.

Opeens stond Jean-Luc voor mijn neus, met een brede glimlach op zijn gezicht. In zijn handen had hij een verschoten groen boek. 'Neem me niet kwalijk, *monsieur*. Ik dacht dat u het misschien wel leuk zou vinden om de oude familiefoto's van de Rosenfelds te bekijken.' Ik was blij dat iemand me uit mijn tobberijen losrukte en bood hem de stoel tegenover me aan. Hij overhandigde me het boek en ik legde het op mijn schoot.

'Wat is er met de Rosenfelds gebeurd?' vroeg ik, hoewel dat me niet echt kon schelen.

'Ze zijn in de oorlog allemaal omgekomen,' antwoordde hij.

Mijn belangstelling was gewekt. 'Natuurlijk, ze waren joods.' Ik had nooit meer dan een vluchtige gedachte aan de Rosenfelds gewijd en mijn moeder had het nooit over hen gehad.

'Ze moeten zijn gestorven in de kampen.' Met bonzend hart sloeg ik het boek open en keek door een venster een geheime wereld binnen – mijn moeders geheime wereld.

Er waren foto's van de familie bij Longchamp in Parijs, de vrouwen in modieuze japonnen en met breedgerande hoeden op, de mannen in lichtgekleurde pakken. Foto's van chique banketten en bals, tuinfeesten en liefdadigheidsdiners. Er waren beelden van tripjes naar Londen, waar ze naar de races gingen en het bloemenfestival van Chelsea, van sightseeing in Wenen, New York en India. Van safari's in Afrika en van een jaarlijks bezoek aan Jeruzalem. Ze hadden chauffeurs die hen rondreden in glanzende auto's, hun witgehandschoende handen op met leer beklede stuurwielen, hun gezichten plechtig onder hun zwarte hoofddeksels. Ze kwamen me voor als elegante mensen, met een groot, gul hart. Steevast glimlachten en lachten ze, maar wat me het meest aan de familietaferelen opviel was de overduidelijke genegenheid die ze voor hun kinderen voelden. Die leek me niet in overeenstemming met de in die tijd in de maatschappij geldende normen. De kleintjes werden voortdurend omhelsd, gekust, bij de hand gehouden en geknuffeld. Er waren speelse taferelen waarbij hun vijf kinderen over het gazon rollebolden met hun vader, of hun moeder plaagden, en tedere momenten van diepe rust wanneer ze niet in de gaten leken te hebben dat ze werden gefotografeerd. Dit was een afgeschermde wereld, waar men geen besef had van de macht die zich stilletjes aan de andere kant van de grens verzamelde en zich klaarmaakte om dit leven voorgoed om zeep te helpen. De wetenschap van wat komen zou maakte hun vrolijkheid ondraaglijk. Mijn hart sloeg over als ik eraan dacht hoe die mooie, onschuldige kinderen zouden moeten lijden in de handen van de nazi's. Als ik eraan dacht dat hun blije, zorgeloze gezichtjes grauw zouden zien van angst. Dat hun welgedane, levendige lichamen tot as gereduceerd zouden worden. Mijn moeder had deze mensen gekend. Ze had de kinderen in haar armen gehouden, was ingewijd geweest in hun intieme leven. Nu wist ik waarom ze het nooit over hen had gehad: dat moest te pijnlijk zijn geweest. Maar dat ze in het château was gebleven nadat hun verheven wereld aan stukken was geslagen, dat begreep ik niet. Het was vreemd om het château te zien zoals het was geweest toen het nog een woonhuis was. De inrichting was veranderd, maar de kamers waren nog hetzelfde. De sierlijsten en het stucwerk op de plafonds waren intact gebleven en in de grote haard in de hal loeide nog eenzelfde vuur. De kalkstenen vloeren waren bedekt geweest met kleden, waar zwarte honden op hadden liggen te slapen nadat ze hadden rondgerend in de wijngaard, voordat de Duitsers waren gekomen en die hadden weggehaald. Ik geloofde in mijn vaders onschuld, ook al zei mijn verstand me iets anders. Ik wilde niet geloven dat hij deel had uitgemaakt van het regime dat miljoenen onschuldige mensen had gemarteld en de dood in had gejaagd.

Ik stond op het punt het album dicht te slaan, omdat het venster op hun wereld nu was beslagen door verdriet, toen ik ineens de schrik van mijn leven kreeg. Daar aan de muur, achter een formele familieopstelling, hing *De zigeunermadonna*. Ik verstijfde, ontzet. Ik voelde mijn gezicht gloeien. Jean-Luc boog zich gealarmeerd voorover. 'Is alles goed, *monsieur*?' vroeg hij. Ik knikte, niet in staat een woord uit te brengen. 'Ik zal een glas water voor u halen.' Ik merkte amper dat hij opstond en wegbeende over de vloer. Ik werd de foto binnengezogen en er borrelden voor mijn geestesoog allerlei scenario's op, als lava in een vulkaan die tot dan toe had geslapen. Had mijn moeder het schilderij gestolen? Had ze het in bewaring gehad om het weg te houden voor de nazi's, in de overtuiging dat de familie aan het eind van de oorlog zou terugkeren? Had mijn vader het ontvreemd en het aan haar geschonken? Eén ding was zeker: het had oorspronkelijk toebehoord aan een joodse familie. Het was een waardevol stuk gestolen joodse kunst, en daarom was het een oorlogsmisdaad om het in bezit te hebben. Ik voelde me zowel onbehaaglijk als verdrietig. Geen wonder dat mijn moeder me er nooit iets over had gezegd; ze had zich natuurlijk te diep geschaamd.

Jean-Luc kwam terug met het glas water, dat ik in één teug leegdronk. 'Ik kan me voorstellen dat het u zwaar valt om terug te kijken op uw verleden. Er is zo veel veranderd.'

'Je zou er nog van staan te kijken hoe weinig er is veranderd. Alleen de mensen maar,' antwoordde ik terwijl ik het album dichtsloeg.

'Neem me niet kwalijk. Misschien had ik het u niet moeten laten zien.'

'Ik ben blij dat je dat wel gedaan hebt, Jean-Luc. Maar ik geloof dat ik nu wel iets sterkers kan gebruiken dan water.'

'*Absolument!*' Hij pakte het album aan en kwam met een sprongetje overeind.

Ik staarde in het vuur, peinzend over alles wat de Rosenfelds in de oorlog waren kwijtgeraakt. Ik besefte dat ik heel weinig over hen wist. Mijn moeder had het niet over hen gehad; zoals zovelen die hadden geleden, had ze haar ervaringen niet kunnen delen, of misschien had ze dat niet gewild. Desondanks was het château de basis waar ik mijn leven op had opgebouwd. Mijn ouders hadden elkaar hier leren kennen, waren hier getrouwd, en ik was hier geboren. Mijn vroegste herinneringen waren die aan de hal, waarover de aanwezigheid van mijn vader nog steeds een spookachtige schaduw wierp. Ik verdiende het te weten wat zich binnen deze muren had afgespeeld, hoe afschuwelijk, hoe groot mijn desillusie ook was.

Ik dronk de whisky op, die een brandend spoor trok van mijn mond naar mijn maag, en voelde me op slag beter. 'Je zei dat Jacques Reynard hier in de buurt woont,' begon ik. 'Kun je me zeggen hoe ik hem kan bereiken?'

'Jazeker. Met alle plezier,' zei hij. Plotseling verlangde ik ernaar om meer over mijn moeders verleden te weten te komen. En Jacques was de enige die daar iets over zou kunnen zeggen. Jean-Luc liep weg om het adres en de routebeschrijving op te schrijven. Ik keerde terug naar mijn kamer om mijn portefeuille en autosleutels te gaan halen. Ik wierp een blik uit het raam, over de velden met wijnstokken die zich uitstrekten onder de grauwe winterse lucht, en dacht aan Jacques. Wat zou hij hen missen. Ik realiseerde me dat ik een poosje niet aan Claudine had gedacht en dat mijn jaloezie op Laurent was afgenomen. Zij leefde tenminste nog. Haar had ik uiteindelijk gevonden. Ik mocht van geluk spreken.

De kou viel scherp op me aan. Ik ademde de ijzige lucht in en friste ervan op. Ten overstaan van het mysterie dat zich voor me ontvouwde voelde ik me opeens energiek. Ik was nog nooit zo gemotiveerd geweest om in het verleden te gaan spitten. Het maakte me niet langer bang, maar intrigeerde me.

Ondanks de sombere eentonigheid van het landschap monterde de rit over het platteland me op. Ik dacht na over het fotoalbum en de schrik die ik had gevoeld doordat ik de rechtmatige plaats van *De zigeunermadonna* had achterhaald. Ik had inmiddels het idee gekregen dat mijn moeder het schilderij aan het Metropolitan had geschonken omdat ze had geweten dat alle Rosenfelds dood waren. Dáárom had ze gezegd dat ze het schilderij 'terug moest geven'. Misschien had ze het al die jaren onder zich gehouden in de hoop dat ze op wonderbaarlijke wijze weer zouden opduiken om het op te eisen, of misschien had ze pas op haar sterfbed onthuld dat ze het bezat omdat de sterke arm der wet haar op dat moment niets meer kon maken. Als ik terug was, zou ik mijn notaris bellen en het hem uitleggen.

Uiteindelijk stuurde ik de auto de oprit van een rustieke boerderij op. Aan weerskanten bevonden zich schuren, met lichtgekleurde muren onder hun rode pannendak, net als de huizen in Mauriac. Ik zag dat er een rode tractor stond en glimlachte; in de tijd dat ik in het château had gewoond, had Jacques gebruikgemaakt van paarden. Ik zette de auto stil naast het huis. Dat was vrij groot, met hoge, slanke schoorstenen en ramen die waren omlijst met witte luiken. Er groeide klimop tegen de muren, als de baard van een oude man. Ik schakelde de motor uit en stapte naar buiten. Op het grind bleef ik even om me heen staan kijken, me koesterend in de warmte van Jacques' huis. Ik wist dat hij er was, omdat ik zijn aanwezigheid kon voelen. Even later verscheen hij in de deuropening. Zijn verweerde gezicht brak open in een betraande glimlach en hij spreidde zijn armen om me welkom thuis te heten. Zoals ik al zei: de mensen die van me hadden gehouden, herkenden me onmiddellijk.

32

Jacques zette zijn alpino af en omhelsde me als een zoon. Ik torende boven hem uit, maar desondanks drukte hij me tegen zich aan, terwijl zijn tranen op mijn jas drupten. Geen van tweeën zeiden we iets, maar we dachten allebei hetzelfde: waarom had ik er zo lang mee gewacht om terug te komen?

Hij was getekend door ouderdom, als een knoestige boom. Hij moest minstens halverwege de tachtig zijn. Maar toen hij zich losmaakte en ik hem aankeek, zag ik dat het licht dat uit zijn binnenste straalde nog even helder scheen als vroeger. 'Wat fijn om je te zien,' zei ik. Hij lachte om het understatement en schudde zijn hoofd.

'Ik zou je billenkoek moeten geven omdat je niet eens hebt geschreven.'

'Ik schaam me diep,' zei ik welgemeend.

'Om er zomaar in het holst van de nacht vandoor te gaan!'

'Ik was nog maar een kleine jongen.'

'Daarom vergeef ik het je ook.' Hij slaakte een zucht en werd serieus. 'Maar je moeder vergeef ik het niet.'

'Laten we naar binnen gaan. Ik sta hier te vernikkelen,' zei ik, terwijl ik in mijn koude handen wreef.

Hij ging me voor door de hal naar de zitkamer, waar een vuur knapperde in de haard. In schril contrast met de grandeur van het château was Jacques' huis knus en kaalgesleten, en het stond er vol voorwerpen en boeken met sentimentele waarde. Evenals rond de schuren buiten was het binnen netjes. Ik liet me neerzakken in een armstoel en warmde mijn handen aan de oranje vlammen. Jacques schonk me een drankje in en kwam naderbij om het vuur op te rakelen. Stram knielde hij neer en porde met een pook tegen de houtblokken. 'Ziezo, dat is beter,' zei hij. 'Het is een strenge winter.'

'Ben je weggegaan uit Mauriac?' zei ik. Hij knikte.

'Er was niets meer wat me nog daar hield. Trouwens, ik was te oud om te blijven werken.'

'Dus heb je deze boerderij gekocht en je er gesetteld met Yvette.'

'Yvette,' grinnikte hij, en hij keek me met een twinkeling in zijn ogen aan. 'Yvette was een goede echtgenote. Ze gaf me lekker te eten en ik kreeg een buikje als een tevreden man. Ze was een aardse vrouw, en ook nog lekker in bed!'

'Ik heb jullie een keer bespied, weet je.' Hij kwam overeind en ging tegenover me zitten; toen hij zich neerliet in de stoel, slaakte hij een zucht van genoegen.

'O ja?'

'Ja, ik heb jullie zien vrijen in het tuinhuis.'

'Donderstraal!' grauwde hij, duidelijk genietend van de herinnering.

'Nu weet ik het weer: je zei dat ze zo sappig was als een druif!'

'Ik was heel dol op Yvette.' Ik zei hem maar niet dat ik een ontzettende hekel aan haar had gehad. Maar toen maakte hij een opmerking die me verraste: 'Ze was heel dol op jou.'

'Volgens mij kon ze me niet luchten of zien,' antwoordde ik.

'Misschien dat ze een hekel had aan waar je voor stond, Mischa. Maar dat heb ik rechtgezet.'

'Ze ging me beter behandelen toen ik haar pakjongen werd.'

'Haar pakjongen?'

'Ze tilde me op om dingen voor haar te pakken van boven op de kasten en van die rekken die aan het plafond hingen. Ze moest niets hebben van hoogtes.'

'Het viel haar zwaar om een wrok tegen je te koesteren. Ik weet wel dat ze dat graag had gewild. Je moet begrijpen dat dit land zich schaamde voor wat er in de oorlog was gebeurd. Jij vormde in al je onschuld een herinnering aan een nationale schande: de nederlaag en verovering van Frankrijk. Maar je was een heel lief jongetje en vanzelfsprekend hield ik van je alsof je mijn eigen kind was. Je gelooft het misschien niet, maar Yvette weende bittere tranen toen je was weggegaan.' Peinzend nipte hij van zijn koffie. 'En ík ook.'

'Daphne Halifax en jij waren de enigen die aardig voor me waren,' zei ik. 'En een andere vrouw, uit Amerika, Joy Springtoe. Zie je,' voegde ik eraan toe terwijl ik hem met vaste blik aankeek, 'hen vergeet ik niet.'

'Vertel eens, Mischa: hoe is het met je moeder?' Opeens vond er een onverwachte omslag plaats in de lucht, alsof die door de ramen naar buiten werd gezogen. Ik aarzelde, omdat ik op het randje van een ander inzicht balanceerde, zo ongeveer als in de zomer 's ochtends vroeg de mist optrekt. Jacques zag er zo verdrietig uit, zo verloren, zo van zijn ankers geslagen, dat ik ineens vrij zeker wist dat hij van haar had gehouden. Ik wendde mijn blik af, omdat ik het niet aankon hem in de ogen te kijken.

'Ze is overleden,' antwoordde ik, en ik voelde zijn verdriet als een gewicht op mijn schouders. Toen ik mijn ogen opsloeg, zag ik dat de zijne vol tranen stonden. 'Wist ze dat je van haar hield?' vroeg ik vriendelijk.

Hij knikte. 'Ze wist het, ja.'

'Dus dát was de reden waarom je aan onze kant stond.'

'Dat is de reden waarom ik aan jullie kant stond, en voor nog veel meer.' Ik voelde aan dat hij over haar wilde praten, dus ging ik nog een stapje verder.

'Hoe lang kende je haar al?'

'Van jongs af aan.' Dat had mijn moeder me nooit verteld. Ik was ervan uitgegaan dat ze elkaar op het château hadden leren kennen. 'Anouk en ik zijn samen in Mauriac opgegroeid. Toen zij vertrok, kon ik het niet verdragen om te blijven. Dus ben ik ook maar weggegaan, zo ver als ik durfde.'

'Vertel eens wat over haar, Jacques.'

'Anouk was het meisje met wie iedereen wilde trouwen,' begon hij, en het licht dat zijn gezicht van binnenuit verlichtte keerde terug. 'Ze was koket, ondeugend, zelfs ijdel. Ze was heel mooi, en ze had een fantastisch gevoel voor humor. Ik was vijftien jaar ouder dan zij, maar toch werden we vrienden. We moesten overal om lachen. Ze leefde ook met je mee, en had ontzettend veel liefde te geven.

Toen ze eenentwintig werd, kregen we iets met elkaar. Ik was voor de vader van Gustave Rosenfeld gaan werken toen ik zestien was. Ik hielp Anouk daar aan werk toen Gustave en zijn vrouw, Pauline, na zijn vaders dood het kasteel erfden. Ze waren jong en hadden kleine kinderen. Anouk werkte als *jeune fille*; ze zorgde voor de familie en was de spil van hun sociale leven. De Rosenfelds waren een heel belangrijke wijnfamilie. De wijngaard exporteerde over de hele wereld en uit alle windstreken kwamen er mensen op bezoek. Ze had het er maar druk mee. Maar ze hield van haar werk en van de familie, vooral van de tweede dochter, Françoise.' Hij staarde in het vuur alsof hij in zichzelf sprak. 'Voor de oorlog werkten we drie jaar lang overdag samen en bedreven 's nachts de liefde. Ik vroeg haar of ze met me wilde trouwen, maar daar vond ze zichzelf te jong voor. Ik zei dat ik wel zou wachten.' Hij haalde zijn schouders op. 'Wie zou niet op Anouk hebben gewacht?'

'En toen kwamen de Duitsers.'

'Eerst annexeerden ze Oostenrijk, vervolgens veroverden ze Tsjecho-Slowakije. Ze namen Sudetenland in en marcheerden Praag binnen. Toen Hitler met zijn leger Polen binnentrok, brak de oorlog uit. We dachten dat we hen wel zouden verslaan. We geloofden allemaal dat het binnen een paar dagen voorbij zou zijn. Hoe zou Hitler de macht van Frankrijk kunnen breken? Dat was niet voor te stellen. De oogst van 1939 werd bedorven door de regen. De wijn was dun – verdund, net als afwaswater. De boeren hebben een legende over wijn en oorlog: om aan te kondigen dat het oorlog wordt, zendt de Heer hun een slechte oogst; terwijl de oorlog woedt, zorgt Hij voor middelmatige oogsten; en om aan te geven dat het voorbij is, stuurt hij een rijke, overvloedige oogst. De oogst van 1939 was de slechtste in honderd jaar!

De Rosenfelds bleven in het château. Sinds Hitler aan de macht was, was er een gestage stroom joden van Duitsland naar Frankrijk en Engeland en Oost-Europese landen getrokken. Er gingen geruchten dat er joden werden vermoord, maar niemand hechtte daar geloof aan. Toen werden er in november 1938 in één enkele nacht bijna honderd joden om het leven gebracht.'

'De Kristallnacht,' zei ik met een kort knikje.

'Desondanks voelden de Rosenfelds zich veilig in Frankrijk. Maar ze wilden er alles aan doen om hun wijn veilig te stellen. Ze hadden tienduizenden flessen in de doolhof van kelders onder het château liggen. Dus besloot Gustave Rosenfeld de wijn van de allerbeste jaren, met name 1929 en 1938, in te metselen. De kinderen vonden het reuzespannend, maar in onze ogen was het niet meer dan een voorzorgsmaatregel. Niemand van ons geloofde echt dat Hitler de grens over zou komen. Gustave en ik metselden de stenen, terwijl Anouk, Françoise en de anderen met Pauline rondrenden om spinnen te verzamelen, zodat die webben zouden spinnen, waardoor de muren eruit zouden komen te zien alsof ze veel ouder waren. Zie je, sommige delen van de *cave* zijn wel vierhonderd jaar oud.'

'Waarom hoefde je niet in dienst?'

'Ik was zevenendertig en astmatisch. Ik mocht blijven om voor de wijngaard te zorgen. De jongens met wie ik werkte trokken enthousiast en fier ten strijde. Maar niet eentje van hen is teruggekeerd.'

'Wat gebeurde er met de Rosenfelds toen de Duitsers kwamen?'

Hij schudde zijn hoofd, dat bijna kaal was, op een dun laagje wit haar na, als de webben die de spinnen over de muren van de *cave* hadden gesponnen. 'Gustave werd onder de wapenen geroepen. De rest van de familie werd weggevoerd, en van hen werd nooit meer iets vernomen. Destijds dachten we nog dat ze aan het eind van de oorlog bevrijd zouden worden. Met die hoop voor ogen werkten we verder. Maar ze kwamen in de kampen om het leven. Ik moet er niet aan denken hoe ze waarschijnlijk hebben geleden. Ik hoop bij God dat hun einde snel en pijnloos is geweest. En het château werd gevorderd door kolonel Dieter Schulz.'

'Mijn vader.'

'Hij was een lange, knappe man met een kaarsrechte houding. Ik vind het niet zo gek dat je moeder verliefd op hem werd. Hij gaf te kennen dat hij de wijn niet zou aanraken en dat hij iedereen met respect zou behandelen. Maar er moesten wel kratten wijn naar Duitsland worden gestuurd en tegen het eind van de oorlog kwam Goering in eigen persoon bij ons op bezoek om kunstwerken uit te kiezen die ingepakt moesten worden en met zijn privétrein naar Berlijn worden gestuurd. Het is nu algemeen bekend dat hij een paar van de meest waardevolle joodse verzamelingen voor zichzelf bestemde.'

'Heeft Goering de kunstverzameling van de Rosenfelds geroofd?' Ik wist niet wat ik hiervan moest denken. 'Waarom heeft hij *De zigeunermadonna* dan niet gestolen?'

'*De zigeunermadonna?*'

'Dat is een schilderij van Titiaan. Het heeft ooit in het château gehangen. Mijn moeder heeft het vlak voor haar dood aan het Metropolitan geschonken.'

'Daar weet ik niets van. Zover ik weet, plunderde Goering alles. Ik zie hem nog zo voor me: een dik, opgeblazen fatterig mannetje met blond haar en een hele rits medailles op zijn uniform. Ik wil wedden dat hij heel wat tijd voor de spiegel doorbracht. Hij paradeerde rond met een hele entourage van officieren in de meest extravagante uniformen, nipte aan de champagne en stapte door de hal alsof het allemaal zijn hoogstpersoonlijke bezit was. Hij koos drie of vier schilderijen uit, een wandtapijt, en zilver uit de eetkamer. Ik weet niet precies wat hij heeft meegenomen, maar Anouk zei dat hij de meest waardevolle spullen in het château had meegepikt.'

'Hield ze iets achter?' vroeg ik.

'Behalve de wijn? Dat weet ik niet precies, maar dat zou me niet hebben verbaasd. Anouk was welopgevoed en ontwikkeld. Ze kon een Michelangelo van een Raphael onderscheiden.'

'Bezat de familie nog andere schilderijen die zo veel waard waren?'

'Goering dacht van wel, anders was het de moeite niet geweest om ze mee te nemen.'

'En mijn vader?'

'Je moeder was volgens mij op slag verliefd op hem. Hij had charisma. Hij was lang, net als jij, en breedgeschouderd. Hij was natuurlijk een belangrijke officier van het Duitse *Reich*, dus hij straalde gezag uit, en dat is voor jonge vrouwen uitermate aantrekkelijk. Ik wilde niets van hem weten omdat hij mijn Anouk van me had afgepikt, maar ik moet toegeven dat hij een heer was en een vriendelijk mens. Hij werd ook verliefd; dat kan ik hem niet kwalijk nemen. Iederéén werd verliefd op Anouk.'

'Maar je bleef wel op het château werken?'

'Het château was mijn leven, en trouwens: het was ondenkbaar om niet bij haar te zijn.'

'Ik ben bij Père Abel-Louis op bezoek geweest...'

'Moge de duivel zijn ziel halen!' zei hij venijnig.

'Volgens mij duurt dat niet lang meer.'

'Wat had je nou bij hem te zoeken?' Hij staarde me bijna beschuldigend aan, alsof louter het noemen van zijn naam al op de een of andere manier verraad inhield.

'Omdat ik hem wilde kwellen. Maar hij wordt al genoeg gekweld door de dingen die hij in het verleden heeft gedaan. Hij vertelde me dat hij mijn ouders in het geheim heeft getrouwd.'

'Ja, ook hij collaboreerde. Hij verhandelde mensen, Mischa. Heeft hij je dat ook verteld?'

'Daar ben ik wel van uitgegaan...'

'Hij had er de hand in dat de Rosenfelds werden weggehaald om de dood te vinden in de gaskamers van Auschwitz – dat die kleine, weerloze kinderen het recht werd ontzegd om op te groeien. Hannah, Françoise, Mathilde, André en Marc.' Hij vuurde hun namen als kogels op me af. Ik schrok ervan. 'Hij verraadde niet alleen hen, maar iedere jood in Mauriac. Waarom denk je dat hij er zo warmpjes bij zat terwijl heel Frankrijk moest hongeren? Ik wil wedden dat hij je dat niet heeft verteld!'

'Hij zei dat hij mijn moeder had verraden, zodat zij tegen niemand zou zeggen wat hij had gedaan.'

'En ze brandmerkten haar lichaam alsof ze een beest was.' Ik zal wel ontzet hebben gekeken, want hij zei: 'Ik wil wedden dat hij je dat niet heeft verteld.' Hij snoof uitdagend, en voegde er toen met een heel zachte stem aan toe: 'Je moeder werd naar de Place de l'Eglise gebracht met drie andere vrouwen die met de Duitsers hadden gecollaboreerd. Ze werden helemaal uitgekleed. Hun hoofden werden kaalgeschoren en ze werden met een gloeiend heet ijzer op hun billen gebrandmerkt, als varkens. Heeft hij je dat verteld? Nee? Weet je wat voor teken ze gebruikten? De swastika. Je moeder zou daar de rest van haar leven mee rond moeten lopen. *Monsieur le Curé* stond erbij en keek ernaar. Daarmee hechtte hij er zijn goedkeuring aan. En jij? Dat weet je toch nog wel?'

'Ja, ik weet het nog,' mompelde ik.

'Ze hadden je bijna vermoord. Ik tekende protest aan, maar in mijn eentje kon ik tegen zo'n overmacht weinig uitrichten. De Amerikanen hebben je gered, Mischa, en ze hebben je moeder gered. Als zij er niet waren geweest, zouden jullie allebei vermoord zijn.'

'En jij?'

'Ik verdedigde jullie zo goed ik kon. Daarna was ook ik een verschoppeling, maar ik heb nooit ook maar een seconde spijt gehad. Ik hield van Anouk en ben altijd van haar blijven houden.'

'Je hebt een keer gezegd dat mijn vader een goed mens was.'

'Dat meende ik ook.'

'Hoe is het hem vergaan?'

'Dat weet ik niet, Mischa. Hij is in de zomer van 1944 vertrokken en hij is nooit meer teruggekomen.'

'Wilde mijn moeder niet weten wat er met hem was gebeurd?'

'Ook dat weet ik niet. Ze had het nooit over hem. Toen hij eenmaal vertrokken was, kreeg ze het er heel druk mee om samen met haar zoontje het hoofd boven water te houden. Ik neem aan dat hij is gesneuveld. Hij had je moeder willen meenemen naar Duitsland. Ik denk dat hij, als hij in leven was gebleven, zijn belofte zou zijn nagekomen.' Hij keek op en bleef me een hele poos aankijken, waarna hij zijn koffiekopje neerzette. Kreunend kwam hij overeind uit zijn stoel. Opeens leek hij veel ouder, alsof ons gesprek over het verleden hem een paar van de jaren had gekost die hem nog restten. 'Ik moet je iets laten zien.'

Stram liep hij naar een kast en trok het laatje bovenin open. Hij rommelde wat rond, tot hij er de bruine envelop uit haalde die hij zocht. Hij streek er even met zijn duim overheen voordat hij hem aan mij overhandigde. Op de voorkant stond JACQUES REYNARD geschreven, in mijn moeders handschrift. Het begon me te duizelen, omdat ik hem herkende: dit was de brief die ze voor hem had achtergelaten op de avond dat we naar Amerika waren vertrokken. Het laatste wat hij ooit van haar had gehoord. Met trillende vingers maakte ik de envelop open en haalde er een keurig opgevouwen velletje papier uit:

Liefste Jacques,
Vanavond vertrek ik om in Amerika een nieuw leven te beginnen. Ik kan er niet tegen om afscheid te nemen. Ik geloof niet dat ik zou kunnen vertrekken als ik het je recht in je gezicht moest zeggen. Je hebt bijna zo lang als ik me kan heugen van me gehouden en ik heb op mijn beurt van jou gehouden, hoewel misschien niet op de manier die jij graag had gezien. Ik ben je dankbaarder dan ik je met mijn simpele woorden kan zeggen. Weet je nog, die tijd dat we op het château lachten in de zon, picknickten aan het strand en heerlijke wijn dronken? Weet je nog toen we een muur in de cave bouwden en elkaar daarachter stiekem zoenden? Ik bezoek nog steeds geregeld de donkere plekken in mijn hart, Jacques, want dat zijn de herinneringen waar ik het meest trots op ben. Weet je nog toen we joden lieten onderduiken in de kelder en hen Frankrijk uit smokkelden? Weet je nog dat je voor me opkwam toen ik werd kaalgeschoren en gebrandmerkt als een dier op een boerderij? Weet je nog dat je van mijn zoon hield alsof het je eigen kind was? Dat je met hem speelde in de wijngaard? Dat je hem mee uit rijden nam op je paard? Weet je nog dat we, ondanks alle pijn, hopeloosheid en verschrikkingen, altijd nog elkaar hadden en ondanks alles samen konden lachen? Mijn lieve Jacques, ik zal die herinneringen altijd bij me dragen. Vergeet mij en Mischa niet, want wij zullen jou nooit vergeten.

Met alle liefs, Anouk

Ik las de brief keer op keer over, totdat de woorden wazig werden door mijn tranen. Ik vouwde het papier op en stak het weer in de envelop. Jacques zei niets, maar staarde droevig in de vlammen. Ik hield de envelop in mijn handen en dacht over haar woorden na. De inwoners van Mauriac hadden haar gestraft, terwijl ze al die tijd voor het verzet had gewerkt en haar leven op het spel had gezet om anderen te redden. Ze had me nooit verteld dat ze haar hadden gebrandmerkt. Misschien was ze ervan uitgegaan dat ik het nog wel zou weten. Ze wist niet dat ik me de verschrikking van mijn eigen lot beter herinnerde dan die van het hare. Hadden we er maar over gepraat in plaats van aan te nemen dat we elkaar wel begrepen.

'Hebben mijn moeder en jij joden gered?' vroeg ik ten slotte.

'Er was een joodse familie in Mauriac die Abel-Louis nog niet had aangebracht. Toen de Rosenfelds werden gedeporteerd, was Anouk bang dat zij daarna aan de beurt zouden zijn. We brachten hen midden in de nacht onder en verzorgden hen een maand voordat we hen veilig naar Zwitserland wisten te smokkelen.'

'Heb jij ook in het verzet gezeten?'

'Op mijn eigen bescheiden manier. Het begon met één gezin, maar het werden er uiteindelijk veel meer. Je moeders codenaam was Papillon. Ze was een ontzettend dappere vlinder.' Weer keek hij me met vaste blik aan, en zijn door rimpels omringde oude ogen stonden vermoeid, maar wijs. 'Toen ik zei dat je vader een goed mens was, Mischa, meende ik dat ook. Hij wist dat we joden in de *cave* hadden, maar hij kneep een oogje toe. Zie je, hij hield van Anouk. Hij zou alles voor haar doen, zelfs zijn positie in gevaar brengen en zijn leven op het spel zetten.'

'Ik herinner me nog de namen die op de muur stonden gegrift: Leon, Marthe, Felix, Benjamin, Oriane.'

'Jij hebt een beter geheugen dan ik,' zei hij.

'Er is nog iets anders,' voegde ik eraan toe, terugdenkend aan de jonge man die in mijn moeders album was verschenen. 'Had mijn moeder soms een broer?'

'Ja. Hij heette Michel.'

'Wat is er met hem gebeurd? Ze heeft zijn naam nooit genoemd.'

'Je moeder was een overlever. Als ze zich ergens voor moest afsluiten om te kunnen overleven, dan deed ze dat en ging ze verder. Zo ging het met je oom ook. Als kinderen waren ze onafscheidelijk geweest en als tieners waren ze heel close met elkaar. Toen de oorlog uitbrak, moest Michel in dienst om te gaan vechten met de bloem van de Franse jeugd.'

'Is hij omgekomen?'

Jacques schudde zijn hoofd. 'Hij ontdekte dat Anouk een relatie met je vader had. Dat verklapte hij aan zijn ouders en die onterfden haar. Ooit waren ze een hecht gezin geweest, maar dit dreef een wig tussen hen en de kloof kon nooit meer worden overbrugd. Michel trok ten strijde en keerde niet meer terug. Toen jij werd geboren, noemde ze jou naar hem. Mischa.'

'Wat gebeurde er met mijn grootouders?'

'Aan het eind van de oorlog gingen ze ergens anders wonen. Omdat ze met hetzelfde sop waren overgoten, konden ze niet langer in Mauriac blijven. Ze waren er kapot van dat Anouk in het openbaar te schande werd gezet, en jij, Mischa, herinnerde hen er voortdurend aan dat ze had geheuld met de vijand. Ze hadden familie in Italië. Ze zullen wel zijn overleden zonder haar ooit te hebben vergeven. Zie je, haar vader had nog in de Eerste Wereldoorlog gevochten. In hun ogen was het een verschrikkelijk verraad om van de vijand te houden, vergelijkbaar met landverraad. Ze konden het niet begrijpen, en vergeven konden ze het al helemaal niet.'

'Waarom heeft mijn moeder hier nooit iets over tegen mij gezegd?' riep ik geërgerd uit.

'Omdat ze de dingen die haar hadden gegriefd het liefst wilde vergeten. Waarom zou ze jou er ook onder laten lijden? Van jou hield ze meer dan van wie ook ter wereld. Jij was alles voor haar. Ze wilde dat je zou opgroeien zonder al die bagage. Nu ben je volwassen, ben je er zelf achter gekomen en ben je oud genoeg om ertegen te kunnen.'

'Ze wist dat ze stervende was. We hebben angstige maanden meegemaakt waarin ze gestaag achteruitging. Waarom heeft ze me er toen niets over gezegd? Ik was tenslotte geen jongen meer.'

Hij haalde zijn schouders op. 'Ik weet het niet. Het is inmiddels allemaal lang geleden. Waarom zou je het allemaal weer oprakelen?'

'Had ik dan het recht soms niet om te weten hoe het met mijn vader zat?'

'Wat zou ze je verder nog hebben kunnen vertellen?'

'En die joden dan die ze heeft gered? Daar zou ik trots op kunnen zijn.'

'Als ze begon, zou je misschien doorvragen en zou ze niet meer kunnen stoppen. Anouk hield er niet van om te blijven stilstaan bij dingen die haar verdrietig maakten. Zoals ik al zei: ze sloot zich ervoor af en ging verder. Zo zat ze nu eenmaal in elkaar. Je zult haar moeten accepteren zoals ze was.'

'En jij?'

'Ik heb een goed leven gehad en ik ben gelukkig geweest. Dat ik van je moeder hield wil nog niet zeggen dat ik mezelf andere pleziertjes ontzegde. Ik sloot compromissen en heb er iets van weten te maken.' Hij boog zich naar voren en pakte mijn hand. Die was vergeleken met de mijne klein, en plotseling voelde ik me weer een kleine jongen. 'Jij bent mijn troost, Mischa. Ik heb zelf nooit kinderen gehad, maar ik heb jou. Laten we niet langer oude koeien uit de sloot halen. Ik wil deel uitmaken van je toekomst.' Hij wierp een blik op zijn horloge. 'Het is nooit te vroeg voor een glas wijn. Laten we drinken op je terugkeer en op de toekomst, en dan moet je me eens over jouw leven vertellen. Op die manier kan ik er ook deel van uitmaken.'

33

Ik bleef tot middernacht bij Jacques. We dronken samen, verdronken onze tranen en onze lach in de wijn die het bloed is van de Bordeaux. Ik was niet goed in staat om terug te rijden naar het hotel, maar ik had de volgende ochtend afgesproken met Claudine en ik wilde er zijn. We omhelsden elkaar voor de laatste keer. Ik geloof dat Jacques wel besefte dat hij me waarschijnlijk nooit meer terug zou zien. Hij was oud en de zandloper van zijn leven was bijna leeg. Ik zou hooguit na jaren nog eens terugkomen, als dat al gebeurde, en tegen die tijd zou hij er niet meer zijn. 'Waarom kom je niet weer hier wonen?' vroeg hij in een poging me dicht bij hem in de buurt te houden.

'Mijn leven is in Amerika,' antwoordde ik. Maar hij had wel door wat de werkelijke reden was.

'Er zijn hier te veel akelige dingen gebeurd,' zei hij met een licht knikje vol begrip. 'Laat het allemaal maar achter je, Mischa. Je moet nu verder, net als je moeder vroeger deed. En ik moet ook door.' We omhelsden elkaar, genietend van de sterke band tussen ons waardoor we weer dicht bij elkaar hadden kunnen zijn. Hij stond oud en breekbaar in de deuropening, met zijn alpino in zijn handen, die hij rond- en ronddraaide. Toen ik mijn auto langs de schuren stuurde en naar de grote weg, zwaaide ik uit het raampje. Ik ving nog één blik van hem op in de achteruitkijkspiegel, en toen was hij verdwenen.

Door het donker reed ik terug, voorovergebogen om langs de mist in mijn hoofd heen te kijken. Ik moest me concentreren. Mijn hoofd duizelde niet alleen van de wijn, maar ook van alles wat Jacques me had verteld. Wat me nog het meest had getroffen was dat hij al die jaren van mijn moeder had gehouden en geen wrok koesterde. Hij was er getuige van geweest hoe ze verliefd was geworden op mijn vader en zijn kind ter wereld had gebracht, en toch had hij van me gehouden als van een eigen zoon. Ik begon te beseffen dat ware liefde onzelfzuchtig en onvoorwaardelijk is. Ik dacht niet dat ik op die manier zou kunnen liefhebben. Ik wilde Claudine voor mezelf, wat er ook gebeurde. Ja, ik wilde haar redden van haar ongeluk, maar ik wilde ook mijn eigen narigheid verlichten. Ik achtte Jacques hoog, want míjn liefde was zelfzuchtig.

Zonder te verdwalen of in slaap te vallen wist ik het hotel te bereiken. De nachtportier keek verrast op toen hij me naar binnen zag wankelen, terwijl ik mijn best deed om in een rechte lijn te lopen. Ik schonk hem een glimlach en begroette hem hartelijk, wat zo helemaal niets voor mij was dat hij wit wegtrok. Ik zocht me een weg naar mijn kamer en liet me op het bed vallen. Ik moest eerst even uitblazen voordat ik me zou uitkleden.

Toen ik daarna mijn ogen opendeed, was het ochtend. Ik bestelde koffie op mijn kamer, deed de gordijnen en de ramen open en liet de frisse ochtendlucht binnen. De zon scheen uitbundig en liet de piepkleine ijsdeeltjes die in de lucht hingen twinkelen. Ik voelde me vredig. Jacques had een heleboel mysteries uit het verleden voor me ontraadseld. Ik had het idee dat ik mijn moeder nu beter begreep en wenste dat ze nog leefde, zodat ik er met haar over zou kunnen praten. Ik ging ervan uit dat ze *De zigeunermadonna* in goed vertrouwen voor de Rosenfelds had verstopt, in de verwachting dat ze aan het eind van de oorlog zouden terugkomen. Ze had hun lot niet kunnen voorspellen. Ik nam aan dat ze het schilderij al die jaren onder zich had gehouden uit angst om van diefstal te worden beschuldigd. Dat was begrijpelijk. Wat moest ze zich hebben verkneukeld toen Goering door het huis banjerde op zoek naar waardevolle kunst. Hij had niét de hand weten te leggen op de beste stukken, zoals hij had verondersteld. Ik was trots op Papillon.

Ik nam een douche en schoor me. Mijn gedachten keerden terug naar Claudine. Ik wachtte tot ze zou bellen. Toen ze dat deed, wakkerde haar stemgeluid mijn verlangen aan en kreeg de jaloezie me weer helemaal in zijn greep. 'Wanneer kunnen we elkaar zien?' vroeg ik met mijn gebruikelijke ongeduld.

'Zo meteen, op de brug,' antwoordde ze. Bij de gedachte om weer een wandeling te moeten maken raakte ik gefrustreerd, maar ik vond niet dat ik daar aan de telefoon iets van moest laten merken, dus stemde ik toe.

'Ik heb je gemist,' zei ik in plaats daarvan. 'Ik heb je het hele weekend gemist.'

'En ik heb jou ook gemist.' Haar stem klonk anders. Ik hoorde er een terughoudendheid in die me alarmeerde.

'Kom nu. Ik heb je een heleboel te vertellen,' instrueerde ik haar.
'Dan wacht ik op je.'
Ik hoefde niet lang te wachten. Ze kwam aan in haar jas en met een hoed op, een gestreepte sjaal rond haar hals gebonden, haar benen met bruine kousen in schapenleren laarzen. Ze liet me haar omhelzen, maar ik voelde haar lichaam verstarren. 'Is alles in orde?' vroeg ik.
'Laten we gaan zitten,' stelde ze voor, en ik kreeg een zinkend gevoel in mijn maag. Ik liep met haar mee naar het ijzeren bankje waar we op de ochtend van onze eerste ontmoeting hadden gezeten.
'Wat is er? Heb je twijfels gekregen? Wat is er aan de hand?' Ze pakte mijn hand en keek me strak aan. Ik voelde dat er achter haar vernisje van zelfvertrouwen angst lag.
'Je bent in de kerk geweest,' zei ze. Ik was verbijsterd.
'Inderdaad, ja,' antwoordde ik, in een poging nonchalant te klinken. 'Jij was met Laurent. Ik wilde geen problemen maken.'
'Maar je bent me naar huis gevolgd.' Weer was ik hogelijk verbaasd. Ik kon niet anders dan open kaart spelen. Ik boog me voorover, zette mijn ellebogen op mijn knieën en wreef met mijn handen over mijn gezicht.
'Het spijt me als ik iets heb gedaan wat ik beter niet had kunnen doen,' zei ik.
'Waarom ben je me gevolgd, Mischa?'
'Ik wilde zien hoe Laurent je behandelt.'
'Waarom heb je me dat niet gewoon gevraagd?'
'Omdat je niet de indruk wekte dat je over hem wilde praten.'
'Ik wil niet dat hij bederft wat wij samen hebben.'
'Dat doet hij alleen al doordat hij je man is.'
'Als ik bij jou ben, wil ik niet aan hem denken.' Ik was opgelucht toen er tranen in haar ogen blonken: ik was haar dus toch niet kwijt. 'Ik hou van je, Mischa. Wanneer we samen zijn kan ik doen alsof Laurent niet bestaat.'
Ik schoof iets naar achteren en pakte haar handen. 'Dat is niet nodig, Claudine. Je kunt bij hem weggaan en met mij meekomen naar Amerika.'
'Dat kan ik niet.' Ze wendde zich af en wreef met de rug van haar hand langs haar neus. 'Je begrijpt het niet.'
'Natuurlijk kun je dat wel. Je kinderen zijn volwassen. Niets houdt je hier in Mauriac. Er valt hier niets meer te halen. We kunnen samen een nieuw leven beginnen in New York.' Ze keek me aan. 'Je bent jong en mooi,' zei ik, terwijl ik met een vinger langs

haar koude wang streek. Ze pakte mijn hand en drukte die tegen haar lippen.

'Ik ben bang,' fluisterde ze.

'Voor Laurent?'

'Niet voor Laurent. Ik heb met hem te doen. Hij heeft geen rust voordat hij de wereld om hem heen onder controle heeft, mij incluis. Hij is een bittere, boze man geworden. Nu hij voelt dat ik dreig weg te drijven, stelt hij alles in het werk om me vast te houden. Hij wilde nooit met me vrijen, maar nu wil hij niets liever. Ik heb er genoeg van om smoesjes te moeten verzinnen.'

'Waar ben je dan bang voor?'

Een frons deed haar voorhoofd betrekken en ze keek me schaapachtig aan. 'Ik ben bang om de verkeerde beslissing te nemen. Ik ben bang voor God.'

'Voor God!' Ik wilde lachen van opluchting. Toen herinnerde ik me op hoe goede voet ze stond met Père Robert. 'Ben je te biecht gegaan?' Ze knikte. 'Waarom, Claudine? Je weet toch dat hij aan overspel nooit zijn goedkeuring zal hechten?'

'Ik moest wel. Hij is al die jaren zo goed voor me geweest. Hij was mijn enige steun en toeverlaat. In het begin kon ik niet tegen Laurent op. Père Robert heeft me geleerd hoe ik dat moest aanpakken. Ik kan niet tegen hem liegen.'

'Je kunt toch niet in een ongelukkig huwelijk blijven hangen alleen maar om de priester tevreden te houden? Je moet naar je gevoel luisteren en je geluk op de eerste plaats stellen.'

'Ik voel me schuldig. Laurent is de vader van mijn kinderen. We kennen elkaar al van jongs af aan. Hebben zesentwintig jaar met elkaar in één bed gelegen. In de kerk, ten overstaan van God, hebben we onze huwelijksgeloften afgelegd. Ik zou een van de tien geboden overtreden. Zoiets heb ik nog nooit gedaan.'

'Maar je hébt nog helemaal niets gedaan.'

'De intentie is er wel.' Ze zag er heel ernstig uit. Ik kon niet geloven dat ze zich hierdoor had laten inpakken. Wist ze dan niet dat die priesters allemaal onzin hadden verzonnen om de mensen in het gareel te houden?

'In godsnaam, Claudine. Ik laat mijn levensgeluk niet nog een keer bederven door een priester.' Ik nam haar in mijn armen en kuste haar vurig. 'Neem er afstand van. Verschuil je niet langer. Ik zou er begrip voor hebben als je bang zou zijn voor Laurent, of zelfs voor de toekomst, zelfs voor jezelf, maar verstop je niet achter de Kerk. Hou je van me?'

'Ja.'

'Meer is er niet voor nodig. Ik ga niet weg zonder jou.' Ze schonk me een dankbare glimlach. In reactie op mijn vastbeslotenheid leek ze te zwellen, alsof ze nog bewijs nodig had gehad van mijn warme gevoelens. Nu ze op het punt stond alles wat haar vertrouwd was achter te laten, zal ze wel behoefte hebben gehad aan de geruststelling dat mijn liefde sterk genoeg was om haar niet in de steek te laten. Als ze eenmaal zou zijn vertrokken, kon ze immers niet meer terug.

'Ik wil met je vrijen,' zei ze opeens. 'Ik wil dat je me neemt, Mischa. Ik wil de jouwe zijn.'

'Waar dan?' Ik hoefde niet overgehaald te worden.

'Ik weet wel een plekje.' Ze stond op en pakte mijn hand. 'Kom, Mischa. Laten we vandaag met onze toekomst beginnen.'

We liepen een poosje langs de rivieroever, hand in hand als jonge geliefden. Ik herinnerde me nog goed hoe het daar in de zomer kon zijn en mijn hart zwol van nostalgie: het felgroene gras, vol krekels; de bomen die met hun takken stelletjes koerende houtduiven toevlucht boden; de geur van naaldhout en rozemarijn die zwaar in de lucht hing. Claudine stond voor al die dingen en ik wist zeker dat als ze met me meeging naar Amerika, ik het allerbeste van de zomer met me mee zou nemen.

Na enige tijd kwamen we bij een boerderij en liet ik het verleden achter me. Er waren stallen en schuren, maar zover ik zag was er niemand te bekennen.

'Als kind speelde ik hier altijd. Ken je Antoine Baudron nog?'

Ik herinnerde me hem niet, maar ik wist wel dat hij waarschijnlijk een van de jongens was geweest die geboeid hadden staan luisteren terwijl ik op het schoolplein mijn leugens over wonderen en heilige visioenen had opgehangen.

'Hier woonde hij. Hij is getrouwd en verhuisd, maar zijn vader zorgt nog voor de boerderij.' Ze leidde me speels het betonnen pad op, langs allerlei gebouwtjes, en dook af en toe in elkaar of verstopte zich, wat me deed denken aan de spelletjes die ik met Pistou had gespeeld. Op het laatst trok ze de deur van een schuur open. 'Hier zetten ze de kalveren altijd in de lente. Boven is een hooizolder. Ik wil wedden dat er nu nog steeds wat hooi ligt. Daar kunnen we een lekker bedje van maken.' Ze giechelde schalks en wenkte me dat ik moest meekomen.

'Sommige mensen worden nooit volwassen,' plaagde ik.

'Dan zijn we met z'n tweeën, Mischa,' antwoordde ze terwijl ze de ladder naar de hooizolder op klom.

Onze speelse stemming vervloog toen we naast elkaar gingen liggen, beschut tegen de kou. 'Hou me dicht tegen je aan,' zei ze, en ze drukte haar lichaam tegen het mijne. 'Ik moet eerst warm worden.'

We lagen verstrengeld in het diffuse licht dat door de kieren in het houten dak viel en door een raampje waarvan het glas onder de schimmelplekken zat. We begonnen te zoenen, in het begin langzaam. Ik streek met mijn lippen over de hare, over haar wangen, over haar veerachtige wimpers en haar voorhoofd. Ze rook naar hout, als een bos, en ik sloot mijn ogen om de geur genietend beter tot me te kunnen laten doordringen. Ze groef met haar hand in mijn jas en onder mijn shirt. Ik voelde haar ijskoude vingers tegen mijn huid.

'Wat zijn je handen koud,' zei ik.

'Dat duurt niet lang meer. Je kookt vanbinnen.' Ze stak haar andere hand erbij en bewoog ze op en neer langs mijn ruggengraat. Ik voelde dat ze even op mijn litteken bleven rusten voordat ze verdergingen. Naarmate onze zoenen onstuimiger werden, voelde ik dat mijn broek steeds meer spande van opwinding. Onze adem was heet en op onze wangen verscheen een kersrode blos. Mijn handen waren warm als deeg dat net uit de oven komt. Ik trok haar blouse uit haar rok en maakte de haakjes van haar beha los. Haar borsten waren zacht en sponzig, niet langer de stevige borsten van een jonge vrouw die nog geen kinderen heeft gekregen, maar ik hield van hun rijpheid. Ik hield van de sporen die de tijd en het moederschap op haar lichaam hadden achtergelaten, omdat die haar echt maakten en een doorleefdheid gaven die me roerde. Ik wenste dat de kinderen die ze op de wereld had gezet van mij waren geweest. Ik wenste dat we samen waren opgegroeid. Ik begroef mijn gezicht in haar hals en deed haar kleren omhoog, zodat ik haar borsten in mijn mond kon nemen en de textuur van haar huid op mijn lippen kon voelen. Er ontsnapte haar een lage kreun en ze streek met haar vingers door mijn haar. Ze droeg een knielange tweedrok. Ik liet die over haar heupen glijden en zag dat daaronder haar bruine kousen omhoog werden gehouden door een jarretelgordeltje en dat ze een zijdeachtige onderbroek droeg. Het wond me op om de witte vlakte van haar dij boven het kant te voelen. Met glanzende ogen glimlachte ze me toe, haar oogleden zwaar van genot. Ik trok haar ondergoed omlaag en ze lag daar naakt en ongeremd, zonder schaamte, om zich door mij te laten liefkozen.

We vrijden de hele ochtend, met van tijd tot tijd een pauze om te praten, waarna we weer van voren af aan begonnen. 'Ik heb niet meer zo gevreeën sinds ik een jong meisje was,' zei ze blozend van genoegen. 'Ik dacht dat ik alle sensualiteit had verloren in de sleur van het huiselijk leven.'

'Je bent verrukkelijk,' liet ik haar weten, terwijl ik de schoonheid van haar gezicht in me opnam. 'Seks staat je goed.'

'Wie zou toen we nog knikkerden op de Place de l'Eglise hebben gedacht dat we dit ooit zouden doen?' Ze lachte en klom boven op me.

'Wat denk je dat Monsieur Baudron ervan zou zeggen als hij ons op zijn hooizolder vond?'

'Dan zou ik voorgoed uit Mauriac weg moeten.'

'Dan hoop ik maar dat hij komt,' zei ik, serieus nu. Ze bleef een hele poos naar me omlaagkijken. Ik zou willen dat ik haar gedachten kon lezen. 'Kom met me mee, Claudine. Ik kan niet zonder je vertrekken.'

'Maar je hebt je schilderij niet gevonden.'

'Jawel, dat heb ik wel.'

'O ja?' Ze was verbaasd. 'Vertel eens.'

'Alleen als je me belooft dat je met me meekomt.'

Haar glimlach bestierf op haar gezicht. 'Beloof je dan dat je me nooit in de steek laat? Dat je voor me zult zorgen? Dat we samen oud worden en van elkaar houden om al die jaren goed te maken die we hebben gemist? Kun je me dat allemaal beloven, Mischa? Want als je dat kunt, ga ik met je mee.' Ik trok haar omlaag en rolde me om, zodat ik haar in mijn armen tegen me aan kon drukken.

'We mogen dan de jongsten niet meer zijn, maar we hebben nog een heleboel jaren samen in het verschiet. Ik beloof je, Claudine, dat ik van je zal houden en voor je zal zorgen tot de dood ons scheidt. Ik vraag alleen maar of je vertrouwen in me wilt hebben; als je me de afgelopen veertig jaar had gekend, zou je gerustgesteld zijn, want ik heb nog nooit zo veel van iemand gehouden.'

'Waar heb je dat litteken vandaan?' vroeg ze.

'Ik heb een keer gevochten,' antwoordde ik, wetend dat ik nu mijn verspilde jeugd in zijn volle omvang zou gaan ontsluieren.

'Hoe kwam dat zo?'

'Het begon allemaal toen Coyote ervandoor ging...'

Ze luisterde aandachtig, terwijl ik laag voor laag mijn huid afwierp. Aan de buitenkant waren die harder, als stukken van een wapenrusting, bedoeld om mensen af te weren, terwijl ik er tegelijkertijd veilig binnenin zat en buiten bereik bleef. Nu liet ik ze een voor een van me af vallen, en bij elke laag die werd afgepeld voelde ik me lichter en gelukkiger. Ik vertelde haar over Kapitein Crumbles Rariteitenkabinet, over Matias en Elena, over de dag dat er werd ingebroken en over het hartverscheurende moment dat Coyote me voor het laatst had omhelsd; ik vertelde dat mijn moeder altijd tot gekwordens toe zijn plaats aan tafel had gedekt, over haar onwankelbare hoop, haar trage verscheiden en mijn afdaling in de wereld van straatbendes en gewelddadigheid. Ik praatte over de diefstal die ik had gepleegd, het vandalisme dat ik had begaan, de diepe schrik die ik anderen aanjoeg. Ik was niet trots op wie ik was geworden, maar ik wilde dat ze alles wist. Voor haar wilde ik geen geheimen hebben. Linda had me niet kunnen bereiken, maar ik wilde niets liever dan dat Claudine diep zou graven en mijn hart in haar handen zou nemen. Ik wilde dat zij het kreeg. Het had haar altijd toebehoord.

Toen vertelde ik haar over de vechtpartij die me bijna mijn leven had gekost. 'Ik moest hulpeloos toekijken terwijl de leden van mijn bende wegrenden door het donker en mij alleen en bloedend op het natte asfalt achterlieten. Op dat moment zag ik mijn hele leven aan mijn geestesoog voorbijtrekken. Wat had ik er een zootje van gemaakt. En dat allemaal vanwege één man.'

'Nee, Mischa,' zei ze, terwijl ze me met zachte, onderzoekende ogen aankeek. 'Hij was een katalysator, maar hij was niet de oorzaak van je neergang. Je was een beschadigde kleine jongen. Wie weet had je wel hetzelfde gedaan als Coyote helemaal niet in je leven was gekomen.'

'Maar Coyote had me afgewezen en die last droeg ik als een zak lood met me mee. Hij werd almaar zwaarder en zwaarder, totdat ik hem tijdens mijn eerste vechtpartij leegschudde. Bij elke ruzie werd hij lichter.'

'Die steekwond heeft je waarschijnlijk het leven gered,' zei ze met een glimlach.

'Daardoor ging ik wel over mijn leven nadenken. Nadien sloeg ik een andere weg in. Ik ging met mijn moeder samenwerken in de winkel en leerde een heleboel over antiek...'

'En had je vriendinnen?'

'Voornamelijk eentje – Linda. We zijn negen jaar samen geweest, maar om eerlijk te zijn heb ik me nooit voor haar opengesteld. Vanaf de allereerste dag dat we elkaar leerden kennen deed ze haar uiterste best om me te "redden". Volgens mij zag ze daarom zo veel in me: ik was haar project.'

'Hield je van haar?'

Ik dacht even na. Nu ik van Claudine hield, besefte ik wat het verschil was tussen liefde en behoeftigheid. 'Ik vond het wel best,' antwoordde ik. 'Ik had haar nodig. Maar nee, ik hield niet van haar.'

'Kon je moeder een beetje met haar overweg?'

'Niet echt nee. Ze zag de vrouwen met wie ik omging nooit zo zitten.'

Ze grinnikte. 'Dat kwam natuurlijk doordat ze jou voor zichzelf wilde. Jij was het enige wat ze had. Dat kan ik haar niet kwalijk nemen.' Ze trok met haar vinger een spoor over mijn wang. 'Ik zou je ook helemaal voor mezelf hebben gewild. Ik heb medelijden met Linda en andere vrouwen die je mee naar huis hebt genomen. Die hadden geen schijn van kans.'

'Herinner je je mijn moeder nog?'

'Ik herinner me haar als heel knap, maar koel. Ze liep altijd zo fier, met haar kin geheven. Ze had schitterende jukbeenderen en een heel gave huid. Maar ik kan me niet heugen dat ik haar ooit heb zien glimlachen.'

'Ze had een betoverende glimlach, als ze wilde. Volgens mij zou ze jou wel hebben gemogen.'

'Hoe dat zo?' Ze grijnsde nu, niet overtuigd.

'Omdat jij het enige kind was dat aardig tegen me was. Dat zou ze in je hebben gewaardeerd.'

Zittend op het bruggetje in de zon aten we het stokbrood op dat zij had meegebracht, terwijl we toekeken hoe de rijp smolt. 's Middags maakten we een wandeling om warm te blijven. Ze nam me mee naar een gehucht aan de andere kant van de Garonne, omdat haar vader daar op het kerkhof was begraven en ze afscheid van hem wilde nemen. Ik liet haar alleen naar de grafsteen toe gaan, zodat ze hurkend in het gras in alle intimiteit tegen hem kon praten. Ik slenterde wat rond met mijn handen in mijn zakken, spelend met het rubberen balletje, en vroeg me af of míjn vader ergens in Duitsland een grafsteen had gekregen, want opeens wilde ik ook heel graag iets tegen hem zeggen.

Toen viel mijn oog erop: een eenvoudige steen, overdekt met mos en onkruid, verwaarloosd en overgelaten aan de tand des tijds. Ik staarde er verbijsterd naar; mijn hart stond stil en ik hield mijn adem in. In grote letters was er *Pistou* in gebeiteld, met daaronder de tekst: *Florien Roche, 1941-1947, dierbare zoon van Paul en Annie. Voor altijd in ons hart.* Ik knielde neer en schraapte de aanslag weg met mijn nagels. Pistou was dus toch niet aan mijn fantasie ontsproten; hij was een kleine jongen geweest van mijn eigen leeftijd die nooit had kunnen opgroeien.

Maria Elena had het begrepen. Ik had als kind in hem geloofd, toen hij als geest tussen de wijnstokken was komen spelen. Hij was er voor me geweest als ik hem nodig had, als ik niemand anders had om mee te praten. Ik wist dat ik hem nooit meer zou zien, omdat de volwassen wereld me als een betonlaag had opgeslokt en mijn ogen had verdoofd voor zijn stem. Maar terwijl ik zijn graf op orde bracht, herdacht ik hem met liefde, alsof hij een broer was geweest. Ik had geen bloemen om neer te leggen, maar dat deed er niet toe. In plaats daarvan sprak ik tegen hem. 'Pistou, ouwe vriend van me,' fluisterde ik, en ik stelde me voor dat hij naast me stond, met een geamuseerde glimlach alsof hij me bij wijze van spelletje met opzet naar deze plek had geleid. 'Dus jij was een kleine jongen, net als ik. Ik heb je nooit bedankt voor je gezelschap op die momenten dat ik niemand anders had om mee te spelen. Ik hoop dat je nog steeds door de velden en langs de rivier rent, misschien met een andere kleine jongen die je nu net zo hard nodig heeft als ik destijds. Aan je grafsteen te zien stel ik me zo voor dat de geesten van je ouders bij je zijn. Mocht je mijn moeder zien, doe haar dan de groeten van me. En als je er ooit toe in staat bent en de wens voelt opkomen, maak jezelf dan weer aan me bekend, voor een laatste keer, zodat ik je kan bedanken.'

Die avond pakte ik mijn koffer. We waren van plan de volgende ochtend te vertrekken. Claudine zou naar het hotel komen en dan zouden we samen naar het vliegveld rijden. Het was een simpel plan. Ik kon me niet voorstellen dat het spaak zou lopen. Ze zei dat ze een briefje voor Laurent op zijn hoofdkussen zou leggen. Ze bekende me dat ze het vrijwel onmogelijk vond het hem in zijn gezicht te zeggen. Daar had ik begrip voor. Ze waren hun hele leven vrienden geweest en hoewel er van hun huwelijk weinig meer over was, hadden al die jaren toch betekenis. Hij was tenslotte de vader van haar kinderen, de man met wie ze zesentwintig jaar lang het bed had gedeeld.

Ik ging in bad en lag achterover in het water te mijmeren over ons leven samen in New York. Wat zou het met haar erbij anders worden. Ik zou het appartement van mijn moeder leegruimen en haar post en papieren uitzoeken. En ik zou een huis kopen. Ik zou niet langer meer alleen zijn. We zouden elkaar hebben. Claudine en ik.

Beneden bestelde ik iets te drinken in de bibliotheek, bij de haard. Ik zag Jean-Luc met een zorgelijk gezicht het vertrek binnenkomen, maar ik negeerde hem. Ik wendde mijn blik weer naar het tijdschrift dat ik zat te lezen en nipte van een groot glas warme bordeaux. Ik voelde me intens tevreden, alsof alle stukjes van mijn leven uiteindelijk toch op hun plaats in een ingewikkelde puzzel terecht waren gekomen. Ik wist waar mijn moeder het schilderij vandaan had. Het hoe en waarom kende ik niet precies, maar dat deed er niet langer toe. Mijn nieuwsgierigheid was bevredigd, en trouwens: Claudine had mijn obsessieve speurtocht een halt toegeroepen.

'Neemt u me niet kwalijk, *monsieur*.' Toen ik mijn ogen opsloeg, zag ik dat Jean-Luc geagiteerd naar me omlaagkeek.

'Ja?' antwoordde ik goedgunstig.

'Ik vroeg me af of u er bezwaar tegen zou hebben uw tafeltje te delen met een uiterst charmante gast.'

'Ga verder.' Ik voelde er weinig voor om de hele avond met een vreemde te moeten kletsen.

'Ze heet mevrouw Rainey. Ze is alleen, en omdat ze net als u uit Amerika komt, leek het me leuk voor haar om wat gezelschap te hebben. Ze is al enigszins op leeftijd, maar erg hartelijk, en ze is een goede cliënt van ons.' Ik wilde nee zeggen, maar besefte dat dat zelfzuchtig zou zijn.

'Met alle genoegen,' zei ik, terwijl ik me afvroeg hoe ik in vredesnaam opeens zo inschikkelijk was geworden.

Jean-Lucs gezicht klaarde op. 'Dank u wel, *monsieur*. Om acht uur zal ik haar aan u voorstellen.'

Ik keerde terug naar mijn tijdschrift. In het licht van mijn ophanden zijnde vlucht met Claudine getuigde het niet bepaald van manieren om me te ergeren bij het vooruitzicht met een oude dame te moeten dineren. Misschien zou ze wel een welkome afleiding vormen. Ik hoopte maar dat ze niet saai zou zijn, of erger nog: zo'n overenthousiaste vrouw die eindeloos vragen blijft stellen. Ik had geen zin om over mezelf te praten.

Om acht uur kwam Jean-Luc aanzetten met mevrouw Rainey. Ik dronk mijn glas leeg, legde het tijdschrift neer en stond op om haar te begroeten.

'*Madame*, mag ik u voorstellen aan Monsieur Fontaine?'

We schonken elkaar een beleefde glimlach, totdat het ons allebei begon te dagen dat we elkaar al eens eerder hadden gezien – heel, heel lang geleden.

'Joy Springtoe!' riep ik uit, en mijn mond zakte open van verbazing. Ze was nauwelijks veranderd, alleen een tikje ouder geworden. Ze schudde haar hoofd en haar blauwe ogen straalden van blijdschap. 'Kun je praten?'

'Dat is een lang verhaal.'

'Ik popel om het te horen.'

'Dan zal ik het vertellen.'

'Ben je Amerikaan geworden?'

'Toen ik zes was, zijn we naar Amerika verhuisd,' antwoordde ik, terwijl ik haar hand pakte en daar op de Franse manier een kus op drukte. Met mijn lippen nog steeds tegen haar huid gedrukt sloeg ik mijn ogen op. 'Maar jou ben ik nooit vergeten.'

34

WE GINGEN IN DE HOEK ZITTEN, AAN EEN RONDE TAFEL MET kaarsen erop. 'O, Mischa, wat fijn om je te zien!' riep ze uit. Haar gezicht was nog steeds mooi. Hoewel het gerimpeld was als vele malen gebruikt vloeipapier, was het zacht en rond. Ze zag er welgedaan uit en de goedheid straalde uit haar ogen, waarmee ze me nu teder opnam. 'Wat ben je knap geworden. Ik wist wel dat je zou opgroeien tot een mooie man.'

'Wat doe jij hier?' vroeg ik, stomverbaasd dat onze wegen elkaar weer kruisten. 'Ik had nooit gedacht dat ik je ooit nog terug zou zien.'

'Dit is mijn snoepreisje.' Ze lachte meisjesachtig. 'Eenmaal per jaar laat ik mijn man in de steek en ga ik een week hiernaartoe om mijn verloofde te gedenken, die hier in de oorlog is omgekomen.'

'Ja, dat weet ik nog. Ik heb je een keer zien huilen en toen nam je me mee naar je kamer om me zijn foto te laten zien.'

'Billy Blake.' Ze glimlachte en dempte toen haar stem. 'Zie je, Mischa, ik heb maar één grote liefde gehad. Het was een fantastische liefde. Ach jawel, ik ben gelukkig met David; hij is een prima man. Maar Billy was mijn grote liefde en ik wil hem nooit vergeten.'

'Is hij hier omgekomen?'

'Hij heeft de stad bevrijd en was de eerste die in het château kwam. De dag daarop schreef hij me een brief. Dat was de laatste die ik ooit van hem kreeg. Kort daarop sneuvelde hij.'

'Wat zonde van zo'n goeie man,' zei ik.

'De beste die er was,' antwoordde ze. 'Maar laten we het niet over mij hebben.'

De ober schoot toe en bleef verwachtingsvol bij de tafel staan. Haastig kozen we een wijn en iets te eten uit, want we wilden graag ons gesprek vervolgen.

'Wat voert jou hiernaartoe?' vroeg ze, en ik was meer dan bereid haar over mijn leven te vertellen en haar erin binnen te noden. Ze had daar tenslotte vele jaren geleden ook deel van uitgemaakt. Voor haar had ik de deur altijd op een kier gelaten.

'Het begon met mijn moeder. Ze is overleden aan kanker.'

'Wat akelig.'

'Het ging al anderhalf jaar bergafwaarts met haar. Ze wilde geen doktoren om zich heen; dat was niets voor haar. Dus liet ze haar lichaam langzaam afsterven en stak ze haar kop in het zand. Zo zaten we allebei in elkaar, vrees ik. Ik was begonnen haar spullen uit te zoeken. Ze had alles bewaard. Ik denk niet dat je het weet, maar mijn vader was een Duitse officier die in de oorlog op het château was ingekwartierd. Mijn moeder had voor de vroegere eigenaren ervan gewerkt en bleef er werken nadat Gustave Rosenfeld op het slagveld was gevallen en zijn vrouw en kinderen naar de kampen waren gestuurd.'

'Waren ze dan joods?'

'Ja. Mijn moeder was aangebleven in de hoop dat ze aan het eind van de oorlog terug zouden komen.'

'Maar dat gebeurde natuurlijk niet.'

'Nee. Ze werd echter verliefd en trouwde in het geheim met mijn vader, en in 1941 werd ik geboren. Toen de oorlog voorbij was, werd ze zwaar gestraft omdat ze met de vijand had geheuld. Op dat moment verloor ik mijn stem.'

'Nu snap ik het. Arme jongen, wat moet dat verschrikkelijk zijn geweest. Maar wat is er van je vader geworden?'

'Hij is omgekomen in de oorlog.'

'Net als mijn arme Billy.'

'Ik weet nog wel iets van hem.' Ik tastte in mijn zak en haalde er mijn rubberen balletje uit. 'Hij had me dit gegeven.' Ze pakte het balletje aan en bekeek het voorzichtig.

'Lieve hemel! Heb je dit al die jaren bewaard?'

'Het is een schakel die me met hem verbindt. Ik ben een sentimentele oude dwaas.'

'O, nee hoor, helemaal niet. Ik bewaar ook dingen. Ik heb een hele doos met aandenkens aan Billy. Theaterprogramma's, buskaartjes, bloemen die hij me had gegeven en die ik heb gedroogd, brieven die hij me in de oorlog stuurde. Ik lees ze soms nog wel eens. Net als jouw balletje verbinden ze me met hem en kan ik hem dan dicht bij me voelen. Ik ben niet bang om te sterven, omdat ik weet dat hij op me wacht. Ik kijk er eerlijk gezegd wel een beetje naar uit.'

'Ik denk dat je nog lang zult moeten wachten.'

'Ik word oud, Mischa.'

'Je ziet er helemaal niet oud uit.'

'Dat komt doordat jij door alle rimpels heen kijkt naar hoe ik veertig jaar geleden was. Ik loop tegen de zeventig. Ik had nooit gedacht dat het zo snel zou gaan. Het leven is inderdaad erg kort.' Ze slaakte een zucht en nam een slokje wijn. 'Dus jij bent teruggekomen om herinneringen op te halen?'

'In zekere zin wel, ja.'

Ze keek me onderzoekend aan. 'Ben je wel gelukkig, Mischa?'

'Nu wel. Het is een lang verhaal.'

'Ik wil het graag horen. Je moet me alles vertellen. Zie je, ik heb er recht op om het te weten,' plaagde ze, 'omdat ik je eerste liefde was!'

Ik grinnikte en pakte haar hand. 'Wist je dat dan?'

'O, ja, ik wist het. Elke keer dat je me zag moest je blozen en je liep als een jong hondje achter me aan. Je verstopte je altijd achter die stoel boven. Die staat er nog. Weet je, ik moet altijd aan jou denken als ik hem zie – hoewel je inmiddels wel een beetje te groot bent geworden om erachter te passen.'

'Je was niet alleen mijn eerste liefde, maar ook de eerste vrouw die mijn hart brak. Ik was er kapot van toen je vertrok.'

'O, ik ook, hoor. Ik vond het helemaal niet leuk om jou achter te laten. Jij was het kleine jongetje dat ik nooit had gehad.'

'Heb je nu zelf kinderen?'

'Ja, ik heb vier dochters. Maar een zoon heb ik nooit gekregen.' Ze gaf een kneepje in mijn hand. 'Ik wilde altijd graag een blond zoontje met blauwe ogen. Billy was blond. Ik geloof vast dat we samen een zoontje zouden hebben gekregen. Maar het heeft niet zo mogen zijn. Ik heb trouwens wel kleinkinderen. Ik ben dol op mijn kleinzoons.'

De ober bracht de voorgerechten en we begonnen te eten.

'Nou, vertel me alles. Vanaf het moment dat je uit Frankrijk vertrok. Ik stel me zo voor dat je moeder opnieuw wilde beginnen op een plek waar niemand iets wist van haar verleden.'

'Als je het mij vraagt, heeft ze dat ook gedaan,' antwoordde ik, hoewel ik me in stilte bleef afvragen of ze misschien niet vanwege de Titiaan het land uit had gemoeten. 'Ze werd verliefd op een Amerikaan die hier kwam logeren en met hem zijn we naar New Jersey getrokken. Hij was mijn tweede liefde.' En zo vertelde ik haar over Coyote, Kapitein Crumbles Rariteitenkabinet, Matias en

Maria Elena, de inbraken. Ik noemde Coyote niet bij naam. Op dat moment wist ik niet waarom, maar mijn intuïtie zei me dat ik op mijn hoede moest zijn. Ze luisterde aandachtig, geboeid en geroerd. Ik vertelde haar over de neerwaartse spiraal waar ik in was beland en hoe ik terecht was gekomen in een duistere wereld van bendes, vechtpartijen, messen en zelfhaat.

'Wat heeft ervoor gezorgd dat je een andere weg bent ingeslagen?' vroeg ze.

'Als je op de bodem van de put zit, kun je alleen nog maar naar boven.'

'Ben je daar helemaal op eigen kracht weer uit geklauterd?'

Ik wilde haar niet vertellen over de vechtpartij op de parkeerplaats, dus vertelde ik over een tijdje daarvoor, toen ik pas goed was gaan begrijpen wat mijn moeder allemaal had moeten doormaken. 'Nee,' antwoordde ik. 'Ik begon in te zien hoeveel verdriet ik mijn moeder aandeed. Ik had het haar kwalijk genomen dat de Amerikaan ervandoor was gegaan. Ik dacht dat dat allemaal haar schuld was. Ik wilde dat ze verderging met haar leven, zodat ik dat ook zou kunnen. Op een avond kwam ik 's avonds laat dronken thuis, helemaal verwilderd, en zag ik haar in haar eentje door haar slaapkamer dansen op muziek die ze altijd met mijn vader had gedraaid. Ze hadden samen vaak op die plaat gedanst; dan keek ik toe, klapte in mijn handen en lachte. Nou, die avond danste ze alsof hij bij haar was, haar ene hand op zijn schouder, de andere in de zijne. Ze staarde in aanbidding op naar zijn denkbeeldige gezicht en de tranen rolden haar over de wangen. Ik zal het nooit vergeten. Ik was op slag nuchter, liet me op de grond zakken en moest ook huilen. Voor één keer dacht ik eens niet aan mezelf en aan wat ik was kwijtgeraakt, maar aan haar en de verliezen die zij had moeten lijden. Ze stond alleen, verlaten door de twee mannen van wie ze had gehouden, uitgestoten door de stad waar ze was opgegroeid, onterfd door haar familie. Zij had veel meer narigheid meegemaakt dan ik, maar desondanks was ze altijd van mij blijven houden. Ondanks alle woede, al die keren dat ik haar had uitgescholden, ondanks al mijn uitbarstingen en driftaanvallen, had ze nooit haar hart voor me afgesloten of de deur dichtgegooid. Toen ik de volgende ochtend wakker werd, nam ik me vast voor het voortaan anders aan te pakken. Ik keek nooit meer achterom en ging nooit meer met iemand op de vuist. Geen van beiden maakten we er een woord aan vuil, maar we werden weer vrienden.'

Daarna vertelde ik haar over Claudine. Ze luisterde meelevend en veroordeelde me niet. In plaats daarvan moedigde ze me juist aan. 'Als zij je grote liefde is, Mischa, moet je naar je hart luisteren. Het leven is kort. Het is niet goed genoeg om het maar voor de helft te leven.'

'Ik vertrek morgenochtend.'

'Ik vind het heel jammer dat je alweer weggaat. Misschien kunnen we thuis in Amerika nog eens contact opnemen.'

'Dat zou ik heel leuk vinden.'

Weer pakte ze mijn hand. 'Ik ook.'

Toen ik die nacht in bed lag, was ik te opgewonden om de slaap te kunnen vatten. Joy Springtoe was mijn leven weer binnengewandeld en Claudine had erin toegestemd met me mee naar Amerika te gaan. Zodra ze gescheiden was, zou ik met haar trouwen. Ik keek er ontzettend naar uit om me met haar te settelen. Na al die jaren zonder anker te hebben rondgezworven, zou ik een huis kopen waar we samen oud konden worden. We hadden elkaar te laat weer gevonden om nog samen kinderen te krijgen, en dat vond ik jammer. Ik kon het alleen maar betreuren dat in de toekomst niemand mijn naam zou voortzetten. Als ik doodging, zou ik de wereld niets nalaten.

Buiten kreunde de wind die ziedde om de hoeken van het château. De regen beukte tegen de ramen, de donder knetterde, en van tijd tot tijd verlichtte een bliksemflits de hemel. Ik deed de gordijnen open en ging in de vensterbank zitten. Donkere wolken joegen langs de hemel en rolden over elkaar heen als kokende pap. Ik moest weer denken aan mijn grootmoeders geloof in de wind en aan de nacht waarin we naar Amerika waren vertrokken. Toen had het ook geregend, en de wind had me bijna door de tuinen geblazen. Tijdens een plotselinge bliksemflits herinnerde ik me de man die in de tuin had staan graven. Ik had nooit meer een gedachte aan hem gewijd, maar nu zag ik hem ineens scherp voor me, knielend op de grond, doornat, terwijl hij zijn spade met kracht in de aarde dreef. Ik hoorde het ritmische geluid van metaal tegen steen alsof het de dag van gisteren was geweest. Destijds had ik gemeend dat hij een moordenaar was die een lijk begroef. Nu wist ik dat zo net nog niet. Ik was geneigd die gedachte als fantasie van de hand te wijzen, maar van Pistou had ik ook gedacht dat hij niet echt was. Ik had me in hem vergist, en ik kon me nu weer vergissen. Ik besloot Jean-Luc te vragen of er iemand was vermoord. Hij leek immers alles te weten over de geschiedenis van het château.

Ik bleef de storm gadeslaan tot hij bedaarde. Wel bleef het hard regenen. Er stond nog steeds een sterke wind. Morgen zou ik afscheid nemen van mijn jeugd en die voorgoed afsluiten. Er komt een moment dat je in het heden moet gaan leven, omdat je anders helemaal niet meer leeft. Ik klauterde mijn bed weer in en sloot mijn ogen. Zo diep had ik in geen jaren geslapen. Ik had ook in geen jaren gedroomd. Maar die nacht had ik zo'n levendige droom dat ik geneigd was te geloven dat hij echt was.

Ik was weer een kleine jongen. De zon stond hoog aan de hemel, warm, een en al dennengeur. De rivier borrelde en gorgelde, vliegen gonsden door de hitte, krekels tsjirpten in het struikgewas en de geelbloemige *genêts* deinden heen en weer in het briesje. Ik zat op de oever en gooide steentjes in het water. Naast me zat Pistou. Hij speelde met mijn rubberen balletje. We zaten zo een hele poos in stilte bij elkaar, want omdat we elkaar zo goed begrepen waren woorden overbodig. Er streek een gele vlinder neer op zijn hand en hij draaide zich met een glimlach naar me toe. Ik herinnerde me dat Jacques Reynard me had gezegd dat mijn moeders codenaam in de oorlog Papillon was geweest – vlinder.

'Zo zie je maar, je hebt me niet verzonnen,' zei hij.

'Het spijt me. Vond je het erg?' vroeg ik, terwijl ik een steentje in het water gooide en toekeek hoe het over het oppervlak stuiterde.

'Nee. Ik ben er wel aan gewend.'

'Hoe is het in de hemel?'

'Fijn. Je vindt het er vast prettig als je ook komt. Je kunt er zo veel *chocolatines* eten als je wilt.'

'Dat klinkt goed. Is *le curéton* er dan ook?'

'Abel-Louis wordt elk moment verwacht. Ze staan klaar.'

'Wordt hij gestraft?'

'De hel bevindt zich op aarde, beste vriend. Daar weet jij toch alles van?'

'Maar ik wil graag dat hij lijdt.'

'Hij lijdt heus wel als hij terugkijkt op zijn leven en ziet wat een zootje hij ervan heeft gemaakt. De wet van karma moet je niet vergeten, Mischa: boontje komt om zijn loontje. De wet van oorzaak en gevolg. Daar ontsnapt niemand aan.'

'En mijn moeder?' Ik keek toe hoe de vlinder zijn vleugels spreidde en wegvloog.

'Zij is hier, en je vader ook.' Hij gaf me het rubberen balletje weer terug.

'Zijn ze bij elkaar?'

'Natuurlijk.'

'Kan ik ze zien?'

'Ze zijn altijd bij je om over je te waken. Dat je ze niet kunt zien wil nog niet zeggen dat ze er niet zijn.' Hij stond op. 'Ik moet nu gaan.'

'Zie ik je weer eens?'

'O, jazeker. Je ziet me terug, als je je ogen opendoet.' Hij lachte zijn ondeugende lach. 'Je bent een cynische oude dwaas!' Ook ik stond op. Ik torende boven hem uit. Op dat moment drong tot me door dat ik helemaal geen kleine jongen was.

'Dankjewel dat je mijn vriend bent geweest, Pistou.'

'Het was leuk, hè?'

'Dat was het zeker.'

'Dat kan het nog steeds zijn. Je moet gewoon niet vergeten hoe je kind moet zijn.'

'Ik zal mijn best doen.'

Hij liep het bos in. Ik stak mijn balletje in mijn zak en keerde me weer naar de zon. Het licht was zo fel dat ik mijn ogen tot spleetjes moest knijpen. Ik sloeg mijn armen voor mijn gezicht en schrok daardoor plotseling wakker.

De dag was aangebroken in al zijn glorie. De storm was weggetrokken, de lucht was schoongeveegd.

Ik pakte mijn laatste spullen in mijn koffer, kleedde me aan en ging naar beneden voor het ontbijt. Ik stond stijf van de zenuwen. Claudine had beloofd dat ze me om tien uur in de hal zou treffen. We zouden met de auto naar het vliegveld van Bordeaux rijden. Van daaraf zouden we naar Parijs vliegen, en daarna naar Amerika, en naar de rest van ons leven. Ik kon niet wachten. Ongeduldig hield ik de klok in de gaten. Waarom verstrijkt de tijd zo langzaam op momenten dat je zou willen dat hij omvliegt?

Ik smeerde boter en jam op mijn croissants. De koffie smaakte goed. Ik probeerde de krant te lezen, maar de woorden hadden geen enkele betekenis; ik kon alleen maar aan Claudine denken. Na het ontbijt slenterde ik naar de serre om voor de laatste keer te genieten van het uitzicht over de tuinen. Tot mijn verrassing stond Joy Springtoe daar in haar eentje met een kop koffie in de hand naar buiten te kijken.

'Wat een prachtige ochtend,' zei ze, terwijl ze me een glimlach schonk. 'Jammer dat je vandaag vertrekt. Ik had best een wandeling met je willen maken.'

'Daar is het een beetje koud voor. Ik zou in de zomer nog wel eens terug willen komen.'

'Dat is de tijd dat ik meestal ga. Dit is de eerste keer dat ik in de winter gekomen ben. Misschien dat het zo heeft moeten zijn,' zei ze, en ze keek me warm aan.

'Maar de tuin is nog steeds schitterend.'

'Ja, zelfs na de storm.'

'Ik kon niet slapen. Ik ben opgestaan en heb ernaar zitten kijken. Ik weet nog dat ik dat als kind ook vaak deed. Mijn moeder zei dat de wind een verandering aankondigde.'

'Nou, misschien voor jou wel. Je begint vandaag immers een nieuw leven?'

Ze liet haar blik weer over de grasvelden gaan en zuchtte. 'Weet je, er gaan geruchten dat daar ergens een kostbaar kunstwerk begraven zou zijn.' Ik wist niet wat ik hoorde.

'O ja?' zei ik, in een poging te klinken alsof er niets aan de hand was. Maar ik voelde mijn wangen gloeien, alsof ik zelf had meegeholpen het te begraven.

Fluisterend zei ze: 'In de laatste brief die Billy me schreef, zei hij dat twee vrienden en hij de eersten waren geweest die na het vertrek van de Duitsers het château waren binnengegaan. Een van hen, Richard Quigley, had verstand van kunst en herkende een schilderij van Titiaan dat op de een of andere manier niet door Goering in een krat was gestopt om in zijn privétrein naar Duitsland gestuurd te worden. Kennelijk deed Goering er alles aan om waardevolle kunstwerken voor zichzelf te confisqueren. Omdat ze wilden voorkomen dat het beschadigd zou raken of gestolen zou worden, begroeven ze het in de tuin. Billy schreef dat als Richard er niet bij was geweest, ze het zelf beschadigd zouden hebben door het op de verkeerde manier op te rollen. Je moet het namelijk oprollen met de verf aan de buitenkant. Ze vonden een of andere loden pijp die als bescherming kon dienen en begroeven het als een lijk, met het idee om het na de oorlog te gaan ophalen. Helaas kwam Billy kort daarna te overlijden, en Richard ook, de arme ziel!'

'Wat is er met hem gebeurd?' Mijn mond werd droog en mijn tong voelde aan alsof hij te groot was voor mijn mondholte. De laatste stukjes van de puzzel vielen op hun plaats en ik dacht niet dat ik uiteindelijk het hele plaatje wilde zien.

'Hij werd vermoord.'

'Vermoord? In de oorlog?'

'Nee, in 1952 of daaromtrent. Ik las er iets over in de plaatselijke kranten toen ik bij mijn familie was in Staunton, in West Virginia. Ik weet nog dat de moordenaar tot levenslang werd veroordeeld in het Keen Mountain Correctional Centre. Ik mag hopen dat hij daar een zwaar leven heeft gehad. Richard was een ontzettend aardige vent. Billy schreef vaak over hem. Ik had het gevoel dat ik hem kende.'

Zonder haar aan te kijken stelde ik een vraag waarop ik het antwoord al wist: 'Hoe heette de derde man die het château hielp bevrijden?'

'Ze noemden hem Coyote.' Ze fronste haar wenkbrauwen. 'Ik vraag me af wat er van hem is geworden.'

De wereld begon om me heen te draaien. Ik ging zitten en wreef met mijn vingers over mijn slapen.

'Gaat het wel met je?' vroeg ze, terwijl ze naast me kwam zitten en een arm om mijn rug sloeg.

'Ik ben een beetje misselijk,' antwoordde ik, terwijl ik voor mijn geestesoog Coyote het schilderij zag opgraven. Nu begreep ik waarom hij was teruggekomen naar Mauriac en waarom we ons als dieven in de nacht uit de voeten hadden gemaakt. Wíj waren de dieven, of althans: Coyote was een dief. Ik dacht terug aan de inbraken en aan Coyotes verdwijning. Had hij Richard Quigley vermoord nadat hij was teruggekomen om het schilderij te zoeken? Had hij Billy ook vermoord?

Ik wierp een blik op de klok. Het was kwart voor tien. 'Ja hoor, met mij is alles in orde. Het zal de opwinding wel zijn,' zei ik terwijl ik mijn rug rechtte. 'Misschien moest ik maar een glaasje water drinken.'

'Ik denk niet dat iemand ooit zal weten of dat schilderij daar nou echt begraven is of niet,' vervolgde ze zonder zich ergens van bewust te zijn. 'Maar het idee spreekt aan: dat er ergens in de aarde een mooi geheim verstopt zou liggen. Ik hou wel van mysteries.' Ze stond op en dronk haar kopje leeg. 'Kom, laten we een glas water voor je gaan halen. Je ziet er verschrikkelijk bleek.'

35

Ik ging in de hal op Claudine zitten wachten. Ik moest even alleen zijn om te kunnen verwerken wat Joy me had verteld. Mijn wereld stond op zijn kop. Ik had Coyote vertrouwd. Nu vroeg ik me af of ik hem ooit wel echt had gekend. Ik had de afgelopen dertig jaar zo mijn bedenkingen gehad over zijn doen en laten, maar ik zou de doos van mijn moeder opnieuw moeten doornemen om die bevestigd te krijgen. Tot ik daar de gelegenheid voor had moest ik de gedachte uit mijn hoofd zetten dat hij midden in de nacht in de tuin had staan spitten en misschien de twee andere jonge mannen die van de Titiaan hadden geweten had vermoord. Ik moest denken aan wat voor me lag, aan Claudine.

Na tienen begon ik me zorgen te maken. Ik ijsbeerde heen en weer over de plavuizen en ging om de paar minuten even kijken bij de deur of ze er al aan kwam. Ik dacht terug aan onze eerste ontmoeting op de brug. Toen was ze ook te laat geweest. Ik had de moed laten zakken en had rechtsomkeert gemaakt in de richting van het château. Uiteindelijk was ze toch gekomen, en ik wist zeker dat ze dat vandaag ook zou doen. Ik moest gewoon vertrouwen in haar hebben en afwachten.

Joy kwam terug en vulde de hal met de geur van gardenia's. Ik stond op en omhelsde haar. 'Wat ben je nu groot,' zei ze lachend. 'Maar voor mij ben je nog steeds het jongetje aan wie ik al die jaren geleden mijn hart heb verpand.'

'We zien elkaar als we weer thuis zijn, dat beloof ik,' antwoordde ik, en ik drukte een kus op haar wang. Die was zo zacht als dons.

'Ik ben zo blij dat onze wegen zich weer hebben gekruist. Het lot houdt er wel een grappige manier op na om mensen weer samen te brengen, vind je niet? Ik geloof niet in toeval.' Ze pakte mijn handen. 'Ik wens je veel geluk met je meisje. Als je dat soort liefde vindt, moet je die koesteren. Zoiets is zeldzaam en van onschatbare waarde. Maar dat hoef ik jou niet te vertellen, hè? Dat weet je al.' Ik keek haar na toen ze wegliep, even afgeleid van al mijn zorgen toen ik me voorstelde hoe ze destijds in haar mooie nieuwe jurk in de deuropening van de badkamer had gestaan.

Ik sloeg weer aan het ijsberen en speelde geagiteerd met het rubberen balletje dat ik in mijn zak had. De tijd begon te dringen, maar van Claudine nog steeds geen spoor. Het wilde er bij mij niet in dat ze van gedachten zou zijn veranderd. Ze was de dag tevoren zo zeker geweest, en trouwens: ze had iedereen in Mauriac getrotseerd, zelfs Père Abel-Louis, om vriendschap met me te sluiten. Ik wist zeker dat ze sterk genoeg was om haar huwelijk achter zich te laten. Ik kon me er geen voorstelling van maken waardoor ze werd opgehouden.

Tot mijn ongenoegen verscheen Jean-Luc, zijn haar glanzend van de wax waarmee hij het in model hield.

'Dus u gaat ons vandaag verlaten, *monsieur*,' zei hij terwijl hij op me toe kwam. Hij maakte een kleine buiging. 'Het was me een groot genoegen om u te gast te hebben. Hopelijk komt u nog eens terug.'

'Dat denk ik zeker,' antwoordde ik gespannen, in de wetenschap dat dat er nooit van zou komen. Om verder te kunnen met mijn leven moest ik het verleden begraven, zoals Jacques zo wijs had opgemerkt.

'Staat u op een taxi te wachten?' vroeg hij met een frons.

'Ik heb een auto.'

'Wordt die voorgereden?'

'Hij staat al klaar.'

'Dan zal ik u de hand drukken en afscheid van u nemen.' Ik pakte zijn hand aan. Die was warm en zacht, de hand van een man die amper heeft geleefd. 'Ik wens u een veilige overtocht naar Amerika.' Ik zag dat hij even bleef dralen, in de verwachting dat ik zou weglopen. Toen ik bleef staan, maakte hij nogmaals een buiging en liep zelf weg.

Ik hield de klok scherp in de gaten om me geen enkele minieme beweging te laten ontgaan. Geen enkele tik. Paniek kreeg me in zijn greep. Misschien durfde ze ineens niet meer? Eén ding stond als een paal boven water: zonder haar zou ik niet vertrekken. Dat had ik haar beloofd en dat had ik ook mezelf gezworen. Ik haastte me naar buiten en stapte in de auto. Als zij niet naar mij toe kwam, zou ik naar haar gaan. Ik trapte de koppeling in en reed de weg af naar Mauriac.

Het was koud in de auto, maar het zweet parelde op mijn voorhoofd. Niets anders deed er nog toe, behalve Claudine. Nu ik haar had gevonden, wilde ik niets liever dan haar bij me houden. Het beeld van Laurent verscheen voor mijn geestesoog. Ik had kunnen weten dat hij het grootste obstakel zou vormen voor mijn toekomstig geluk. Laurent, mijn vijand van lang geleden. Ik zou nooit vergeten wat hij in het klaslokaal had gezegd: *'Jouw vader is nog steeds een nazizwijn!'* En ik zou hem nooit vergeven. Nooit. Terwijl ik naar de stad scheurde, bereidde ik me voor op het slotduel. Ik verwachtte strijd te moeten leveren met Laurent; ik had niet verwacht dat ik ook met God zou moeten vechten.

Ik parkeerde de auto voor haar huis en bleef vervolgens even zitten, terwijl ik ingespannen naar het raam van de woonkamer tuurde. Ik hoefde maar heel even te wachten, of daar verscheen Claudine. Ze stond met haar gezicht naar het raam zenuwachtig op haar duimnagel te bijten. Ze zag eruit alsof ze had gehuild. Even later doemde Laurent achter haar op, die zijn hand op haar schouder legde. Dit keer schudde ze hem niet van zich af. Ik greep het stuur vast en begon te koken van woede. Hier kon ik niet tegen. Ik stapte uit en bonkte met alle kracht die ik in me had op de deur. Toen er niemand open kwam doen, bonkte ik nog een keer en riep: 'Claudine! Ik weet dat je daarbinnen bent!' Uiteindelijk ging de deur open. Voor mijn neus stond de priester, Père Robert.

'Komt u binnen,' zei hij doodkalm, terwijl hij opzij stapte. Ik torende boven hen allemaal uit, als een reus in een poppenhuis. De kamer leek te krimpen toen ik er binnenstapte. Ik voelde me fysiek machtig, maar de angst maakte me krachteloos. Zonder haar kon ik niet leven.

Ik liep langs haar koffer heen en zag dat Claudine en Laurent nog steeds bij het raam stonden. Laurent had zijn arm om haar heen geslagen en zijn vingers kromden zich krachtig om haar schouder. Hij keek me hooghartig aan, alsof hij al had gewonnen. Ik walgde zo verschrikkelijk van hem dat ik me bijna niet kon inhouden om hem een dreun te verkopen en met één klap tegen de grond te slaan.

Ik liet mijn blik op Claudine rusten. Met tranen in haar ogen keek ze naar me op. Ik wist wel wat er gebeurd was; ik kon het zien aan haar gezicht. De priester had zich geroepen gevoeld om hun huwelijk te lijmen. Wist hij dan niet dat het niet te repareren was, als stof die al te ver is uitgerafeld?

'Wat doe jij hier?' beet Laurent me toe. Ik negeerde hem en richtte me tot Claudine.

'Ik vertrek niet zonder jou,' zei ik dapper.

'Je kent haar niet eens,' onderbrak Laurent me. 'Je was zes jaar!'

'Claudine blijft hier,' zei de priester. 'Ze heeft haar besluit genomen.'

Koeltjes wendde ik me naar hem toe. 'Ik heb het niet tegen u,' zei ik. 'En tegen jou ook niet, Laurent.' Ik keek Claudine recht aan en hoopte met heel mijn hart dat ze de kracht zou kunnen vinden om weg te lopen. 'Ik ga je niet smeken. Je weet dat ik van je hou en dat ik voor je zal zorgen. We hebben ons hele leven op elkaar gewacht. Laat me nu niet langer meer wachten.'

Laurent grinnikte spottend. 'Denk je dat je hier mijn huwelijk overhoop kunt komen gooien en het in een paar dagen tijd helemaal kunt uitwissen? Daar vergis je je dan ontzettend in, vriend. Claudine is mijn echtgenote, of heeft ze je dat niet verteld?'

Ik had me vast voorgenomen niet op zijn opmerkingen te reageren. Ik richtte uitsluitend het woord tot Claudine.

'Het leven is kort, Claudine. Verspil het niet.'

Ik stak mijn hand in mijn zak en haalde er het rubberen balletje uit. Ik wierp het in de lucht en ving het weer op. Haar wangen bloosden toen ze het balletje van mijn vader zag en het licht van de moed keerde terug in haar ogen. Ik ving een glimp op van het meisje met de scheve tanden dat niets liever deed dan regels overtreden en haar moeder uitdagen. Van het enige kind dat vriendschap met me had durven sluiten.

Ze schudde Laurents arm van zich af. Ze wendde zich naar hem toe en drukte een kus op zijn wang. Hij verstarde en zijn gezicht kreeg de grauwe kleur van de varkens die aan haken in de *boucherie* hingen.

'Het spijt me, Laurent, maar ons huwelijk is niet meer te redden.' Ze zei niets tegen de priester; ze keek hem slechts meewarig aan en schudde haar hoofd. Hij keek vol afgrijzen toe hoe ze mijn hand pakte; zijn mond viel open bij zo veel stoutmoedigheid en er lag een stil protest op zijn lippen. Ik pakte haar koffer op en we lieten het huis en Mauriac voorgoed achter ons.

36

NEW YORK LAG ZACHT TE GLANZEN ONDER DE WINTERZON. DE trottoirs waren niet langer overdekt met sneeuw, de lucht was niet langer ijzig bevroren. Er hing een mildheid die er niet was geweest toen ik was vertrokken. Ik kon de lente ruiken en kon in Central Park bijna voelen dat de aarde ontwaakte. Ik was gelukkiger dan ooit tevoren. Claudine en ik hadden besloten samen een huis te kopen in New Jersey. Ik zou mijn zaak daarnaartoe verhuizen en we zouden die samen gaan runnen. We spraken niet over Laurent en ook niet over Mauriac. We zouden onze toekomst baseren op het heden, waar de basis onbezoedeld was.

Toen we in Amerika aankwamen, belde Claudine haar kinderen en vertelde hun dat ze om mij bij hun vader was weggegaan. Joël was verrast, maar begreep wel dat zijn vader geen makkelijke man was. Hij zei dat hij niets liever wilde dan dat zij gelukkig was en dat zijn vader, ook al hield hij van hem, het aan zichzelf te danken had. Met Delphine lag het lastiger. Evenals de meeste dochters aanbad ze haar vader. Ze tobde wie er nu voor hem moest zorgen. Ze verweet Claudine dat ze zijn leven had verwoest. 'Jullie zijn allebei al zo oud,' zei ze. 'Wat heeft het voor zin om er nu nog met iemand anders vandoor te gaan?' Ze reisde spoorslags naar Mauriac om Laurent te troosten en bleef twee weken lang voor zijn natje en zijn droogje zorgen. Uitgeput keerde ze terug naar Parijs, want de ogen waren haar geopend voor de realiteit van het huwelijk van haar ouders. 'Als ik ooit trouw, neem ik een kokkin en een werkster in dienst,' verklaarde ze tegen haar moeder. 'Wanneer mag ik komen en die geheimzinnige man leren kennen die je heeft meegevoerd naar de andere kant van de wereld?'

Nadat ze met haar kinderen in het reine was gekomen, moest Claudine zich verzoenen met God. Het katholieke geloof zat haar in het bloed; het zou niet eerlijk van me zijn geweest om te proberen haar zover te krijgen dat ze het afzwoer. Ze had om mij haar huwelijksgeloften gebroken; ik mocht niet nog meer van haar verwachten. Tot haar grote vreugde vond ze een plaatselijke katholieke kerk waar een wijze oude Italiaanse priester, Vader Gaddo, de scepter zwaaide. Ze bezocht de mis, ging ter communie en had in de biechtstoel zo veel tijd nodig dat de priester haar moest verzoeken op te stappen om andere leden van zijn parochie ook de kans te geven hun geweten te ontlasten. Met veerkrachtige tred keerde ze bij me terug, haar glimlach-met-al-haar-tanden-bloot in ere hersteld.

'Vandaag begin ik met een schone lei,' zei ze vergenoegd. 'Mijn zonden behoren nu allemaal tot het verleden.'

'Wat zei hij?' vroeg ik verbijsterd. Hoe kon iemand die ook niet meer was dan een gewone sterveling in vredesnaam de smet van overspel zo gemakkelijk wegpoetsen?

'Hij zei dat het leven één groot oefenterrein is en dat het onredelijk zou zijn als God degenen die fouten maken niet zou vergeven.'

'Dat ziet hij dan goed,' zei ik, terwijl ik haar in mijn armen nam. 'Die Vader Gaddo lijkt me een leuke man. Denk je dat hij ons wil trouwen?' De tranen sprongen haar in de ogen en ze kuste me vurig.

'Ja, Mischa Fontaine, dat denk ik wel!'

Uiteindelijk kwam ik eraan toe de twee brieven te lezen die mijn moeder in haar doos had bewaard en om haar post open te maken. De allerlaatste stukjes van de puzzel die nog over waren vielen nu op hun plaats.

Ik zat alleen in mijn appartement. Ver weg gonsde het verkeer, als een zwerm bijen. Het licht was fel, want het zonlicht tuimelde naar binnen met het enthousiasme dat alleen de ochtend toebehoort. Ik zat op de bank, een kop koffie op tafel, terwijl Leonard Cohen door de kamers galmde. Met Claudine voelde ik me compleet. Ik was met niets uit New York vertrokken en was teruggekomen met meer dan ik ooit had durven dromen. Ik had het spoor terug gevolgd, had gaandeweg als een bol touw het verleden ontrafeld, en had onderweg de waarheid ontdekt over mijn moeder, Jacques Reynard en het schilderij. Maar ik had nooit verwacht dat ik mezelf in het centrum van de bol zou aantreffen. Mijn hele leven lang was ik op zoek geweest naar liefde. Die had ik gevonden bij Jacques, Daphne, Joy en Coyote, mensen die in en uit mijn leven waren gedreven als wolken aan de hemel, en ik had hem gevonden bij mijn moeder, wier liefde even standvastig was geweest als de zon. Maar ten slotte had ik aan het einde van mijn zoektocht liefde in mezelf aangetroffen.

Met kloppend hart opende ik de vroegst gedateerde brief die mijn moeder in haar doos had bewaard. Het papier zat keurig netjes in de envelop gevouwen en de woorden waren met zorg geschreven:

Beste mevrouw Fontaine,
U weet misschien niet meer wie ik ben. Mijn naam is Leon Egberg. Aan u en aan Dieter Schulz heb ik mijn leven te danken, en dat van mijn gezin, Marthe, Felix, Benjamin en Oriane. U bood ons een toevlucht in de kelders van het château en regelde dat we veilig Frankrijk uit konden komen. We streken neer in Zwitserland en verhuisden later naar Canada, waar we sinds het einde van de oorlog hebben gewoond. Mijn kinderen zijn volwassen geworden en getrouwd, en bij ieder kleinkind dat wordt geboren bid ik dat u maar in goede gezondheid mag verkeren. Mijn vrouw, Marthe, en ik zullen in mei naar New York komen en zouden het heel fijn vinden om u te zien en de hand te kunnen drukken. Vergeef me dat ik u heb opgespoord en dat ik me nogmaals binnendring in uw leven.

Met mijn warmste groeten, Leon Egberg

Ik was verrast dat mijn moeder nooit iets over hen had verteld, of over deze brief. Ze had me als kind verzekerd dat mijn vader een goed mens was geweest, maar na die tijd was ze nooit meer over hem begonnen. Ik herkende de namen uit de kelder van het château. Ik had de mijne erbij gezet en realiseerde me nu hoe ongepast dat was geweest. De brief was gedateerd op september 1983.

Ik vouwde de andere brief open. Die was ook van Leon Egberg, geschreven in mei 1984:

Beste Anouk,
Wat was het ontzettend fijn om je weer te zien en om je persoonlijk te kunnen bedanken. Het deed ons goed te horen dat je met Dieter Schulz bent getrouwd en we zullen er alles aan doen om onze belofte na te komen om uit te zoeken wat er na de bevrijding van hem is geworden. Wat een troost dat je zijn kind ter wereld hebt gebracht. Aan de foto's te zien lijkt hij erg op zijn vader. Het is heel belangrijk dat mensen de verschrikkingen van de oorlog niet vergeten – althans, dat dergelijke wreedheden door latere generaties niet opnieuw worden begaan. Ik hoop van harte dat we elkaar op een goede dag terug zullen zien. Doe alsjeblieft je zoon onze hartelijke groeten; ik

hoop dat hij beseft hoe dapper zijn moeder in de oorlog is geweest en
hoeveel levens ze heeft gered. God zegene je, Anouk.

Mijn allerhartelijkste groeten, Leon

Met bonzend hart keek ik de brieven door die zich sinds mijn moeders dood hadden opgestapeld. Ik wist heel zeker dat ik hetzelfde kriebelhandschrift ergens in de stapel had gezien. Ik legde de rekeningen en folders opzij, totdat ik nog een brief van Leon Egberg in mijn trillende hand hield. Hij moest iets over mijn vader hebben ontdekt. Ik kon mijn opwinding amper bedwingen. Ik schoof naar achteren op de bank, nam een slok koffie en scheurde de envelop open:

Mijn beste Anouk,
Ik hoop dat je als je dit leest in goede gezondheid verkeert. We hebben eindelijk ontdekt wat er aan het eind van de oorlog met je man is gebeurd. Het zal je niet verrassen dat Dieter een enorme hekel aan de nazi's had. Dat had hij al duidelijk gemaakt door de levens te redden van joden zoals wij. Maar ik kan je vol trots laten weten dat hij betrokken was bij het complot om in de zomer van 1944 een aanslag op Hitler te plegen. Doordat die mislukte, werd hij helaas veroordeeld tot de strop. Het leven brengt maar weinig helden voort, Anouk, maar jouw Dieter was er daar een van. Als het complot was geslaagd, zouden er duizenden mensen zijn gered. Het was heel dapper van hem om de levens van anderen boven zijn eigen leven te stellen. Ik hoop dat je, nu je weet hoe het hem is vergaan, dit kunt delen met je zoon. Ik weet dat je hem liever niet weer met het verleden wilde confronteren, gezien de verwoestende uitwerking die dat op hem heeft gehad, totdat je zou weten wat er van zijn vader was geworden. Nu je de waarheid weet, verdient Mischa het om te weten dat zijn vader een goed en nobel mens was, en een uiterst moedige held. We gedenken hem in de dood en wensen jou een goede gezondheid. L'hiem – op het leven!

Mijn hartelijkste groeten aan jou en je zoon, Leon

Verbijsterd door wat ik had gelezen bleef ik zitten. Ik wist dat er een aanslag was beraamd om Hitler te doden; daar bestonden boeken en televisiedocumentaires over. De samenzweerders waren opgehangen met pianosnaren en waren tijdens hun stervensproces gefilmd. Het greep me ontzettend aan dat mijn vader op deze manier was gestorven en het maakte me verdrietig dat mijn moeder nooit de waarheid had geweten, want Leons brief was te laat gekomen. Ik vroeg me af of ze het mij zou hebben verteld, of ze eerst Leons brief had afgewacht voor ze erover had willen beginnen. Dat zou logisch zijn geweest.

Dus mijn vader was toch een held. Dat had ik altijd al vermoed. Mijn moeder zou nooit van een man hebben kunnen houden die sympathiek tegenover het nazistische gedachtegoed stond. Ze had te veel respect voor mensen gehad, van wat voor ras of klasse die ook waren. Ze was aan de buitenkant nooit een hartelijke vrouw geweest; ik was een van de weinigen die een toevlucht hadden gezocht in haar armen. Maar ze had wel geloofd dat iedereen recht had op een eigen plekje op aarde en dat er ruimte genoeg was voor ons allemaal. Ik besloot Leon Egberg te schrijven en hem te vertellen dat mijn moeder was overleden. Ik wilde hem bedanken voor alle moeite die hij had gedaan om uit te zoeken wat er met mijn vader was gebeurd en ik wilde hem ook graag zien. Ik mocht Mauriac dan wel achter me hebben gelaten, maar de banden met mijn verleden zou ik toch nooit helemaal kunnen doorsnijden.

Met Claudine keerde ik terug naar het appartement van mijn moeder. Ik wilde dat ze me hielp om haar spullen uit te zoeken. Dat wilde ik niet langer in mijn eentje doen. Claudine begon in de keuken en pakte alle potten en pannen waarvan we hadden besloten dat we ze aan de kringloop zouden geven in dozen, terwijl ik meteen doorging naar haar slaapkamer om hetzelfde te doen met haar kleren. We werkten de hele week in het bleke winterse licht dat door de open ramen naar binnen viel. Het speet me niet om haar van alles en nog wat in vuilniszakken te zien stoppen, die vervolgens werden opgehaald. Zo zou zij het hebben gewild. Het waren tenslotte maar spullen, en ze had ze niet langer nodig.

Ik wilde wel het een en ander bewaren. Haar sieraden, dagboeken, brieven, fotoalbums, de piano, de boeken en andere zaken met sentimentele waarde.

Toen we weer thuis waren, ging ik met Claudine Coyotes ansichtkaarten zitten lezen. Nadat ik van Joy over de moord op Richard Quigley had gehoord, had ik besloten zelf een beetje onderzoek te doen. Ik ontdekte dat mijn vermoedens juist waren: Coyote, bij sommigen bekend als Jack Magellan, was Lynton Shaw. Hij was getrouwd met Kelly en ze hadden drie kinderen: Lauren, Ben en Warwick, en woonden in Richmond, Virginia. Hij had inderdaad

Richard Quigley vermoord en was tot levenslang veroordeeld, waarna hij dertig jaar in het Keen Mountain Correctional Centre had zitten verkommeren. Ik nam aan dat hij ook Billy, Joys verloofde, om het leven had gebracht, zodat hij het schilderij voor zichzelf kon houden. En mijn moeder? Had zij de waarheid geweten en er simpelweg voor gekozen die te begraven? En zo niet, waarom had Coyote ons er dan niets over verteld? Hoe kon hij ons hebben laten geloven dat hij ons in de steek had gelaten? Ik hoopte dat de ansichtkaarten die vragen voor me zouden beantwoorden.

We lagen samen op het bed. De kamer rook naar Claudines parfum, naar haar badoliën en de vanillecrème die ze voor haar lichaam gebruikte. Ik hield van haar vrouwelijke geur en de aanblik van haar nachthemd dat aan de achterkant van de deur hing. Ze was niet netjes, zoals Linda was geweest. Haar kleren slingerden overal rond. Ik vond het wel best zo. Ze was aards en zinnelijk, als de zomer in Frankrijk.

'Deze is heel roerend,' zei Claudine terwijl ze een kaart ophield. '"Zeg maar tegen Mischa dat ik in Chicago ben, de stad van de gangsters. Het is donker en gevaarlijk, en mannen met hoeden op, een pistool in hun riem, schuimen de straathoeken af. Ik weet zeker dat dat indruk op hem zal maken!"'

'Is dat alles wat erop staat?' vroeg ik. 'Als je bedenkt hoe lang hij al weg was, zegt dat ook niet veel, toch?'

'En moet je dit horen: "Zeg maar tegen Mischa dat ik in Mexico ben. Ik heb op een wit paard door de woestijn gereden, geslapen onder de sterren, en draag een enorme hoed om me te beschermen tegen de zon en de muskieten. De *fajitas* zijn verrukkelijk, de *mojitos* doen me duizelen. Ik speel op mijn gitaar op de pleinen en er komen vrouwen naar me toe om voor me te dansen. Het zijn de mooiste vrouwen van de hele wereld, maar niet zo mooi als jij, mijn lieftallige Anouk. Mijn hart hunkert naar je. Vergeet niet dat ik van je hou en dat ik dat altijd zal blijven doen. Ik hou ook van Mischa, vergeet niet dat minstens eenmaal per dag tegen hem te zeggen. Ik wil niet dat je me ooit vergeet."' Ze keek naar me op en fronste haar voorhoofd. 'Vind je dat niet een beetje vreemd? Ik bedoel, het lijkt wel alsof hij wist dat hij niet meer terug zou komen.' Daar dacht ik een poosje over na, terwijl ik de kaarten keer op keer overlas.

'Is het je opgevallen, Claudine, dat hij de plekken waar hij is geweest heel clichématig beschrijft? Luister hier maar eens naar, een kaart uit juli: "Zeg maar tegen Mischa dat ik in Chili ben. Het is hartje zomer. Kokend heet. De zee is ijskoud, te koud voor mij.

's Avonds speel ik op mijn gitaar; het strand is dan verlaten en de sterren zijn hier stukken groter. Ik mis jullie allebei. Ik kom gauw weer naar huis. Zeg maar tegen Mischa dat hij goed voor zijn moeder moet zorgen zolang ik weg ben, en dat hij op zijn gitaar moet oefenen. Ik verwacht dat hij het hele Laredo-lied kan spelen als ik terug ben. Dek een plaatsje voor me aan tafel, lieve schat, want ik wil mijn eten niet hoeven missen.'"

'Wat is daar vreemd aan dan?' vroeg ze. Ik overhandigde haar de ansichtkaart.

'In juli is het winter in Chili. Dan is het er stervenskoud.'

Ze ging rechtop zitten. 'Wil je soms beweren dat je niet gelooft dat hij op al die plekken is geweest?'

'O, ik wil niet beweren dat hij er nooit geweest is. Hij was er alleen niet op dat moment. Kijk maar naar de poststempels.'

'Die zijn allemaal uit dezelfde plaats afkomstig.'

'Op allemaal staat West Virginia. Weet je wat er in West Virginia te vinden is? Het Keen Mountain Correctional Centre.'

Ongelovig staarde ze me aan. 'O god. Hij zat in de gevangenis!'

'Hij heeft dertig jaar achter de tralies gezeten omdat hij Richard Quigley heeft vermoord. Ik stel me zo voor dat hij ook Billy, de verloofde van Joy Springtoe, om zeep heeft geholpen.'

Ze legde een hand op mijn arm. 'O hemel, Mischa! Weet je het zeker?'

'Ja. Joy had er destijds alles over in de plaatselijke kranten gelezen, dus toen we terug waren heb ik zelf wat onderzoek gedaan. Coyote leidde een dubbelleven. Hij heette zelfs niet eens Jack Magellan. Hij heette Lynton Shaw. Ik heb zo'n idee dat hij Billy doodde in de oorlog, omdat hij niet wilde dat hij terug kon gaan om het schilderij op te graven. Maar toen er in het pakhuis en bij ons thuis werd ingebroken, wist hij wie dat had gedaan en waar diegene naar op zoek was. Dáárom ging hij ervandoor: om Richard Quigley op te sporen en hem het zwijgen op te leggen. Het verbaast me dat hij zich, met al zijn sluwheid en listigheid, heeft laten pakken.'

'Je hebt al een tijdje je vermoedens gehad, hè?'

Ik knikte en slaakte een zucht. 'Het was de enige verklaring die hout sneed. Waarom zou hij anders niet terug zijn gekomen? Maar wat ik vreemd vind is dat hij het ons nooit heeft verteld. We hadden hem in de gevangenis kunnen opzoeken. Dan had ik tenminste geweten waar ik aan toe was. Dan zou ik me niet zo in de steek gelaten hebben gevoeld.' Ze zocht tussen de stapel ansichtkaarten en bekeek ze stuk voor stuk.

'Hij was misschien wel een ontzettende bedrieger, Mischa. Maar moet je die kaarten zien. Op allemaal staat: "Zeg maar tegen Mischa." Volgens mij was het wel duidelijk waarom hij jou en je moeder er niets over vertelde: hij wilde jóú niet teleurstellen.' Ik pakte alle kaarten op en begon ze weer te lezen. Ze had gelijk: ze waren allemaal voor mij geschreven.

'Jij had hem op een voetstuk gezet. Hij was die magische man die je je stem en je geloof in jezelf had teruggegeven. Als hij je de waarheid had verteld, zou je alle vertrouwen zijn verloren. Misschien was hij wel bang dat je je stem weer zou kwijtraken. Ik weet niet.'

'Ik hield van hem zoals hij van de Oude Man uit Virginia. Hij wist hoe het was om van een illusie te houden, en misschien ook hoe het was om die te verliezen. Hij is niet naar mijn kantoor gekomen vanwege de Titiaan. Hij kwam voor míj.' Ik voelde dat mijn maag een sprongetje maakte van opwinding. 'Hij heeft me gevonden dankzij het schilderij. Doordat we in de krant hadden gestaan. Mijn moeder had het al die jaren in bewaring gehouden, in de hoop dat hij het zou komen halen. Dáárom deed het haar zo'n pijn om het weg te geven: omdat dat betekende dat ze alle hoop moest opgeven dat hij ooit nog terug zou keren. Maar toen hij dat deed, kwam hij niet voor het schilderij; hij kwam voor mij en mijn moeder. Snap je?' Ik pakte haar hand. 'Dát bedoelde hij toen hij zei dat hij "dromen najoeg". Je kunt het verleden niet terughalen. Wij waren verdergegaan met ons leven. Mijn moeder was overleden. Hij had dertig jaar opgesloten gezeten in de hoop met haar herenigd te worden, maar zijn dromen bleken niets anders te zijn dan regenbogen. Christus, en ik heb hem weggestuurd!'

'Jij kon het ook niet weten,' stelde Claudine me gerust.

'Ik dacht dat hij geld wilde, maar hij wilde zijn zoon.' Ik nam mijn hoofd in mijn handen en mijn opwinding sloeg om in misselijkheid. 'Hoe kan ik hem vinden?'

'Dat kun je niet.' Ze schudde haar hoofd. 'Tenzij hij jou weer vindt.'

Die avond zat ik voor het open raam en speelde 'Laredo'. Ik hoopte dat dankzij de een of andere magie de wind het lied naar hem toe zou voeren, zodat hij wist dat ik altijd van hem was blijven houden. Hij was Lynton Shaw geweest, Jack Magellan, een dief, een bedrieger, en een moordenaar, maar voor mij was hij Coyote geweest. Coyote met de felle blauwe ogen, zijn schalkse glimlach, zijn grote liefdevolle hart en de stem van een engel.

Ik vond het fijn om te verhuizen naar New Jersey, want New York was een stad van hopeloosheid geworden. In het gezicht van iedere zwerver zocht ik Coyote. Elke keer vlamde mijn hoop op, maar werd die weer de bodem ingeslagen wanneer de ogen van een vreemde onaangedaan naar me terugkeken. We kochten een leuk wit huis met overnaadse planken, met een omheining van paaltjes eromheen, en schoten daar wortel tegelijk met de bloemen die we er plantten. Ik opende een winkel en noemde die Kapitein Crumbles Antiek, omdat ik stiekem hoopte dat hij me zou komen opzoeken. Ik wilde tegen hem zeggen dat ik van hem hield, dat ik altijd van hem had gehouden. Dat mijn liefde, ondanks alles wat er was gebeurd, het enige was wat stand had gehouden.

We settelden ons, namen een hond en leerden onze buren kennen. Toen werd er op een winderige ochtend in augustus een pakket afgeleverd. Het was groot, maar licht. Ik herkende het handschrift. Het kwam van Esther. Ik scheurde het bruine papier open en haalde er een gitaar uit. Mijn hart sloeg een slag over: het was Coyotes gitaar. Met bonzend hart las ik haar briefje:

Beste Mischa.
Dit is voor je gekomen. Joost mag weten wat je ermee moet. Je speelt toch geen gitaar, of wel soms? New York is een hel: veel te heet, veel te druk, veel te veel stress, veel te eenzaam zonder jou.

Hou moed! Esther

Ik was zelfs te verbijsterd om te glimlachen. Ik zocht tussen het papier naar een brief, een kattebelletje, iets van Coyote, maar er zat kennelijk niets bij. Ik ging zitten en begon de gitaar te stemmen. Mijn vingers trilden zo dat ik ze amper op de snaren kon houden. Ik kon Coyote voelen in de klanken die ik het instrument ontlokte. Ik kon hem horen zingen; zijn stem werd over de jaren heen meegevoerd door de wind die hem op die dag aan het einde van de zomer naar Mauriac had gebracht. En toen zag ik het briefje, verstopt in de klankkast van de gitaar. Het was klein, wit, en geschreven in amper leesbare hanenpoten: *Deze is ooit van de Oude Man uit Virginia geweest. Bewaar hem goed, Junior, want nu is hij van jou.*
Mijn keel werd dichtgeknepen en in mijn ogen prikten tranen. Ik sloeg krachtig een akkoord aan en zong 'Laredo', alleen maar om hem te bewijzen dat ik dat nog kon:

Dus brachten we hem
Naar de groene vallei
En speelden de dodenmars
Terwijl we hem droegen
Want allemaal houden we van onze kameraden
Zo dapper, jong en knap
We houden allemaal van onze kameraden
Ook al hebben die kwaad gedaan.

.

Dankbetuiging

Van alle boeken die ik heb geschreven is dit wel de grootste uitdaging geweest. Maar dankzij mijn man, Sebag, mijn trouwe *partner in crime*, die me tijdens onze jaarlijkse vakantie in Frankrijk bij een glas rosé hielp met de plot van het avontuur, bleek het ook het leukste te zijn om aan te werken. Twee krijgen meer voor elkaar dan één, en zonder hem had ik het nooit kunnen schrijven.

Toen ik voor de opgave stond om research te gaan doen naar de Bordeaux-streek tijdens de oorlog, wendde ik me tot mijn dierbare vrienden Sue en Alan Johnson-Hill, die in een schitterend *château* wonen en zo vriendelijk waren om hun ervaringen met me te delen, hoewel ik er meteen bij moet zeggen dat ze geen van tweeën oud genoeg zijn om de oorlog te hebben meegemaakt! Alan getroostte zich de moeite om mijn Frans te verbeteren en Sue hield per e-mail voortdurend contact, deed voorstellen en beantwoordde mijn waslijst met vragen. Ik dank hen allebei.

Tevens wil ik mijn vriend Eric Villain bedanken, die in de Bordeaux is opgegroeid. Ik wilde een heleboel weten over hoe hij als kind de gebeurtenissen had ervaren, dus nam ik hem mee uit lunchen, schonk hem een groot glas wijn in – Franse, natuurlijk – en haalde mijn notebook tevoorschijn, terwijl hij herinneringen ophaalde aan zijn jeugd. Hij was een onuitputtelijke bron van informatie, en ook nog eens uitermate onderhoudend. Dankjewel, Eric.

Dit boek voerde me niet alleen naar de Bordeaux, maar ook naar New York en Virginia. Vanzelfsprekend koos ik de allerknapste Amerikaan uit die ik ken om me te helpen met mijn research, te weten Gordon Rainey. Ik dank je hartelijk, Gordon, voor al je hulp en amusante e-mails, die het zo leuk hebben gemaakt contact met je te houden.

Voor de passages waarin plotseling een schilderij van Titiaan op-
duikt riep ik hulp van het hoogste niveau in bij de National Gallery.
Ik kan zowel Colin McKenzie, hoofd Ontwikkeling, als David Jaf-
fé, curator, niet genoeg bedanken voor hun adviezen, anekdotes,
steun, humor en uitstekende gezelschap tijdens mijn research voor
De zigeunermadonna. Een gedeelte van dit boek waarvoor ik mijn
hart vasthield werd dankzij hen een van de leukste onderdelen.

Een vrouw moet in vorm blijven terwijl ze het grootste deel van
de dag in een stoel voor haar laptop hangt! Daarom tevens dank aan
mijn kickbokstrainer, Stewart Taylor van Bodyarchitecture.co.uk,
die me alle hoeken van de sportzaal heeft laten zien, maar die tussen
de slagen door ook goed kon luisteren en een prima klankbord was
voor al mijn verhalen over de plot en de diverse personages.

Ik dank mijn ouders, Charlie en Patty Palmer-Tomkinson, voor
hun niet-aflatende steun en bemoediging, vooral mijn moeder, die
de eerste opzet van nuttig commentaar voorzag. En dank aan mijn
schoonouders, Stephen en April Sebag-Montefiore, die zo veel belangstelling voor mijn boeken tonen; dankzij hun enthousiasme en
lof blijf ik schrijven.

Kate Rock komt altijd dank toe omdat ze me vijf jaar geleden op
weg hielp, evenals Jo Frank, voor de verkoop van mijn eerste boek
aan Hodder & Stoughton. Hodder & Stoughton verdient een
pluim, want jullie geven nu al mijn zesde boek uit en willen er nóg
vier hebben! God zegene jullie!

Dankjewel, Linda Shaughnessy, omdat je mijn boeken over de
hele wereld hebt verkocht, en ook aan jou, Robert Kraitt, mijn film-
agent, omdat je altijd optimistisch blijft.

Sheila Crowley, mijn literair agent, is de meest dynamische, ca-
pabele en positieve persoon die ik ken. Geen zee gaat haar te hoog.
Dankjewel dat je me hebt vertegenwoordigd, en blijf voor de volgende vier boeken alsjeblieft aan mijn zij!

Mijn dank gaat eveneens uit naar mijn redacteur, Susan Fletcher,
voor al haar noeste arbeid en voor haar geduld. Jouw kritiek is van
onschatbare waarde en je lof is de brandstof die me schrijvende
houdt. Dat ons uiterst productieve partnerschap maar lang mag
blijven duren!